CENTURY

Dit boek is voor mijn oma,
die de sterren van heel dichtbij ziet.

Oorspronkelijke titel: Century. La stella di Pietra.
Alle namen, karakters en andere items in dit boek zijn het copyright,
het handelsmerk en de exclusieve licentie van Atlantyca S.p.A.
Alle rechten voorbehouden.

Tekeningen: Iacopo Bruno
Vertaling: Pieter van der Drift en Manon Smits
Begeleiding en productie: Ventuno Consulting & Management bvba

© 2007 Edizioni Piemme Spa, Via Galeotto del Carretto, 10,
15033 Casale Monferrato (Al), Italië
© 2008 Baeckens Books
Alle rechten voorbehouden. Niets uit deze uitgave mag worden verveelvoudigd
en/of openbaar gemaakt, op welke wijze dan ook, zonder voorafgaande
schriftelijke toestemming van de uitgever.

Uitgegeven bij Fantoom
Een imprint van Baeckens Books
ISBN 978 90 78345 09 1
NUR 282/283
D/2008/6186/04

Pierdomenico Baccalario

DE STER VAN STEEN

Tekeningen
Iacopo Bruno

Vertaling
Pieter van der Drift en Manon Smits

Waarom zouden we klagen dat het vuur
het universum wreder heeft gemaakt
en dat de vuurzee van de Aarde de ene
na de andere stad heeft verwoest?
Toen de vonken van de verwoeste kar rond dwarrelden,
vloog ook de hemel erdoor in lichterlaaie.
En ontbrandden de onwetende vlammen de dichtstbijzijnde sterren
die nu nog steeds de tekenen van de doorstane ramp dragen.
Manilius, Astronomica, v. 744-749

Je vraagt me welk profijt we van deze taak zullen hebben.
Het grootste van allemaal: dat we de Natuur leren kennen.
Seneca, Naturales Quaestiones, VI

HET CONTACT

Een uitgestrektheid van zwarte rotsen, gegeseld door een wind die natte sneeuw meevoert. De hemel is loodgrijs. De zee een vlakte die tegen de rotsen aan beukt: stenen bogen die elkaar opvolgen en onder water verdwijnen. De vrouw kijkt vol verwondering naar de razernij waarmee de elementen elkaar te lijf gaan. Water, wind, aarde en vuur. Het zijn de veranderlijke sentimenten van dit afgelegen eiland: IJsland.

Ze brengt haar slede tot stilstand. Zes wolven gaan in de sneeuw zitten en laten de koperen belletjes rinkelen aan de leren riemen waarmee ze aan de slee vastzitten.

De vrouw heeft de schuilhut, omringd door het ijs, net verlaten. Ze heeft de andere drie, haar vrienden, daar achtergelaten.

Ze heeft tegen hen gezegd dat Century in Rome zou beginnen. En Irene stelde voor om de kinderen dan bijeen te laten komen in haar hotelletje.

Ze hebben bedacht hoe ze het zouden doen.

Oudjaarsavond.

Een goed idee.

Ze hebben alles op een rijtje gezet, en daarna hebben ze afscheid genomen.

Op de top van de klif blaast de wind de kleren van de vrouw bol. De gestolde lava van een oude uitbarsting trilt onder haar laarzen. Het is het bloed van de aarde, geheeld door het zout.

Dan geeft ze het bevel om door te gaan. De wolven springen op en stuiven over de sneeuw. Hun doel wordt gevormd door hoge zuilen van stoom, die zich als lome spookkathedralen aftekenen tegen de grauwe hemel. De wolven rennen voort, en laten hun jachtroep weerklinken. Plotseling verschijnt er tussen de stoom een lagune met helderblauw warm water. Het is de Blauwe Lagune, een thermaal meer in de dansende stuifsneeuw.

De vrouw stuurt de slede naar een houten gebouwtje. Ze maakt de wolven los en geeft ze enkele bevelen, in een hoekige taal.

Dan gaat ze naar binnen. Ze trekt haar natte kleren uit en trekt een badpak aan. De lange haren vallen over haar rug. Ze daalt een paar treetjes af en laat zich in het warme water zakken, waar ze haar ogen half dicht knijpt door de strelingen van de stoom. Zwemmend bereikt ze het openluchtgedeelte van het meer.

Ze wacht in de sneeuw.

Een hele tijd later komt een man heel stil op haar af zwemmen, bijna zonder het water te laten rimpelen. Hij noemt haar naam.

Zij houdt haar ogen dicht. 'Dat ben ik,' antwoordt ze.

De man stelt zich voor. Hij heet Jacob Mahler. Zijn haar heeft de kleur van een spinnenweb en hij hurkt op een paar passen van haar af in het warme water.

'We hadden iets anders afgesproken', zegt ze. 'Ik zou meneer Heremit ontmoeten…'

Jacob Mahler laat zijn hand uit het water schieten. 'Spreek die naam nooit uit.'

'Wat een flauwekul', antwoordt de vrouw.

'Het is geen… flauwekul.'

Haar enige antwoord is dat ze zich onder water laat zakken. Als ze weer boven komt, zit de man nog steeds roerloos naast haar.

'Ik heb weinig tijd voor grapjes', zegt de vrouw kortaf, terwijl ze hem door haar natte haren heen aankijkt. 'Ik moet zo uitvaren.'

'Je schip kan nog wel een paar uurtjes wachten.'

'Ik heb een lange reis voor de boeg.'

'De eilandengroep Spitsbergen, Noorwegen, Siberië, Kamchatka, Beringstraat. Een lange reis door de kou.'

'Ik hou van de kou. De kou beschermt het verleden.'

'Archeologenpraat.'

'Ik ben ook archeologe.'

'Een paar jaar geleden vond een stam Evenki-Sibieriërs een volkomen geconserveerde mammoet in het ijs. Ze hebben hem gekookt en hem stukje bij beetje opgegeten, zonder dat iemand de kans kreeg om hem te bestuderen.'

'Honger is de eerste behoefte van de mens.'

'En wat is de tweede?'

'Macht.'

'En dat is dan weer de reden van onze ontmoeting.'

'Jij bent niet degene die ik moet spreken, Jacob Mahler.'

'Hij komt echt niet uit zijn wolkenkrabber. Maar hij wil het wel weten. En als jij niet met mij wilt praten, betekent het dat je ons zult moeten komen opzoeken.'

De vrouw geeft geen antwoord. Ze veegt de haren van haar voorhoofd.

'In Shanghai', vervolgt Jacob Mahler. 'Na afloop van je expeditie... Dan beloof ik je een heel warm onthaal. Met voortreffelijke muziek.'

'Speel jij een instrument?'

'Een beetje. Viool.'

Ze kijkt naar de handen van de man die als vreemde, drijvende dieren over het wateroppervlak bewegen. Ze denkt er even over na, en antwoordt dan: 'Zeg maar tegen je baas dat ik kom.'

Mahler knikt. 'We zullen op je wachten.'

Dan zakt hij in het kobaltblauwe water en is verdwenen.

Sindsdien zijn er zes jaar verstreken.

1
HET TOUW

De trein van metrolijn 3 verdwijnt in het donker, opgeslokt door de rails. Harvey, met zijn lange, warrige haar voor de ogen, wacht tot het perron leeg is, steekt dan geërgerd zijn handen in zijn zakken en loopt naar de trap. Buiten hangt een sterke brandlucht. Het asfalt glimt van de regen. De hemel boven Harlem lijkt fragiel, moeizaam ondersteund door de daken.

De jongen controleert het adres dat hij in zijn zak heeft. Er zitten zwarte gaten in de weg. Auto's die kennelijk zijn afgedankt op de trottoirs en een wirwar van verhoogde wegen die afdalen richting de rivier.

New York, januari, noordelijke rand van Manhattan. Harvey loopt.

Het adres waar hij naartoe moet blijkt een bakstenen gebouw met een souterrain. Aan de muur gescheurde posters en een rode brandtrap, die doet denken aan een litteken. Daarnaast, achter een roestig ijzeren hek, een speelplaats vol kapotte meubelen.

Overal rondom staan oude, nukkige, onpersoonlijke gebouwen. Verderop een café, een groentewinkel, een Arabisch etablissement. De aanplakbiljetten van de Black History Month, de maand van de zwarte geschiedenis, die aan de straatlantaarn op de hoek hangen, zijn vol gekalkt met witte verf. De ideale wijk voor een sportschool.

Bij de aluminium deurbellen staat hij niet genoemd. Er is een kantoor van een arbeidsadvocaat, en er zijn een paar onleesbare nummers en letters. Harvey kijkt nog eens goed naar het huisnummer dat op een ijzeren plaat rechts van de voordeur hangt.

Het komt overeen met het nummer op zijn kaartje. Hij loopt half om het gebouw heen, leunt tegen het verroeste hek van de speelplaats en probeert een blik op de zijkant te werpen. In het souterrain zijn alle lampen aan. Harvey kijkt hoe laat het is. Vijf uur.

De hemel is bijna helemaal donker.

Wat zal hij doen? Hij is besluiteloos... Hij heeft geen afspraak en hij is niet op zoek naar iemand in het bijzonder. Maar hij heeft dat adres nu al een week in zijn zak zitten, vanaf het moment dat hij die zwart-witte poster op een zuil van het station van Columbus Circle zag hangen. Het was een tekening van een jongen in T-shirt en korte broek, met op zijn bokshandschoenen het opschrift:

Olympia
Sportschool voor boksen
Grieks-Romeins worstelen

Hij vond het een mooie poster, en hij had de naam en het adres opgeschreven. En het idee om ernaartoe te gaan was in zijn hoofd blijven steken als een speld. Hij had zich voorgesteld hoe hij zou staan boksen. En bij die gedachte had hij geglimlacht. Het zou handig zijn om zich te kunnen verdedigen, en om te weten dat hij een onverlaat het hoofd zou kunnen bieden.

Vooral na die jaarwisseling in Rome.

Harvey spant zijn beenspieren en recht zijn rug, zoals hij altijd doet als hij in moeilijkheden verkeert.

Een oude raaf gaat niet ver van hem af zitten, balancerend op een van de ijzeren buizen die het hekwerk ondersteunen. Hij heeft een spitse snavel en één gehavend oog.

Harvey schenkt geen aandacht aan hem.

Hij loopt terug en probeert het trapje naar het souterrain af te dalen. Op het laatste treetje hoort hij aan de andere kant van de deur gymschoenen piepen op het linoleum. Pratende stemmen.

Hij heeft de sportschool gevonden.

Hij klopt, ziet een bel, drukt erop.

Hij wacht. Hij werpt een blik op de weg boven hem.

De raaf zit nog roerloos op de ijzeren buis. Hij krabt met een pootje aan zijn gewonde oog. Dan, als de deur van de sportschool opengaat, vliegt hij op en verdwijnt hij tussen de daken.

Voor de deur staat een jonge vrouw met een donkere huidskleur.

'Jou ken ik niet,' zegt ze met een halve grijns tegen Harvey.

Ze is heel mooi. Kort haar, nat van het zweet, en grote hazelnootbruine ogen. Haar ietwat asymmetrische neus geeft haar een beetje een scheve gezichtsuitdrukking. Ze draagt een grijs trainingspak, een haarband in dezelfde kleur en opvallende lila bokskousen. Ze draagt geen schoenen. En ze is heel verhit.

Harvey zet onmerkbaar een stapje achteruit, hij heeft zich vast vergist. Wat doet een vrouw in een boksschool?

'Ik heet Harvey Miller en...'

Achter de vrouw valt met luid geraas iets op de grond.

Ze draait zich met een ruk om en schreeuwt: 'Michael! Voorzichtig met die zak, anders mag jij een nieuwe kopen!' Dan wendt ze zich weer tot Harvey: 'Sorry. Wat zei je ook alweer?'

Harvey begraaft een hand in zijn warrige haar. 'Niks...' mompelt hij, en hij voelt het onweerstaanbare verlangen om ervandoor te gaan in zich opkomen. 'Misschien heb ik me gewoon vergist en...'

'En waarin heb je je dan vergist, Harvey Miller?' antwoordt ze terwijl ze hem vorsend aankijkt. Ze zegt het op scherpe toon. Typisch voor iemand die wil provoceren. 'Heb je je vergist omdat je hier niet moest zijn, of omdat je ineens beseft dat je er het lef niet voor hebt?'

'Zeg!' protesteert Harvey. 'Ik heb niks gezegd...'

Als enige antwoord gaat ze een beetje aan de kant en biedt ze hem een blik op een smerige vloer van grijs linoleum, een wand met twee rijen lege haken, enkele jassen en een houten bank waarop een paar sporttassen staan.

'Jij hebt niks gezegd, nee, maar je gezicht wel. Wil je binnenkomen?'

Harvey neemt een argwanende houding aan, hij duwt zijn hoofd tussen zijn schouders en vouwt zichzelf dubbel.

'Zo lijk je kleiner, Harvey Miller.'

'Het lijkt wel of ik mijn moeder hoor praten.'

'Je moeder heeft gelijk.'

Harvey gaat beledigd rechtop staan.

'Dat is al beter,' merkt de vrouw op. 'En?'

Harvey laat haar zijn handen zien. 'En wat? Wat wil je dat ik zeg? Ik kwam alleen maar even kijken.'

'En wat zie je nu?'

'Ik zie jou voor de deur staan!'

'En ben je naar een boksschool gekomen om een vrouw voor de deur te zien staan?'

'Nee!' antwoordt Harvey geïrriteerd. 'Ik ben gekomen omdat ik een boksschool wilde zien!'

Ze wenkt dat hij binnen moet komen. Zo te zien is ze erg in haar sas.

'Regel één,' zegt ze. 'Wie zijn kalmte en zijn concentratie verliest, verliest het gevecht. Regel twee: als je naar een boksschool wilt gaan, kom je in trainingspak en T-shirt, niet alsof je naar school gaat. Ook al kan ik je misschien wel iets lenen.'

'Ik heb geen...'

'De eerste les hoef je niet te betalen. Als je het leuk vindt, kun je doorgaan. Zo niet, even goeie vrienden. Kom maar mee.'

Een beetje verward loopt Harvey de sportschool binnen.

'En doe die deur dicht!' roept de donkere vrouw hem toe zonder zich om te draaien. 'Anders worden we allemaal ziek!'

De ruimte is behoorlijk groot en wordt verlicht door een heleboel witte tl-buizen op een rij. Geen toestellen. Geen mechanische apparaten. Alleen maar tientallen blauwe matten op de vloer, houten rekken tegen de muren en een heel arsenaal aan bokszakken en boksballen van verschillende afmetingen, hangend aan het plafond. Een jongen wiens gezicht schuilgaat achter de capuchon van een grijs sweatshirt is aan het touwtjespringen, waarbij hij het touw steeds kruist onder zijn voeten.

In het midden is de ring: een wit podium met dikke touwen eromheen. Twee andere jongens met een blauwe en een rode rubberen helm gaan elkaar te lijf in een oefenpartijtje. Je hoort het piepen van hun handschoenen en de doffe klappen van de slagen die op de gevulde helmen terechtkomen.

Zodra hij de jongens ziet, blijft Harvey geboeid staan kijken. Ze dragen strakke shirtjes, glanzende korte broeken en bokskousen met een donkerblauwe rand. Ze bewegen zich op hun tenen als dansers, maar het is geen dans die ze uitvoeren.

Het is een gevecht.

'Terence en Evelyn debuteren over een maand. Twee vedergewichten, maar in verschillende competities, natuurlijk,' verklaart de donkere vrouw, die een paar passen voor Harvey uit loopt.

'Evelyn?' vraagt hij, en pas dan realiseert hij zich dat een van de twee vechtersbazen een meisje is.

'Ja, Evelyn. Zij is hier beslist degene met de hardste stoot.' Dan, als ze ziet hoe verbluft Harvey is, voegt ze eraan toe: 'Dacht je dat boksen alleen een sport voor mannen was?'

Als Harvey zijn blik van de ring losmaakt, ziet hij dat de vrouw haar hand heeft uitgestoken: 'Leuk dat je er bent, Harvey Miller. Ik ben Olympia, de eigenares van deze sportschool.'

Olympia leunt tegen de muur buiten de herenkleedkamer: door het matglas is haar profiel zichtbaar. Op de wanden van het vertrek staan teksten van andere boksers. De enige aanwezige douche heeft al sinds tijden geen mengkraan meer, en de over-heersende geur is een mengeling van bedomptheid, zweet en een slecht functionerende afvoer.

Zittend op de houten bank trekt Harvey gejaagd een paar groezelige gymschoenen aan. Hij glijdt met zijn duimen achter zijn hielen langs om de schoenen wat uit te rekken, en staat dan op. Zijn beeltenis in de spiegel is lachwekkend, ook omdat niets van wat hij heeft aangetrokken echt zijn maat is. En ook niet echt schoon. Maar dat maakt hem niks uit.

Hij verlaat de kleedkamer uit en loopt naar Olympia, die niet de moeite neemt om commentaar te leveren.

'We kunnen beginnen, als je wilt.'

'Hoe wist je dat ik zou blijven?' vraagt Harvey terwijl hij ach-ter haar aan loopt naar de matten.

'Sommige dingen heb ik bij de eerste blik al door.'

'Hoe...'

'Je bent in je eentje gekomen. Geen papa die met je mee-komt en me vertelt dat hij op jouw leeftijd ook op boksen zat en dat hij daarna in het leger is gegaan. En geen mama die snui-vend door de kleedkamers loopt en me erop wijst dat de sport-school veel te smerig is.'

'Inderdaad,' zegt Harvey bij de gedachte aan zijn ouders.

'We zijn hier om te boksen, niet om te poetsen,' vervolgt de trainster.

Dan gaat ze hem voor naar de tegenoverliggende hoek van de sportschool, waar een gigantische zwarte zak aan het plafond hangt. Ze slaat haar armen eromheen en laat hem aan Harvey zien. 'Dit wordt jouw vijand. Maar voordat je leert om hem te slaan...' Ze duwt de zak naar de jongen, en raakt hem vol in zijn

gezicht, 'moet je leren zijn klappen te incasseren.' De zak keert rustig terug in haar armen. 'En voordat je leert om zijn klappen te incasseren, moet je leren ze te ontwijken.'

Harvey wrijft over zijn wang, waar hij het ruwe canvas van de zak nog steeds voelt nagloeien.

'Dat lijkt me geen overbodige luxe,' moppert hij.

'Om te leren ontwijken, moet je de balans van je lichaam goed leren kennen. Je benen, armen, schouders, romp, hals. En er is maar één manier om dat te leren.'

Olympia bukt zich en raapt een touw van de grond. Ze geeft het aan Harvey en beveelt: 'Springen maar.'

De jongen pakt het touw teleurgesteld aan. 'Geen bokshandschoenen?'

'Geen bokshandschoenen, maar honderd keer touwtjespringen. Daarna push-ups, wandrek en nog eens honderd keer touwtjespringen. Als je klaar bent zullen we eens kijken of je nog overeind staat. Kun je touwtjespringen?'

Harvey plaatst het touw achter zijn enkels, zwaait het over zijn hoofd heen en springt er met een wankel sprongetje overheen. 'Ik kan het leren.'

Olympia kijkt hem kritisch aan. 'Heb je vrienden, Harvey?'

Hij blijft springen. 'Een paar, hoezo?'

'Ik was gewoon benieuwd.'

2
HET GEZANG

'Mag ik misschien weten waar jij zo slonzig naartoe gaat?' vraagt Linda Melodia aan Elettra, voor de ingang van Hotel Domus Quintilia. Leunend op haar bezemsteel werpt ze haar nichtje een keurende blik toe.

'Wat is er nu weer niet goed?' snuift die. Een waterval aan ravenzwart haar, pikdonkere ogen, een strak wit jack met daaronder een grijze broek en zwart-paarse sneakers.

'Die schoenen,' zegt Linda, en ze wijst ernaar met het uiteinde van haar bezem.

Elettra steekt haar flitsende Tigers in de lucht. 'Die zijn toch prachtig!' protesteert ze.

'Maar wel vuil. Wat is dat daar aan de hak? Modder?'

'Tante! Er ligt alleen maar modder op straat. De sneeuw is net gesmolten.'

'Een net meisje heeft altijd schone schoenen.'

'Dan ben ik dus geen net meisje!'

'O, als je...'

'...als mijn moeder me eens kon horen, ja hoor! Tante, ik moet nu echt weg.' Elettra gaat op haar tenen staan en geeft haar een kus, waarna ze weg rent.

Linda glimlacht, want ze heeft een zweem geroken van het parfum van Mistral, die lieve, gevoelige vriendin van Elettra. 'Ze heeft in elk geval íets opgepikt, die wildebras...' mompelt ze bij zichzelf.

Neuriënd gaat ze met haar bezem een bijzonder lastige spleet in het trottoir te lijf. Ze gaat net zo lang door tot ze ook het laatste restje slijk heeft weggevaagd. Dan ziet ze vanuit haar ooghoek dat Fernando, Elettra's vader, steels voorbij glipt; hij gedraagt zich nog steeds heel onzeker na zijn treffen met Jacob Mahler op oudjaarsdag.

'Fernando!' buldert tante Linda, waarmee ze hem dwingt om te blijven staan. 'Wat is dat daar?'

Fernando Melodia heeft een stapel oude, stoffige boeken in zijn handen, die wankel op elkaar getast zijn. 'O, hallo Linda...' begroet de aanstormend schrijver van succesvolle spionage-romans haar op zijn gebruikelijke toon die het midden houdt tussen inschikkelijk en bevreesd. 'Ik had je niet gezien...'

'Die wil je toch zeker niet mee naar binnen nemen, hè?' vraagt ze dreigend, wijzend op de boeken.

'O, tja... eerlijk gezegd... had ik die voor mijn werk nodig.'

'Maar zo kunnen ze niet naar binnen!' Linda loopt op hem af, waardoor Fernando tegen de muur gedrukt wordt. 'Ze zijn vreselijk smerig!'

'Ze komen uit de kelder,' zegt hij vergoelijkend.

18

De vinger van de vrouw trekt een streep in het stof op het omslag van het bovenste boek. En haar oog valt onmiddellijk op enkele wittige draden tussen de bladzijden. 'Stof! Spinnenwebben! En wat is dit?'

Ze blaast een handjevol zwarte korrels in Fernando's gezicht. 'Muizen! Muizenpoep!' schreeuwt Linda Melodia vol afgrijzen.

Fernando begint te hoesten, en bij de derde keer verliest hij zijn grip op de stapel boeken, die in een explosie van bladzijden, stof en oude spinnenwebben op de grond valt.

Linda Melodia verbleekt en heft haar bezem boven haar hoofd. 'Mijn binnenplaats!' krijst ze.

Elettra steekt Piazza in Piscinula dwars over en loopt van daaruit naar Viale Trastevere, waar ze op tram nummer 3 stapt. De reis duurt niet zo heel lang.

Eenmaal uitgestapt, zoekt ze tussen de daken de elf kleine piramides van de façade van de kerk van Santa Maria dell'Orto. Ze loopt naar de ingang en kijkt hoe laat het is: vier uur stipt.

Sheng staat op haar te wachten tussen twee witte zuilen. Zwart bloempotkapsel, wonderlijk lichte ogen, een jas van glanzende zijde op een spijkerbroek en sneakers. 'Ja, sorry hoor. Die jas is van mijn vader', is het eerste wat hij tegen haar zegt.

'Hij is niet echt... geschikt voor de gelegenheid...' merkt het meisje op, terwijl ze hem haastig omhelst.

'Volgens mij zal daar heus niemand over klagen', zegt Sheng terwijl hij voor haar uit de kerk binnen loopt. 'Sterker nog, volgens mij is er zelfs helemaal niemand.'

De kerk is donker en koud, maar op een vreemde manier toch intiem.

De twee vrienden lopen dicht tegen elkaar aan naar het altaar. Tussen de rijen banken, op een metalen driepoot, staat een doodskist van zwart hout.

Geen bloemen. En geen mensen, met uitzondering van een mevrouw op de eerste rij, heel klein, met een hoedje waar een pauwenveer op prijkt en een grijze lammycoat waardoor ze net een reusachtige tortelduif lijkt. Het is Ilda, de kioskhoudster van Largo Argentina.

Elettra en Sheng gaan naast haar zitten. Ze glimlachen naar haar. Ze geven elkaar een hand.

'Wat erg...' jammert de vrouw. 'Ik vind het zo vreselijk.'

Door het deurtje van de sacristie staat de pastoor naar hen te kijken, hij kucht en gaat zich dan omkleden.

In de stille lucht begint zich de geur van wierook te verspreiden.

De luidspreker kraakt en dan klinken de eerste tonen van een melancholisch muziekstuk.

'Misschien hadden we een bloem moeten meenemen, of iets...' fluistert Elettra, plotseling overmand door droefheid.

Als ze slepende voetstappen hoort, draait ze zich om. De zigeunerin van de Via della Gatta is ook gekomen. Haar ene gouden oorbel glinstert tussen haar haren. Ze legt twee gestolen bloemen op de doodskist en verstopt zich dan achter in de kerk, in de schaduw.

Er komt ook een man binnen. Het is de ober van Caffè Greco.

Hij wilde niet ontbreken op de begrafenis van professor Alfred van der Berger.

Buiten het raam vormen de daken van Parijs een stroom donkere dakpannen die de dakkapellen en de ronde raampjes versieren als chocolade op een slagroomtaart. Enkele spreeuwen zijn in de schaduw van een erker gaan zitten, dicht tegen elkaar aan om warm te worden. Andere zwieren door de lucht, voor de zachte, wattige wolken langs.

Achter in de klas laat Mistral haar blik tot aan de Seine en de koepels van de kerken glijden.

Dan voert de stem van haar zanglerares haar razendsnel terug naar de werkelijkheid: 'Juffrouw Blanchard? Bent u nog bij ons? Of bent u weer vertrokken op een van uw lange reizen?' vraagt ze haar op de geaffecteerde toon van een negentiende-eeuwse gouvernante.

De andere meisjes van de zangles grinniken. Mistral, die veel te dromerig is om zich eraan te storen, is meteen weer aan-dachtig en glimlacht. Ze focust haar blik op het oefenlokaal, zet een stap naar voren, doet het bovenste knoopje van haar trui met V-hals dicht en vraagt, zo argeloos dat het bijna onbeschoft lijkt: 'Ben ik aan de beurt?'

De zanglerares zit achter de piano. Ze heeft een dikke laag make-up op haar wangen, wit haar dat in de hals bijeen wordt gehouden met een haarspeld die doet denken aan een overblijf-sel uit de oorlog en een enorme jurk met zwarte ruches die haar gevangen lijkt te houden tussen het krukje en de pedalen.

'Natuurlijk ben jij aan de beurt, Mistral. Al een paar minu-ten!' Ze klakt luidruchtig met haar hak op de houten vloer, om de andere leerlingen te laten stoppen met lachen. 'Wat is jouw nummer deze week?'

Mistral loopt naar de piano en overhandigt haar een partituur.

'Ik heb Woman in Love voorbereid, mevrouw, van Barbra Streisand.'

'Amerikaans, hm? Heb je niks anders ontdekt toen je met oud en nieuw in Rome was?'

De andere meisjes zijn op slag stil, benieuwd naar het antwoord.

'Nee, mevrouw. Of eigenlijk wel: één ding heb ik ontdekt.'

De lerares tilt haar billen een paar keer van het krukje om beter te gaan zitten, duwt de partituur op de standaard en vraagt zonder de minste belangstelling: 'Wat dan?'

'Ik geloof dat ik niets meer moet hebben van klassieke muziek. En ook niet van de viool. Vooral niet van Mahler.'

'En wil je daarom Amerikaanse nummers zingen?'

'Ook daarom, ja,' antwoordt Mistral.

De lerares gaat er niet verder op in. Dat zou ze trouwens ook niet kunnen. Niemand kan weten wat er in Rome is gebeurd.

De piano laat de eerste tonen horen. Het meisje haalt adem, wacht het juiste moment af en begint dan te zingen. Haar stem klinkt helder en volmaakt.

Geen van de andere meisjes grinnikt meer.

Buiten het raam, op de daken die schuin aflopen tot aan de Seine, komen enkele vogels aan vliegen om naar haar te luisteren.

'Eenendertig dollar... eenendertig dollar vijftig... tweeëndertig!' zegt Ermete De Panfilis met een glimlach als hij de taxichauffeur de laatste twee munten van zijn verzameling Amerikaans kleingeld overhandigt.

De man, een Porto Ricaan die net uit de gevangenis ontslagen lijkt te zijn, is zo te zien niet erg blij met al die muntjes.
Hij wacht zonder een vinger uit te steken tot de Italiaan ook de
laatste van zijn reusachtige reistassen heeft uitgeladen en rijdt
dan met piepende banden in de modder weg.

'Hé!' protesteert Ermete terwijl hij de vieze spetters probeert
te ontwijken. 'Wat een manieren!'

Hij controleert zijn ribfluwelen broek en brengt dan schou-
derophalend zijn bagage in veiligheid op het trottoir. Op de
labels van de luchthaven staat geschreven: New York, NY.

Om precies te zijn: 35th Street, Queens.

Een woonwijk. Een appartement op de eerste verdieping van
een huis in rode baksteen dat er geruststellend uitziet, niet ver
van de woning van een ware Amerikaanse legende: Alfred
Butts, de uitvinder van Scrabble, zijn favoriete bordspel.

Met zijn tassen en rugzakken om de schouders zoekt de
ingenieur de goede sleutel tussen al die sleutels die hij van het
bureau heeft gekregen; hij brengt de helft van zijn bagage naar
binnen, gaat weer naar buiten, haalt de andere helft op, en hij
heeft nog maar amper de tijd gehad om de hal te bekijken of
zijn mobieltje gaat over.

'Hallo mama!' groet hij terwijl hij over een koffer heen stapt.
'Nee. Ja. Natuurlijk... Ik ben net aangekomen. Echt nog maar
net. Heel leuk. Het regent. Het stort. Er is een tornado. Ach
nee, nee hoor! Ik maak een grapje! Ja. Dat is waar... geen leuk
grapje. Ik weet dat je je zorgen maakt...'

Ermete laat zich wegzakken in een heerlijke bank, grijpt de
afstandsbediening vast en zet de tv aan op een zender waarop

een herhaling van het laatste American football-toernooi wordt uitgezonden.

'Wat zeg je? Dat is de televisie, mama. In de Verenigde Staten is overal televisie. Nee. Nee, je kunt me niet komen opzoeken. Daar is hier geen plaats voor. Het spijt me... En trouwens, het is een vreselijke reis. Eindeloos lang. Nog langer. Nog veel langer.'

Ermete zet het geluid van de tv harder en neemt een kijkje in de kamer, de badkamer, de keuken, de koelkast. Leeg.

'Ja, ik heb hier vrienden, mama. Natuurlijk. Ik ga ze bellen. Ik ben niet alleen. Wees gerust. Prima. Dag. Ja. Dag.'

De ingenieur beëindigt het gesprek en gooit zijn mobieltje tussen de kussens van de bank. Dan zoekt hij het telefoonboek en bladert naar 'Miller'.

Er zijn tien pagina's vol Millers.

'Ik hoef Harvey ook niet per se nu meteen te bellen...'

Ermete loopt naar het raam en kijkt naar buiten. Er is niemand op straat.

'En trouwens, het is ook niet veilig om de telefoon te gebruiken voor belangrijke boodschappen...' vervolgt hij bij zichzelf, alsof hij een rol speelt in een spionagefilm. 'Er zijn betere communicatiemiddelen voorhanden in New York.'

Hij haalt het pronkstuk van zijn filmverzameling uit zijn bagage: Ghost Dog, van Jim Jarmusch. Het verhaal van een moordenaar van de maffia die bevelen van zijn opdrachtgevers ontvangt door middel van postduiven.

Ermete zet de film op het lege schap van zijn nieuwe Amerikaanse appartement. Dan kijkt hij om zich heen. Op tv wordt nog steeds de wedstrijd uitgezonden.

Uit zijn reistas haalt hij een gevoerde hoes. Heel zorgvuldig maakt hij hem open, tot hij een ronde spiegel met een bronzen lijst in de hand heeft.

Hij legt hem op de bank en loopt dan weer naar het telefoonboek.

'Dierenwinkels...' mompelt hij al bladerend.

3
DE RAAF

Het licht van de tl-buizen in de sportschool trilt in het donker dat buiten het souterrain heerst. Harvey gaat op de houten bank zitten, bijna niet meer in staat om zich te verroeren. Al zijn spieren doen zeer. Hij leunt met zijn hoofd tegen de muur en doet uitgeput zijn ogen dicht.

'Je eerste week?' vraagt een stem die hem doet opschrikken.

Het is de jongen met het sweatshirt. Michael. Hij gaat naast Harvey zitten en steekt zijn hand uit.

'Inderdaad,' glimlacht die. 'En ik ben helemaal kapot.'

'Dat is nog niks, kan ik je verzekeren. Wacht de komende weken maar eens af.'

'Ik kan me niet voorstellen dat die nog slopender kunnen zijn.'

Michael grinnikt. 'Dat komt omdat je nog nooit hebt geprobeerd te rennen met een zware zak op je rug...'

'Is dat een grapje?'

'Nee.'

De twee kijken naar de ring. Olympia heeft een paar boks-handschoenen aangetrokken en staat tegenover een van haar leerlingen. Ellebogen omhoog en handschoenen voor haar neus.

Als de gong klinkt, beginnen ze rondjes om elkaar heen te draaien. De jongen waagt een stoot, en nog een, maar kennelijk durft hij zijn trainster niet goed te slaan.

Zij moedigt hem echter juist aan om harder te slaan. En snel-ler.

'Zo,' zegt ze. En ze laat een regen van drie, vier klappen op hem neerkomen, waardoor hij met een verbluft en pijnlijk gezicht naar achteren wankelt.

'Geweldig!' roept Harvey.

Michael glimlacht. 'Ik heb ze niet eens zien vertrekken.'

Olympia danst op haar tenen door de ring. Ze ontwijkt de klappen, vangt ze op met haar handschoenen, beweegt haar bovenlichaam met de buigzaamheid van een slang. En ze praat aan één stuk door, om haar leerling uit te dagen. Een grote ronde klok aan de muur geeft het verstrijken van de seconden aan.

'Als je daar boven staat...' vertelt Michael wijzend op de ring, 'is dat de langste minuut van je hele leven.'

Harvey knikt. Dan wordt de jongen vol op zijn wang getroffen door een stoot van Olympia. Ze horen het bitje uit zijn mond vliegen.

'Ai!' roept Harvey terwijl hij over zijn kin wrijft. 'Wat een klap!'

'Ze heeft hem amper geraakt,' zegt Michael. 'Maar ze heeft hem laten zien hoe ze hem zou kúnnen raken, als hij zich op die manier blijft verdedigen.'

Harvey kijkt verbluft naar de andere jongen, die als een kegel door de ring lijkt te wankelen.

'Geloof me; hij heeft nergens last van,' houdt Michael vol. 'Het doet pas echt pijn als ze je hier raken,' zegt hij wijzend op zijn neus, die uit de capuchon van zijn sweatshirt steekt. 'Als je tegenstander tijdens een wedstrijd je neustussenschot breekt, heb je verloren. Er zijn zelfs trainers die je tussenschot alvast breken voordat ze je in een toernooi laten vechten.'

Harvey schudt zijn hoofd terwijl hij een pijnlijke rilling over zijn rug voelt gaan. 'Ik wil mijn neus heel houden. Ik wil niet vechten. Ik wil alleen maar mezelf leren verdedigen.'

'Zo dacht ik er ook over toen ik me hier inschreef...' Michael wijst met zijn kin naar Olympia. De wedstrijd is afgelopen en ze klimt net uit de ring.

'Maar?'

Michael staat op, met zijn handen op zijn knieën. 'Olympia zei tegen me: "Leven is niet jezelf bewaren. Leven is vechten."'

'Hoe staat het ermee, Harvey Miller?' vraagt de trainster hen terwijl ze op hen af komt. 'Heb je kennisgemaakt met Michael?' Ze steekt haar polsen uit en vraagt of hij de veters van de handschoenen wil losmaken.

'Ik ben kapot,' zegt Harvey glimlachend.

'Maar...?'

'Voldaan.'

De handschoenen vliegen op de grond, waar Michael ze opraapt.

Olympia masseert langzaam haar vingers.

'Je hebt hem mooi een lesje geleerd!' zegt Harvey, wijzend op

de andere jongen in de ring.

'We hebben elkaar niet echt geraakt! Maar hij moet aan zijn dekking denken. Hij verliest zijn concentratie en dan laat hij zijn dekking steeds zakken. En als je je dekking ook maar één keer laat zakken... báf! Dan heb je er gewoon om gevraagd.'

'Juist ja,' zegt Harvey terwijl hij met haar in de richting van de kleedkamers loopt.

'Zie ik je nog terug, Miller?'

Hij knikt. 'Ik denk het wel.'

'Dan is het vanaf volgende keer veertig dollar. Drie keer per week, anders kun je net zo goed niet komen. En je moet thuis ook trainen. Niet al te lang, maar wel elke avond. De eerste twee keer doe je krachtsport, de derde keer krijg je handschoenen aan. En dan zullen we eens zien hoe je het ervan afbrengt. Oké?'

'Oké.'

De dagen verstrijken. En de weken.

Elke keer als ze het Domus Quintilia verlaat, ziet Elettra de zigeunerin staan, die haar bedelplek heeft verplaatst van de Via della Gatta naar de Piazza in Piscinula.

'Wat doe jij hier?' vroeg ze haar de eerste keer, toen ze haar een kop hete koffie ging brengen.

De zigeunerin glimlachte. Toen antwoordde ze: 'Ik hou de wacht.'

Elke week verzamelt Elettra in het hotel de fooien van de gasten en bezorgt ze die aan de vrouw zonder dat die weet waar dat geld vandaan komt.

Op die manier kunnen ze wederzijds iets voor elkaar betekenen.

De maanden van de culturele uitwisseling in Rome zijn voor
Sheng een soort oorlog. Neergekwakt in een gezin met drie
dochters die jonger zijn dan hij en absoluut hysterisch, sluit hij
zich vaak in zijn kamer op, waar hij oefent met Italiaans schrijven en waar hij studeert. Sterren, mythologie, geschiedenis: er is
niets dat hem niet boeit. 's Nachts haalt hij zijn houten tol
onder het bed vandaan en draait hij hem minutenlang in zijn
handen rond.
Terwijl hij er verrukt naar kijkt, denkt hij terug aan de zin
van de professor.
'Wat maakt het uit langs welke weg je de waarheid zoekt?'
prevelt hij alsof het een gebed is, met zijn ogen dicht. 'Zo'n
groot geheim ontrafel je niet langs één weg.'
's Nachts wordt hij gekweld door onophoudelijke dromen,
bevolkt door angstaanjagende beesten: de ene keer zijn er jagers
die het spoor volgen van een grote, wrede beer, de andere keer
is er een woestijn waar een wilde stier rond stampt. Hij droomt
van reusachtige wolven die ijselijke melodieën naar de maan
jammeren en van walvissen die afzakken naar eindeloze diepten
tussen oude, verzonken ruïnes, om aan het verleden te ruiken.
In februari komt zijn vader terug naar Rome en vertelt hij
Sheng het grote nieuws van zijn reisbureau. Het initiatief van
culturele uitwisseling tussen jongeren is een succes geweest en
meneer See-Young Wan Ho is op zijn zachtst gezegd euforisch.
Thuis heeft hij Shengs kamer omgeturnd tot kantoor, en daar
blijven de reserveringen binnenstromen. Talloze ouders in

Shanghai zijn van plan om hun kroost tot ontwikkeling te laten komen in gezinnen in Westerse hoofdsteden.

'Maar die gezinnen moeten één voor één gecontroleerd worden!' verklaart meneer See-Young Wan Ho koortsachtig. 'We moeten precies weten wat voor mensen het zijn. Als we een fout maken, heeft niemand meer vertrouwen in ons bureau!'

'Maar ik...' klaagt Sheng, die al aanvoelt dat zijn vader hem als proefkonijn wil gebruiken. 'Ik ben echt niet van plan om de hele wereld rond te reizen, van de ene idiote familie naar de andere!'

Meneer Wan Ho probeert zijn zoon op alle mogelijke manieren over te halen. 'Ik geef je de kans om de wereld rond te reizen!'

'Ik ben bezig Italiaans te leren,' zegt Sheng. 'Ik heb het naar mijn zin in Rome en...'

'Rome kennen we nu wel goed genoeg!' valt zijn vader hem vastberaden in de rede. 'Dit gezin voldoet prima. Nu gaan we door naar de volgende; we moeten nog naar Parijs, Buenos Aires, New York, Madrid...'

Sheng zucht. 'Ik beloof je niks, papa,' probeert hij nog, maar hij wordt evengoed bedolven onder de open vliegtickets voor Zuid-Afrika, New York, Parijs en tientallen andere steden, onder de blocnotes met adressen van gezinnen die getest moeten worden en de pakketjes vouchers voor overnachtingen in chique hotels, in geval van nood.

In Parijs heeft het water van de Seine de kleur van gefilterde thee.

Elke donderdag bezoekt Mistral het privé-instituut voor lessen in zang, dans en houding, maar haar blik dwaalt steeds vaker af naar buiten het raam, in het spoor van de vlucht van duiven en spreeuwen. Ze heeft ontdekt dat die laatste dieren de geluiden van de mensenwereld nadoen: sommige spreeuwen imiteren de claxons van auto's of het kabaal van de verkeersopstoppingen in de buitenwijken.

Misschien imiteerden ze vroeger wel het gezang van dichters, denkt Mistral.

Haar melancholieke geest leeft zich uit in tekeningen, steeds vollere en kleurigere tekeningen, waarmee ze de lesuren en de avonden die ze in haar eentje doorbrengt vult. Haar moeder reist de wereld rond om haar parfums te creëren, en van haar is er thuis amper een spoor te bekennen.

In New York heeft Ermete intussen een squadron postduiven grootgebracht en getraind in de bevroren parken van Queens. Daarna heeft hij hele dagen op Brooklyn Bridge doorgebracht om ze te leren de rivier over te vliegen en zich tussen de wolkenkrabbers van Manhattan te storten.

Nu kan hij hen eindelijk zijn geheime boodschappen toevertrouwen. De eerste mededeling die hij tussen de daken van Grove Court laat bezorgen, op het luchtpostadres van Harvey Miller, is: *Dag Harvey. Zullen we samen een pizza gaan eten?*

Maart. New York zit nog altijd vast in de greep van de kou. Harvey is nog steeds een trouwe bezoeker van de sportschool. Hij gaat zo vaak hij kan. Zonder iets tegen zijn ouders te zeggen. En hij blijft vaak tot laat.

Op een avond neemt Olympia hem apart. 'Ik heb naar je staan kijken, terwijl je tegen de boksbal stootte.'

'Ben ik een ramp?'

'Nee. Je bent een stuk beter geworden. En je hebt een vreemde woede in je. Ik wil me nergens mee bemoeien, maar heb je soms iets goed te maken?'

'Nee,' antwoordt Harvey. 'Niet dat ik weet.'

'Maar het is niet normaal, voor een jongen van jouw leeftijd...'

'Ik betaal je op tijd.'

'Maar je bent vaker hier te vinden dan thuis.'

'Ik vind het fijn hier. Ik voel me goed.'

'Drie keer per week. Eén uur per dag. Meer niet!'

Harvey verstijft, en hij voelt een steek van pijn in zijn rug. 'Ik snap niet waarom.'

'Heb jij broers en zussen, Harvey?'

'Niet meer.'

Olympia heft beide handen op, in een gebaar dat het midden houdt tussen een excuus en overgave. 'Het spijt me, dat wist ik niet.'

'Jij kunt er niets aan doen.'

'Doe maar net alsof ik niks gezegd heb.'

Harvey werpt haar een vernietigende blik toe.

'Nu snap ik het,' vervolgt Olympia. 'Als je wilt, beuk maar gewoon door op die boksbal tot hij kapotgaat.'

De deur van de kleedkamer gaat open en dicht. Het water

van de douche stroomt als een ijskoude waterval. Harvey probeert niet eens om het water warmer te krijgen. Hij bijt op zijn tanden en denkt er niet aan.

Hij weet hoe dat moet.

Later, in de metro, reist Harvey razendsnel richting het zuiden. Het is zes uur.

Als de trein bij Central Park komt, lopen de wagons vol.

Harvey blijft koppig op zijn plek zitten, ook al weet hij dat hij eigenlijk zou moeten opstaan voor een of andere bejaarde.

Niemand trekt zich iets van hem aan. Begraven in hun boeken, in hun tijdschriften en de felgekleurde displays van hun iPods, laten duizenden vijandige onbekenden zich over het spoor vervoeren. Er klinken muziekjes gedempt door tientallen koptelefoontjes. Harvey hangt loom tegen de rugleuning die onder de graffiti zit en wacht geduldig tot zijn halte bereikt is: Christopher Street, in het hart van de Village.

De stem van Olympia klinkt helder in zijn herinnering. "Het spijt me... beuk maar gewoon door op die boksbal."

Harvey bijt op zijn tanden als hij bedenkt hoe graag hij met dezelfde helderheid de stem van zijn broer nog zou willen horen.

Maar nee. Alleen maar stilte. En geluiden, duizenden nutteloze geluiden.

Bij de halte van 23th Street stapt een heel lange vrouw in, met een bedwelmend parfum. Kijkend naar haar denkt Harvey aan Mistral en aan haar moeder die parfums bedenkt. Hij zou haar moeten bellen. Hij zou ook Elettra moeten bellen. Reageren op de berichten van Ermete. Nog een keer een pizza met hem gaan eten.

Maar hij heeft helemaal geen zin in al die dingen. Hij denkt al heel lang niet meer aan die dagen in Rome, aan de Ring van Vuur, aan de tollen, aan de schaduw van Jacob Mahler en aan de waanzinnige boodschappen van Alfred van der Berger. Soms prent hij zichzelf in dat het allemaal een akelige droom is geweest, een onwerkelijk avontuur. Maar telkens als de trein piept over de rails, voelt Harvey een verre duizeling van binnen. Het is de herinnering aan het gebouw van de professor dat om hem heen instort.

De jonge vrouw naast hem haalt een verguld spiegeltje uit haar tasje, waarin ze haar onberispelijke avondmake-up controleert. En ook dat gebaar doet Harvey denken aan oudjaarsavond: de oude bronzen spiegel die Elettra heeft gevonden in de basiliek van San Clemente. De Ring van Vuur. Die nu ergens in New York verstopt ligt, om te worden bestudeerd door de minst nauwgezette van alle mogelijke onderzoekers, de enige die bereid is te geloven dat de ring is gevonden dankzij de aanwijzingen van een zigeunerin, een krankzinnige professor, vier tollen en een kist vol tanden.

Hij komt aan in Christopher Street.

Harvey stapt uit de metro en loopt over het perron. Eenmaal buiten duikt hij weg in zijn jas. De cafés hebben de verlichting in hun etalages aangedaan, waarachter tientallen zakenmannen zich een moment van rust gunnen. Greenwich Village is een klein labyrint van lage bakstenen huizen en hemelbomen. In die wijk worden de liefdesscènes van alle films opgenomen. Misschien omdat hij op geen enkele andere wijk van New York lijkt: de straten zijn nauw en kronkelig, de gebouwen slechts een paar verdiepingen hoog, met houten luiken en kleine tuintjes. En hier lopen de mensen een beetje langzamer dan in de rest van de stad.

Harvey loopt naar Grove Court, verzonken in zijn gedachten. Hij heeft een akelig voorgevoel... Hij blijft staan, spitst zijn oren, kijkt dan om. Wollen winterjassen. Modieuze brillen. Blinkende sieraden. Zwarte kleren. Tikkende naaldhakken. Hij probeert te achterhalen waar dat akelige voorgevoel vandaan komt.

Een schim slaat af naar Bleecker Street, samen met tientallen andere schimmen.

Ik word achtervolgd, denkt Harvey.

Dat is natuurlijk absurd. Maar hij blijft het denken. Hij blijft het voelen.

Hij staat stil en kijkt naar zijn spiegelbeeld in de etalage van een bakker die is gespecialiseerd in hartige taarten, speurend naar een of andere verdachte gestalte aan de overkant van de weg. Maar hij ziet er geen.

Of hij ziet er te veel.

Hij loopt twee keer voorbij het hek van zijn huis, voordat hij besluit naar binnen te gaan. Zes oude rode huizen, met een witte rand om de ramen en de deuren, kijken uit op een mooie tuin.

Harvey loopt zonder om te kijken over het pad, zich bukkend voor de takken van de bomen waar de eerste knoppen al in zijn gekomen.

Hij woont op nummer elf. Als hij voor de deur staat, kijkt hij voor de laatste keer achter zich. De tuin is een reeks van schimmen die zich aftekenen tegen de lichtjes van de cafés in de verte. Boven hem belooft de hemel een regenbui.

'Je moet daarmee ophouden...' mompelt Harvey terwijl hij de sleutel in het slot ronddraait.

Die obsessie met spionnen en die achtervolgingswaanzin heeft hij van Ermete overgenomen.

De voordeur gaat met een kreun open. De bewegingsmelder ontwaart zijn aanwezigheid en verlicht het trapportaal. Hij beklimt de trap tot aan de tweede verdieping, de bovenste.

'Er is niemand die mij achtervolgt...' houdt hij zich nog eens voor. Hij gaat zijn woning binnen en roept: 'Ik ben thuis!'

Zijn moeder is in de keuken bezig. Het ruikt naar soep.

Een warme, drukkende sfeer. Mevrouw Miller heeft de verwarming altijd op de hoogste stand staan. Harvey hangt zijn jas op in de gang en trekt zijn schoenen uit, zoekend naar zijn sloffen.

De drukkende sfeer wordt veroorzaakt door een lege slaapkamer, waar niemand van hen ongedwongen naar binnen kan gaan.

Dat is de kamer van zijn broer.

Buiten, op het trottoir, wordt de ontzagwekkende schaduw van een man gespleten door de ijzeren stangen van het hek. Zijn grote handen verdwijnen in de diepe zakken van een donkergrijs postbodejack. Als ze weer tevoorschijn komen, klemt hij een rond blikje in zijn vingers.

De man maakt het onverwacht voorzichtig open en haalt er een groen suikersnoepje uit.

Hij kauwt er langzaam op. Het smaakt naar mint. Hij kijkt naar de tuin en naar de voordeur waarachter de jongen is verdwenen. Dan pakt hij een blocnote en maakt nauwgezet een notitie. Tijdstip, adres, datum.

Ten slotte stopt hij de blocnote weer in zijn zak en blijft hij doodgemoedereerd op zijn mintsnoepje zuigen tot het op is. Hij kijkt op zijn horloge. Het is bijna etenstijd. Hij laat een langgerekt, welluidend fluitje horen.

Er komt een raaf op de rand van het hek zitten, niet ver van de man af.

'Blijf jij hier de wacht houden, Edgar?' vraagt de man in het grijs.

De raaf heeft maar één oogje. Hij zoekt een makkelijke positie tussen de ijzeren stangen van het hek en zakt in elkaar.

Alsof dat een antwoord is, draait de man zich om, begraaft zijn handen in zijn zakken en verdwijnt in het duister.

4
DE CATALOGUS

'Hallo Harvey,' begroet zijn moeder hem zodra ze hem ziet.

'Hoi. Is papa er niet?'

'Hij is in zijn werkkamer. Wil je hem even roepen? Het eten is bijna klaar.'

'Koolsoep?'

'Broccolisoep.'

De jongen strompelt de keuken uit.

'Harvey, is alles goed?'

Hij blijft in de deuropening staan. 'Hoezo?'

'Je loopt zo raar.'

'Dat is niks. Ik heb slecht geslapen.'

De werkkamer van George Miller is aan het eind van de gang, rechts, beschermd door twee Romeinse amforen die hij van een Turkse universiteit heeft gekregen.

Het vertrek heeft twee ingangen: die vanuit de gang en een tweede, eigen ingang met een kleine wachtkamer ervoor. In dat kamertje laat professor Miller de studenten wachten die hem hun onderzoekswerk moeten voorleggen.

Hij doceert 'Dynamische klimatologie' aan de Columbia University. En dat betekent voor Harvey alles en niets.

Zijn vader is gespecialiseerd in catastrofes. Vulkaanuitbarstingen, orkanen, tsunami's... Hij bestudeert hoe een aardbeving kan worden voorzien. Hij maakt razend ingewikkelde berekeningen over de drift van de continenten. Hij heeft alle getallen van de wereld in zijn hoofd: temperaturen, hoogtes, dieptes. Hij is een encyclopedisch liefhebber van statistieken, met colbertje, vlinderdasje en een wonderbaarlijk geheugen. Hij wil alleen zekere gegevens. En in hun poging om hem die te verschaffen, slepen zijn studenten rugzakken vol cijfers met zich mee. De professor ontvangt hen in zijn werkkamer, hij knikt, hij controleert... En dan stuit hij geregeld op een foutieve verwijzing, een verkeerde datum. En dan moeten de studenten opnieuw beginnen.

'Het moet twaalf zijn, zeg ik je! Twaalf promille!' klinkt in de gang inderdaad al de bulderende stem van George Miller, op een op zijn zachtst gezegd geïrriteerde toon.

Harvey zucht, hij is die alomtegenwoordige prikkelbaarheid van zijn vader behoorlijk beu. Hij blijft tussen de twee amforen staan en wacht tot het gesprek wordt beëindigd.

'Het is gewoon onmogelijk!' foetert de stem van zijn vader verder. 'Laten we onszelf niet voor de gek houden.'

Op de ladekast in de gang staan een paar ingelijste foto's. Harvey kent ze door en door, maar evengoed kijkt hij er voor de zoveelste keer naar.

In de foto die in de Rocky Mountains is genomen staan ze naast elkaar. Zijn broer staat rechts, twee keer zo groot als hij, zes jaar ouder, lang en blond. Dwaine.

Dwaine was overal goed in. En hij kon bijna alles repareren: een huishoudelijk apparaat met een stukje touw, een trap-autootje met twee schroeven. De laatste winter waren ze bezig geweest met het ineenpassen van de onderdelen van een acht-tiende-eeuwse penduleklok die ze hadden gekocht bij een antiquair in Queens. Harvey herinnert zich nog heel goed de vergulde wijzerplaat, de wijzers zo scherp als pijlpunten, de veertjes die een voor een met een pincet moesten worden aangebracht en de raderwerken die om de schroeven moesten worden gezet.

De klok staat achter in de gang, hij doet het weer helemaal, en hij is nooit meer opgedraaid.

In de werkkamer blijft meneer Miller maar tekeergaan, en Harvey besluit tussenbeide te komen.

'Papa?' zegt hij, terwijl hij de deur opendoet en zijn hoofd naar binnen steekt.

Vier wanden bekleed met boeken en zijn vader die in het midden zit, achter het bureau met het glazen werkblad dat glanst als een spiegel.

Als hij zijn zoon ziet, gebaart de professor dat hij moet binnenkomen en zijn mond moet houden.

'Natuurlijk, Matt...' zegt hij in de telefoon. 'Maar mogelijke theorieën bestaan niet. Of ze kloppen, of ze zijn verkeerd. En sorry hoor, maar deze theorie is gewoon absurd. Een dergelijke stijging in drie maanden tijd is onmogelijk. De temperaturen zijn gewoon niet goed geregistreerd, dat is alles... Hoe moet ik nu weten waar dat aan ligt! Verkeerde instrumenten, jongelui die niet goed opletten... zoek jij dat maar uit.' Hij bladert driftig enkele blaadjes die voor hem liggen door. 'Feit is dat wat je me gestuurd hebt zo bij het oud papier kan. En de universiteit financiert geen oceanografische expeditie over de Stille Oceaan alleen om oud papier te verzamelen. Als jullie geen zin meer hebben om daar in het zonnetje te liggen, hoef je het maar te zeggen hoor! Wat...?' George Miller trekt zijn vlinderdasje recht en staart naar een onbestemd punt linksboven. Intussen wijst hij Harvey op een van de twee leunstoelen in zijn werkkamer.

Harvey gaat stijfjes op de rand van de leren stoel zitten.

De schrijftafel doet denken aan het koelvak van een supermarkt. Alles ligt op zijn plek. Geen voorwerp te veel, geen pen die scheef is neergelegd. Alleen een groot groen boek, waar hij af en toe met zijn vinger overheen wrijft, en de blaadjes waar hij mee zwaait alsof het een uitzettingsbevel is.

Na de zoveelste uitval lijkt de professor ineens tot rust te komen. 'Luister, we hebben het er volgende week wel over, als we de nieuwe gegevens hebben, oké? Daar wacht ik op. Maar zorg dat ze deze keer kloppen!' Met een zucht hangt hij op. 'Echt niet normaal! Hoezo vertrouwen op de nieuwe generaties? Ze zouden ze allemaal naar Alaska moeten sturen om te werken!'

'We gaan eten,' meldt Harvey toonloos, want hij beschouwt zichzelf toch echt als onderdeel van de nieuwe generaties.

Zijn vader moppert wat over hoe laat het is en haalt het groene boek van de schrijftafel.

'Wat is dat?'

'Niks wat jou interesseert...' antwoordt hij kortaf.

'*Het leven van Charles Darwin…*' leest Harvey op de rug van het boek.

'Heb je het daar al over gehad op school?'

'Natuurlijk,' antwoordt de jongen. 'Dat was die man die beweerde dat we van de apen afstammen.'

De professor loopt om het bureau heen. 'Verbazingwekkend.'

'Wat?'

'Dat zo'n ingewikkelde theorie als die van de oorsprong der soorten op die manier kan worden samengevat.'

'Heb ik iets verkeerds gezegd?'

'Nee. Eigenlijk… is dat de essentie van het probleem,' antwoordt hij terwijl hij de bureaulamp uitdoet. 'Darwin beweerde dat we tegenwoordig nog maar 1 procent van de dieren zien die de aarde vanaf het begin van het leven hebben bevolkt.'

'Zijn we 99 procent van de dieren kwijtgeraakt?'

'We zijn ze niet kwijtgeraakt. Ze zijn veranderd. En de mens heeft ook zo'n verandering ondergaan.'

Professor Miller pakt een zwart foldertje en loopt met Harvey de werkkamer uit.

'En als de apen nu juist zijn geëvolueerd vanuit de mensen?' vraagt zijn zoon terwijl ze naar de keuken lopen.

'Mogelijk, maar onwaarschijnlijk.'

In de keuken is mevrouw Miller de broccolisoep al aan het opscheppen. 'Waar hebben jullie het over?'

'Over mensapen en aapmensen.'

'Hebben jullie niks leukers te vertellen?'

Haar man geeft haar het foldertje aan. 'Als je wilt kun je dit eens bekijken.'

'Wat is dat?'

'De catalogus van een antiquair. Hij kwam bij me langs en deed alsof hij een student was. Een rare vent, maar wel zeer ontwikkeld. Een soort skelet met een Russisch accent. Hmm...' zegt hij terwijl hij aan tafel gaat zitten, 'wat ruikt dat heerlijk.'

'Broccoli en linzen.'

'Linzensoep in maart?' protesteert Harvey, die ontzettende honger heeft gekregen van het trainen in de sportschool. 'Dat is toch een wintergerecht?'

'Eigenlijk is het ook nog winter,' preciseert zijn vader. 'Tot 21 maart: dan begint de lente.'

'Komt er daarna nog iets?' vraagt Harvey terwijl hij van de soep proeft.

Zijn moeder is verdiept in de bladzijden van de catalogus.

'Er is een nieuw restaurant geopend op Seventh Avenue', zegt meneer Miller afwezig.

Zijn vrouw kijkt even op. 'Dat Ethiopische restaurant? Vreselijk. Daar moet je met je handen eten!'

'Komt er nog iets na deze soep?'

'Ik geloof niet dat de Ethiopiërs ooit patent hebben aangevraagd op het bestek.'

'Hoe dan ook, ik ga niet met mijn handen eten.'

'Mag ik een biefstuk?' dringt Harvey aan.

De catalogus van de antiquair wordt op tafel gelegd. Mevrouw Miller staat op en haalt een biefstuk ter grootte van een baksteen uit de diepvries. 'Ik zal hem voor je ontdooien in de magnetron.'

'Aan tafel,' zegt haar man intussen met zijn vork in de lucht, 'heb je groepen die geëvolueerd zijn, en die niet geëvolueerd zijn.'

'En de Chinezen dan?' vraagt Harvey.

'Ik haat die stomme houten stokjes!'

'Zeg dat maar eens tegen Sheng, dat ze stom zijn.'

'En wie is Sheng?'

'Hoezo, wie is Sheng?'

'O ja,' vervolgt professor Miller, terugdenkend aan de jaarwisseling in Rome. 'Dat Chinese vriendje van je. Die met die oogkwaal.'

'Wat voor oogkwaal bedoel je?' herhaalt zijn vrouw terwijl ze de knop van de magnetron op de hoogste stand draait.

'Heb jij ooit een Chinees met blauwe ogen gezien?' vraagt de professor.

De magnetronoven bromt een paar minuten en laat dan zijn heldere piepje horen.

'Zijn er toevallig nog twee biefstukken?' informeert de professor.

'Ik denk het wel, schat.'

Haar man knikt voldaan. 'Alles goed op school, Harvey?'

'Ja hoor.'

'Huiswerk?'

'Dit is een rustige periode.'

'Geen spijt van je keuze?'

'George!' roept zijn vrouw verwijtend, terwijl ze een grillplaat voor de biefstukken op het vuur legt.

'Tot nu toe niet.' antwoordt Harvey.

'En stel dat je geologie zou doen?'

Het vlees wordt op de plaat gelegd en stuurt meteen een rookpluim omhoog.

'Ik vind dat we dat onderwerp nu wel voldoende hebben besproken. Harvey wil journalist worden.'

'Precies.' De jongen staat op van tafel en zet zijn bord in de gootsteen.

'Sorry dat ik zo aandring,' protesteert professor Miller, 'maar aangezien ik nog enige invloed kan uitoefenen bij de wetenschappelijke faculteit, wil ik wel dat Harvey het heel zeker weet.'

'Ik heb geen kruiwagen nodig, papa.'

'Het is geen kruiwagen. Je broer...'

'Kunnen we Dwaine er niet voor één keertje buiten laten?' roept mevrouw Miller luid.

Het vlees sist op het vuur. De lepel van meneer Miller tikt tegen de binnenkant van zijn bord. Het onbehagen van het gezin blijft bijna tastbaar in de lucht hangen.

Harvey pakt de catalogus van de antiquair, alleen omdat hij iets te lezen wil hebben en dit is het dichtstbijzijnde. Zonder enige belangstelling bladert hij erdoorheen.

Zijn vader begint weer te praten: 'Ik heb vandaag onderzoeksgegevens van de Stille Oceaan afgekeurd, die waren verkregen door jongelui van de universiteit...'

'Waarom?' vraagt zijn vrouw, die met haar echte gedachten lichtjaren ver weg is.

'Ze gaven een halve graad temperatuurstijging van het water aan, in amper drie maanden tijd. Onmogelijk.'

'Kan dat niet door het broeikaseffect komen?'

'Nee. Het komt door een of andere sukkel die verkeerd gemeten heeft. Of de oceaan moet van plan zijn om ons binnen één generatie allemaal onder water te zetten.'

'Dat is al eens eerder gebeurd,' merkt Harvey al bladerend op.

'Wat?' dringt zijn vader aan.

'De grote zondvloed.'

'Dat is alleen maar een legende...' snuift de professor. 'In het echt is het gewoon onmogelijk dat de temperatuur van een oceaan in drie maanden tijd een halve graad stijgt.'

'De biefstukken zijn klaar.'

Harvey klapt het foldertje dicht, terwijl zijn vader vervolgt: 'En trouwens... het is veel makkelijker om te denken dat een groepje studenten de instrumenten verkeerd bediend heeft!'

De jongen knikt. Dan staart hij verbluft naar het dienblad: zijn moeder heeft drie biefstukken gebakken.

Toen Dwaine er nog was, vormden de drie biefstukken 's avonds bijna een vast ritueel.

'En deze is voor mij...' liegt mevrouw Miller in een poging om haar vergissing te verbloemen.

Ze gruwt van vlees.

Als ze klaar zijn met eten, drinken meneer en mevrouw Miller een kopje kamillethee en ruimt Harvey de tafel af.

'Hé!' roept hij ineens uit, als zijn blik op een pagina in de catalogus van de antiquair valt.

Hij zet de waterkan neer, grijpt het foldertje en kijkt nog eens goed. Ongelovig schudt hij zijn hoofd. Er is met een gele accentueerstift een cirkel om de foto gezet.

'Papa...' mompelt hij. 'Wie heeft je deze catalogus gebracht?'

'Dat heb ik je toch al verteld? Een antiquair die deed denken aan een skelet. Zijn visitekaartje moet er nog achterin zitten...'

Bij het zien van de foto in de catalogus houdt Harvey zijn adem in. Het is een foto van een oude houten tol. Er staat een tekening van een brug in gekerfd, of misschien van een regen-boog. Hij lijkt precies op de vier tollen die ze in Rome hebben gevonden, samen met de houten kaart van de Chaldeeën, en die hij nooit meer heeft gebruikt.

Het is de vijfde tol.

'De tol van de regenboog,' mompelt Harvey. Dan herhaalt hij hardop een gedachte die in zijn hoofd is opgekomen alsof hij door iemand anders is uitgesproken: 'De anderen. Ik moet de anderen bellen.'

'Wat zeg je, Harvey?'

De jongen kijkt om zich heen. Wie zei dat? vraagt hij zich af. En de stem in zijn hoofd herhaalt glashelder: De anderen. Je moet de anderen bellen.

Harvey herkent die stem. Hij rent de keuken uit naar de gang.

Rome.

Oud en nieuw.

De brug.

De anderen, herhaalt de stem.

Harvey stuift als een gek naar de kamer van zijn broer, hij gooit de deur wijd open en kijkt naar binnen.

'Dwaine!' roept hij.

Maar er is niemand.

Het is de tol van de regenboog, zegt die stem van niemand er nog achteraan, in zijn hoofd.

Harvey wankelt, hij houdt zijn oren dicht, kijkt ongelovig naar de duisternis. Dan loopt hij terug naar de keuken. Zijn ouders zitten zwijgend met hun kopje thee in de hand.

'Waarom is hij naar jou toe gekomen?' vraagt Harvey aan zijn vader.

De professor lijkt even in de war. 'Heb je het over die antiquair?'

'Ja, waarom kwam die?'

'Weet ik veel...' vervolgt zijn vader. 'Het was een heel normale antiquair. Met een Russisch accent. Dat heb ik je al verteld...'

Harvey grijpt de catalogus weer vast en bladert er nerveus doorheen, op zoek naar het visitekaartje. 'Maar is je dat al vaker overkomen? Ik bedoel: komen er wel vaker mensen langs die je iets willen verkopen?'

'O, dat gebeurt praktisch elke week. Schilderijen, huishoudelijke apparaten, encyclopedieën...'

Het is toeval, denkt Harvey. Het is puur toeval.

Maar terwijl hij verder bladert, voelt het alsof zijn geest uitgedoofd is. Was het de stem van Dwaine die hij daarnet hoorde? En wat zei hij ook alweer precies?

'Het is de tol van de regenboog. Je moet de anderen bellen...'

'Waar zit dat stomme kaartje dan?' roept Harvey geërgerd uit.

De professor komt naar hem toe. Hij opent de laatste pagina van de catalogus en haalt er een handgeschreven briefje uit:

Vladimir Askenazy
Antieke Kunst
48th Street Queens - NY

'Vladimir Askenazy...' fluistert Harvey. 'Mag ik dit houden?'

Zonder een antwoord af te wachten gaat hij de keuken uit en neemt de trap naar de kamer onder het dak met twee treden tegelijk. Eenmaal binnen doet hij de deur op slot, zijn hart gaat als een razende tekeer.

Dan blijft hij ineens staan. Stomkop, denkt hij.

Hij heeft de tol niet in zijn kamer verstopt.

Hij gaat op bed zitten en dwingt zichzelf adem te halen. Hij kan niet zeggen of hij meer geschrokken is van de foto van die tol, of van de stem die hij in zijn hoofd gehoord heeft.

'Vladimir Askenazy', zegt hij nog eens, en hij probeert na te denken. Het is niet een naam die hij eerder gehoord heeft. Beatrice, Joe Vinyl. Jacob Mahler... Harvey gaat alle namen af die een rol speelden tijdens zijn oud en nieuw in Italië.

Zapgeluiden van de tv beneden.

Voor de zoveelste keer leest de jongen de naam van de antiquair op het visitekaartje. Hij controleert of de deur van zijn kamer goed op slot is, gaat dan op een stoel staan en opent het luik van de vliering. Hij trekt de uitschuifbare trap omlaag en klimt de donkere vliering op. Dan loopt hij voorovergebogen door het duister. Hij oriënteert zich op herinnering in dat labyrint van oude spullen, tot hij bij een metalen kooitje komt, dat voor het dakraam staat. Er zit een postduif in, die zachtjes koert.

'Ik had nooit gedacht dat ik je nog eens nodig zou hebben...' fluistert hij.

Naast de kooi staan de doosjes voer die Ermete hem heeft gegeven, een oude lamp en er ligt een stapeltje ruitjesblaadjes.

Harvey doet de lamp aan en pakt pen en papier. *Ik heb een nieuwe tol gevonden. We moeten afspreken*, schrijft hij.

Dan stopt hij het briefje in een loden houdertje dat hij aan het pootje van de duif bindt.

'Kijk eens, makker. Nu ben jij aan de beurt. Ik hoop dat je echt de weg weet...'

Harvey duwt het dakraam met zijn elleboog open en laat de boodschapper los in de zwarte hemel van de stad. Hij kijkt hem net zolang na tot hij hem niet meer ziet. Dan doet hij het dakraam weer dicht.

En hij wacht.

Later, diezelfde nacht, hoort Harvey een geluid op het dak. Het is een zacht, maar repeterend geluid, gevolgd door gefladder. Er tikt iemand tegen het raam.

De jongen wordt met een ruk wakker uit een droom die verward en akelig tegelijk is. Hij heeft een droge keel en kan zich bijna niet bewegen, zijn spieren zijn helemaal verzuurd. Buiten regent het.

Het huis is stil. Harvey gaat overeind zitten en als hij opnieuw hoort tikken, doet hij het luik van de vliering open en klimt naar boven.

Voor het dakraam zit de duif. Helemaal verkleumd en nat.

Harvey doet het raam open, pakt het beestje voorzichtig vast, geeft hem een handje voer als beloning en probeert het houdertje los te maken van zijn pootje.

Als het hem lukt, legt hij het op tafel en stopt hij de duif weer in de kooi.

Hij doet de lamp aan, maakt het houdertje open en leest het antwoord van Ermete:

DE STER VAN STEEN

Morgen om 16.00 uur.
In de Montauk Club
25, Eighth Avenue

'Hallo, Vladimir? Heb je nog nieuws?'

'Ik heb geprobeerd contact op te nemen met Harvey.'

'En is het gelukt?'

'Dat kan ik je de komende dagen vertellen. Hoe gaat het daar?'

'Alles lijkt rustig. Niemand heeft zich laten zien.'

'Je nichtje?'

'Die zegt niks. Volgens mij spreken ze elkaar wel, maar... ik weet het niet zeker.'

'Het is nu al bijna lente.'

'Nu komt het moeilijkste gedeelte.'

'Vertel, waar ben je zo bang voor?'

'Ik weet niet hoe ik me moet bewegen. Ik weet niet of er iemand is, hier... op het spoor van Alfred.'

'Kun je geen naam geven aan... hén?'

'Nee. Behalve dan Jacob Mahler.'

'Vergeet die naam.'

'Nou, ik heb goed nieuws en slecht nieuws.'

'Eerst het goede.'

'Eergisteren stond er een stukje in de krant. Er zijn twee lijken gevonden. In een dorp niet ver van Rome. Het ene was van een kleine crimineel uit Rome. Joe Vinyl, die vent die probeerde de Ring van Vuur van mijn nichtje te stelen.'

'En het andere lijk?'

'Er stond alleen dat het een man van middelbare leeftijd was, zonder papieren, het gezicht onherkenbaar gemaakt. Ik dacht aan Jacob Mahler, maar ik heb Fernando gevraagd om het uit te zoeken. Snap je, onder het mom van zijn spionageroman...'

'En het slechte nieuws?'

'Als Mahler ook dood is... wie heeft hen dan vermoord?'

5
DE PANTER

Een lange gang omhoog, zwart. Twee naaldhakken tikken ritmisch op de vloer die blinkt als een spiegel. Dan blijven ze
staan. Een zwarte hand, met zwarte nagellak, klopt drie keer op
de vergulde deur. Even wachten. Nog drie keer kloppen. Met
een elektronische kreun schuift de deur in de muur.

Aan de andere kant is een kamer die helemaal rood bekleed
is. Reusachtige gouden lijsten. Een man staat met de rug naar
de deur naar de beelden te kijken die door een van die lijsten
glijden. Het is een televisiemonitor.

De man draagt een kamerjas van nachtblauw fluweel en een
achttiende-eeuwse blouse met lange manchetten die over zijn
handen vallen. Hij leunt op een wandelstok met een knop in de
vorm van een druiventros.

'Zeg het maar, Panter,' beveelt hij terwijl hij naar de beelden
blijft kijken.

De jonge vrouw loopt de kamer binnen, haar hakken zakken weg in de vloerbedekking met luipaardprint. Ze is heel lang, met het lichaam van een danseres. Ze draagt een strak, zwart turnpak waarvan de hals gevoerd is met wit bont, en een pruik die zilver schittert.

Ze zegt geen woord.

De man blijft onverstoorbaar naar de monitor kijken. De beelden tonen het interieur van een nachtclub. De club heet Lucifer en is van hem.

De eigenaar is oud, ook al zou niemand kunnen zeggen hoe oud precies. Sommigen beweren dat hij zijn eerste nachtclub heeft geopend toen New York werd gesticht. Anderen beweren dat hij zelfs nog ouder is. Hij heet Egon Nose, Doctor Nose, vanwege zijn ongelooflijke neus voor zaken. En omdat hij zo'n reusachtige neus heeft. Ook al vindt hij het vreselijk als er over zijn neus gepraat wordt.

De man slaakt een luide zucht en zet de monitor met een handgebaar uit. Dan draait hij zich om. De Panter houdt het dode lijfje van een duif in haar hand.

'Aha, mooi zo. Jullie hebben hem te pakken gekregen,' zegt hij vermoeid.

Hij zet een paar stappen, zwaar leunend op zijn stok. Zijn ogen glanzen opgewonden, maar zijn hals hangt naar voren, alsof het gewicht van zijn neus onhoudbaar is geworden.

'Uh... nou en of... heel goed. Leg hier maar neer.'

De Panter legt de duif op de barokke schrijftafel die in het midden van de kamer prijkt. Vier massieve leeuwenpoten, gevleugelde kindertjes en gebloemd inlegwerk. Aan de voorkant een hoorn des overvloeds vol dieren en bloemenmanden.

'Schuif dat dienblad maar aan de kant, liefje...' oppert Egon Nose, terwijl hij met zijn stok tegen de grote zilveren schaal vol bananen en rode appelen stoot. 'Ik heb vanavond geen honger.'

De Panter heeft nog steeds niks gezegd.

'Had hij niks bij zich?' vraagt de oude, terwijl hij met zijn rechterwijsvinger over de borst van de duif aait. Hij heeft lange, scherpe nagels, de kleur van albast.

De jonge vrouw haalt een briefje uit haar decolleté en overhandigt het aan haar baas.

Egon leest het gretig. 'Uitstekend, uitstekend...' knikt hij. 'Dat is het nieuws waarop we zaten te wachten. Uhhuh, nou en of...' Hij laat het briefje in zijn jaszak verdwijnen en leunt met zijn volle gewicht op de stok. 'Nu wordt het tijd dat één van jullie in actie komt...'

De Panter komt dichterbij. Ze streelt zijn arm en laat dan haar vingers met de zwartgelakte nagels langs zijn hals glijden.

De oude man laat een ongewoon kinderlijk lachje ontsnappen, waardoor de ribbelige huid van zijn neus trilt.

'Vooruit, Panter... Haal één van de andere meisjes erbij... en dan gaan jullie ook naar die vreselijke Montauk Club.'

De Panter trekt haar hand terug en gaat zomaar op de houten schrijftafel zitten.

De stok van Egon Nose laat een kristallen kelk tinkelen, die op een kastje naast de schrijftafel is neergezet.

'Pak maar wat te drinken,' zegt de oude man. Naast het glas staat een karaf die half gevuld is met een robijnrode drank. 'Ik moet even bellen.'

De jonge vrouw kijkt toe hoe haar baas gaat zitten in een damasten fauteuil. Achter hem de enorme gouden lijsten.

Boven hem een grote kroonluchter met kristallen druppels, afkomstig uit een huis in Venetië. Hij verspreidt niet genoeg licht om de wanden op te lichten.

Egon Nose slaakt een diepe zucht. 'Je kunt gaan, schatje,' zegt hij. Zijn ogen zijn twee rotswanden zonder steunpunten.

De jonge vrouw trekt zich gehoorzaam terug. Ze glijdt van de schrijftafel en wijst op het duivenlijfje.

'Nee, laat maar liggen... Misschien krijg ik straks toch nog honger.'

Ze verlaat heupwiegend het kantoor. De hakken van haar laarzen tikken op de vloer van de gang die blinkt als een spiegel. De gouden deur schuift weer dicht achter haar.

Als hij weer alleen is, trekt Doctor Nose de zware laden van de schrijftafel open. In de derde vindt hij een mobiele telefoon. Hij legt hem op het tafelblad. Hij rommelt in de rechterzak van zijn geruite broek. Hij haalt een gouden aansteker tevoorschijn, doet de dop omhoog en bekijkt zijn kantoor door het licht van het vlammetje.

'Uhhuhhuh,' zegt hij weer, wachtend tot het telefoontje aangaat. Dan gooit hij de aansteker op de tafel.

Heel zorgvuldig kiest hij een nummer, want door elke andere combinatie zou het mobieltje exploderen. Zes-zes-zes.

Er klinkt geruis.

Egon Nose houdt de telefoon bij zijn oor en laat hem bijna in zijn oorschelp verdwijnen.

Er klinkt nog steeds hetzelfde geruis.

'Uhhuhhuh,' herhaalt hij, en hij tilt zijn stok op om het zachte lijfje van de duif te aaien. 'De methoden van vroeger waren veel beter!'

Het geruis wordt ineens onderbroken.

Nu gaat de telefoon gewoon over.

Nose zet zijn stok op de grond. Hij speelt wat met het briefje.

'Devil,' antwoordt een stem aan de andere kant van de wereld. Scherp klinkt hij, en onwerkelijk.

'Een beetje vrolijker mag wel, ouwe makker!' antwoordt Egon, met een trilling van zijn neus. 'Of bel ik je misschien op een verkeerd moment? Hoe laat is het bij jou? O, moge Zeus me treffen als ik je nu alweer in het holst van de nacht heb gebeld! Feit is dat ik me niet eens meer herinner hoe de dag eruitziet. Is die nog steeds zo absurd... licht?'

Aan de andere kant van de telefoon klinkt een onrustbarend geluid.

Dan: 'Nee.'

'Het doet me genoegen om je te horen praten. Het is een hele tijd geleden dat we nog eens echt hebben gebabbeld samen. Hoe lang? Maanden? Jaren? O, ik hou al op... ik weet dat je geobsedeerd bent door de tijd die verstrijkt. Maar je kunt er niets aan doen. Ook jij wordt ouder, ook al loop je achteruit. Hoe dan ook: ik heb nieuws voor je. En aangezien ik het geen vers nieuws kan noemen... uhhuhhuh,' de stok van Egon Nose tikt nog een keer tegen de duif, 'zal ik het maar "nieuw" nieuws noemen. Onze man is in beweging gekomen. Morgen om vier uur. In de Montauk Club. Zegt dat je wat?' Zonder een antwoord te verwachten slaakt de meester van de New Yorkse nachten de zoveelste diepe zucht. 'Ach, hoe zou jij dat moeten weten, jij komt immers nooit de deur uit? De Montauk is een legendarische privéclub in Brooklyn. Een oud, protserig gebouw, half Amerikaans en half Italiaans.'

'Stuur iemand,' antwoordt de stem aan de andere kant van de wereld.

'Hé, het doet me genoegen te horen dat je nog leeft. En dat was trouwens precies wat ik van plan was. Iemand sturen. Ook al is dat misschien wel... een kostbare zaak.'

'Geen grenzen.'

'Mooi. Daar hou ik van. En nu ik je toch spreek, wil ik je nog een tweede nieuwtje vertellen. Het gaat over de eerste opdracht die je me hebt gegeven. Weet je nog, ik moest afrekenen met die kleine crimineel uit Rome en met je muzikantenvriendje... Wil je weten hoe dat is gegaan?'

'Weet ik al.'

'Uhhuhuh,' grinnikt Egon Nose. 'Maar dan is het dus waar dat nieuws razendsnel rondgaat? Het spijt me voor je vriend. Ik wilde een leuk avondje voor hem organiseren in mijn club, met viool en al. Maar goed... het is gebeurd. Kan ik mijn meisjes voor morgen toestemming geven om...'

'Nee.'

'Duidelijk. Ik zal zeggen dat ze alleen mogen kijken en niet mogen eten...'

Aan de andere kant van de lijn is een aarzeling merkbaar, een verandering van gedachte. Het duurt maar een fractie van een seconde, en dan zegt de stem: 'Alleen als ze de tollen zien.'

'Wat zeg je, ouwe makker?'

'Als de tollen er zijn...' herhaalt Heremit Devil, alsof elk woord hem moeite kost, 'mogen je meisjes tussenbeide komen.'

Twaalf dagen duren lang.

En twaalf winternachten duren nog langer.

Maar zo lang heeft Jacob Mahler zich niet verroerd. In de bossen. Hij heeft de laatste sneeuw opgezogen. Hij heeft kastanjes gegeten. Rauwe paddestoelen. Wortels. Praktisch zonder zich ooit te verroeren.

Zijn grootste vijanden waren de kou en zijn gebroken arm. De enige manier om die te verslaan was om op te houden met denken. Roerloos blijven, als een standbeeld. Als het standbeeld in de tuin waaruit hij is gevlucht.

Er waren jaagsters.

En ze waren voor hem gekomen.

Ze waren uit de auto van Joe Vinyl gestapt terwijl ze al wisten wat ze moesten doen: moorden.

Ze hadden een plan, een missie, een doel.

Maar het ontbrak hen aan één detail: zijn gezicht.

Twaalf dagen en twaalf nachten geleden werd Jacob Mahler verpleegd in een privékliniek in een dorpje buiten Rome. Weinig mensen. Weinig vragen.

Hij had Joe Vinyl de binnenplaats op zien komen, in het gezelschap van de jaagsters. Die sukkel van een Vinyl! had Mahler gedacht, terwijl hij zo snel mogelijk handelde. Hij had niet door dat hij zelf ook was uitgenodigd voor het feestmaal...

Hij had het verband van zijn gezicht gehaald, dat was verbrand door de explosie, en had het om het gezicht van zijn kamergenoot gewikkeld. Terwijl de naaldhakken van de jaagsters het personeel van de kliniek in slaap susten, was Jacob Mahler er door een achteruitgang vandoor geglipt. En hij had zich in de bossen schuilgehouden.

Toen de jaagsters waren gekomen, was zijn kamergenoot begonnen te schreeuwen en had Joe Vinyl begrepen wat een sukkel hij was geweest.

Roerloos in het bos wacht Mahler, zonder aandacht te schenken aan de pijn.

Nog één dag. Dan zal hij in beweging komen.

6
DE CLUB

De Montauk Club is een rare mengelmoes van de vergulde stijl van het achttiende-eeuwse Venetië en Amerikaanse country. Witte tafeltjes met houten scheidingswanden ertussen, spiegels aan de muren en schitterende kroonluchters. De obers in smoking die lichtvoetig over de marmeren vloer glijden.

Om vier uur precies gaat Harvey naar binnen.

Aarzelend zoekt hij vergeefs naar Ermete, kiest een tafeltje in de hoek en gooit zijn sporttas onder de stoel. Hij begint het menu door te bladeren.

Er wordt een hand op zijn schouder gelegd. 'Hé, Harvey.'

Harvey staat met een ruk op.

Hij kent de man die voor hem staat niet; roomkleurige regenjas, wollen coltrui, en bovenal golvend lang blond haar.

De man glimlacht.

'Ermete?' fluistert Harvey dan weifelend.

'Ssst!' fluistert de ingenieur, terwijl hij de haren uit zijn ogen veegt. 'Een pruik. Geniaal hè?'

Ermete wringt zich tussen het tafeltje en de harde rugleuning van het bankje dat ervoor staat, terwijl hij een groezelig koffertje met zich meesleept. Hij blaast de haren van zijn voorhoofd en geeft Harvey een hand, als een doorgewinterde zakenman. 'Het is goed om je te zien, Harvey. Echt waar. Ik durfde er bijna niet meer op te hopen. Heb je gezien hoe goed ze functioneren, mijn duiven?'

De jongen glimlacht. 'Fantastisch. Het echte spionnenwerk.'

'We moeten uiterst voorzichtig zijn,' zegt Ermete terwijl hij om zich heen kijkt. Hij heeft het bloedheet met die regenjas en die pruik. 'Wat vind je van deze plek? Lijkt zo uit een film van Hitchcock te komen, hè?'

'Hao, te gek!' beaamt Harvey terwijl hij Sheng imiteert.

'Het belangrijkste is dat het... vlakbij mijn huis is. De enige straat in heel New York met een codenaam.'

'En dat is?'

'A1 V4 E1 N1 U1 E1 145.'

'Waar staat dat voor?'

'De waarden van de letters AVENUE bij *Scrabble*, dat spel waarbij je woorden moet maken. Weet je wat ik bedoel? De man die dat spel heeft uitgevonden woonde daar, en het straatnaambord is zo geschreven ter herinnering aan hem.'

'Dat meen je niet!'

'Ik zweer het je.'

Ze barsten allebei in lachen uit en bestellen twee glazen vruchtensap.

Dan strekt Ermete zich uit op het bankje en kijkt hij nog eens om zich heen. 'Wauw,' zegt hij als hij klaar is met zijn verkenning.

'Wat wauw?'

'Niet omkijken, maar achter je zitten twee vrouwen waar je een hartaanval van zou krijgen. O, wat is Amerika toch geweldig!'

'Het gaat echt goed met je, hè?'

'En met jou? Je ziet er... steviger uit. Wat doe je met die grote tas?'

'Ik ga naar de sportschool. Ik ben met bokslessen begonnen.'

'Boksen?'

Harvey schuift de haren uit zijn ogen. 'Ja. En ik word getraind door een vrouw.'

'Toe maar! Lijkt me best prettig om klappen te krijgen van een meisje...'

Ermete glimlacht naar de ober. Harvey draait zich om en werpt een blik op de vrouwen. 'Inderdaad beeldschoon,' geeft hij direct toe.

'Daar zou je je op straat voor omdraaien.'

'Over draaien gesproken...'

'De tol. Vertel op.'

Harvey laat hem de catalogus en het kaartje met het adres van de antiquair zien.

'Dat is niet ver van mijn huis,' zegt Ermete met het kaartje in de hand.

'Maar vind je dat niet vreemd?'

'Ontzettend vreemd. Elke keer als ik in deze stad iets zoek, is het altijd minstens drie uur reizen.'

'Ik bedoel... vind je het niet vreemd dat deze catalogus nu juist bij mij beland is?'

'Hij is niet bij jou beland. Hij is bij je vader beland.'

'De antiquair heeft de tol omcirkeld.'

'Inderdaad. Waarom?'

'Mijn vader weet het niet precies, maar hij meende zich te herinneren dat dat voorwerp al verkocht was.'

Ermete houdt de foto van de tol tegen het licht.

'Een regenboog?'

'Precies.'

'De overgang. Het einde van de storm...' Ermete legt het blaadje op tafel en trommelt met zijn vingers op de rand van zijn glas. 'Ik zou zeggen dat we maar het beste meteen op bezoek kunnen gaan bij die... Vladimir Askenazy.'

'Heb je de anderen nog gesproken?'

'Ik heb ze alle drie een gecodeerde boodschap gestuurd via internet. Het antwoord: het gaat goed met ze, je krijgt de groeten van ze en ze zijn blij met het nieuws van de tol in de catalogus. Ze zeggen dat ze je graag weer eens zouden zien.'

'Ik hun ook. En misschien zou dit de gelegenheid kunnen zijn om weer bij elkaar te komen...'

Ermete legt zijn handen op het koffertje. 'Inderdaad. Maar we moeten wel voorzichtig zijn.'

'Wat heb je daarin zitten?'

Ermete haalt onmiddellijk zijn vingers van het koffertje. 'Huiswerk voor in de vakantie. Alle menselijke kennis over Mithra, de Chaldeeën, oude religies, spiegels en kometen.'

'Nog nieuws over de Ring van Vuur?'

'Weinig concreets, eerlijk gezegd...' De ingenieur leunt op zijn ellebogen en fluistert: 'Ik heb wel een paar dingen gevonden. Bijvoorbeeld, het woord Mithra betekent: "het pact". En het pact van die oude god van de zon en van het licht is uiteraard een geheim pact. Maar weet je nog wat er in de achterkant van de spiegel was gekerfd?'

'Er is een onzichtbare reden achter de zichtbare wereld...' citeert Harvey uit zijn hoofd.

'Precies. Ik heb bedacht dat de onzichtbare redenen vroeg of laat zichtbaar zullen worden.'

'Verder nog iets?'

'Ik zou je kunnen vervelen met de verslagen van het congres over de Mysteries van Mithra dat op 28 maart 1978 in Rome werd gehouden, over de Iraanse Wijzen en hun verhouding tot de cultus van het licht, over de godin Isis, maar... in feite heb ik niet veel ontdekt. Alleen maar legendes.'

'Zoals?'

Ermete trekt het koffertje op zijn schoot en klapt het open, waarmee hij een gigantische hoeveelheid paperassen onthult.

'Ik heb de Ring van Vuur omgedoopt tot... de Spiegel van Prometheus, omdat die Titaan juist met behulp van een spiegel het vuur van de goden stal. Maar het verhaal van Prometheus is ingewikkeld: hij stal niet alleen het vuur van de goden, maar hij schiep ook de mensen door regenwater en aarde te kneden.' De ingenieur drinkt een slok van zijn vruchtensap. 'En ik heb ontdekt dat er nog een personage in de Griekse mythologie is dat iets met spiegels te maken heeft. Hij heet Hephaistos en hij is de smid van de goden. Hij maakt ook gebruik van vuur, om het schild van Hercules en de wapens voor Achilles te smeden. Met name op het schild van Achilles staan de Plejaden afgebeeld, en de zeven sterren van de Grote Beer. En de Grieken waren ervan overtuigd dat het einde van de wereld van de Grote Beer afhing. Sterren, snap je?'

'De professor was geobsedeerd door de sterren,' herinnert Harvey zich.

'Precies.' Ermete vouwt zijn handen ineen voor zijn gezicht. 'Het staat allemaal met elkaar in verband. Op een of andere manier, die me nu nog ontgaat. Hoe dan ook... weet je wat er gebeurt als Prometheus het vuur van de goden steelt? Dan gaat Zeus naar Hephaistos en bedenkt samen met hem de vreselijkste straf die er is. Prometheus wordt op een berg vastgeketend, terwijl een adelaar zijn lever uitpikt. En voor de mensen die hij geschapen heeft...' hij toont Harvey het beeld van een vrouw met een vaas, '... maakt Hephaistos Pandora. De eerste vrouw.' Hij laat zich tegen de rugleuning vallen. 'Had jij een ergere straf kunnen bedenken?'

Als ze de Montauk Club verlaten, stappen Harvey en de ingenieur in de metro die hen naar Queens brengt, waar het adres van de antiquair is.

'Wat ik nog steeds niet begrijp...' zegt Ermete nadat ze een paar stappen hebben gezet, 'is wat en waar ik eigenlijk moet zoeken. Alles vervaagt, vermengt zich en wordt onontwarbaar... Legende en werkelijkheid. Mythe en geschiedenis.'

'En... in de boeken van de professor?'

Ermete haalt zijn schouders op. 'Ik heb dit gevonden: bij de oude Perzen was een kaste van wijze astronomen die Magiërs of Wijzen uit het Oosten werden genoemd. Zij kenden de god van de zon, genaamd Mithra. Delen van hun geheime leerstellingen bereiken het Westen ten tijde van de oorlogen tussen de Grieken en de Perzen, en die vormen de basis voor de Egyptische leerstellingen. De Romeinen veroveren zowel Griekenland als Egypte...'

'En ze nemen het allemaal over.'

'Ze herontdekken een ongelooflijke bagage aan geheime kennis. Waaronder... de houten kaart van de Chaldeeën, met zijn tollen. De Ring van Vuur. Of alle drie die dingen.'

'Een mooie warboel,' vat Harvey samen.

'Je hebt er geen idee van. Er is een serieuze onderzoeker nodig, niet zo'n amateur als ik.'

'Maar alleen amateurs als jij kunnen gek genoeg zijn om door te gaan...'

Ermete blijft staan en kijkt de jongen aan. 'Ik weet niet of ik dat als een compliment moet beschouwen of niet.'

7
DE ANTIQUAIR

Er hangt geen naambord op de winkel van de antiquair. Het is een anonieme, slecht verlichte etalage die direct aan de straat grenst. Een opschrift luidt: *Oude dingen uit de hele wereld.*

Achter het glas zijn enkele stoffige voorwerpen te zien, die op drie verschillende planken zijn uitgestald. Twee houten beeldjes, een sieraad van koraal, een stel bureaulampen, een kistje ingelegd met het profiel van een reiger, en twee dezelfde oranje-zwart gestreepte vazen.

Ermete en Harvey duwen de ijzeren deur open, waardoor er een bel gaat rinkelen. Een nauwe doorgang tussen notenhouten meubels leidt naar een open ruimte die zwak verlicht wordt door een scheefhangende tl-buis aan het plafond.

Het wordt er allemaal nog eens des te wankeler en verstikkender op door tientallen oude spullen die lukraak zijn opgestapeld en aan alle kanten dreigen om te vallen. Schappen en wandplanken boordevol opeengestapelde boeken, schilderijen en lijsten, kasten die uitpuilen van de gekleurde stoffen en lappenpoppen, Afrikaanse maskers die met touwen aan het plafond hangen.

Aan de andere kant van de kamer bevindt zich een heel klein bureautje dat wordt bedolven onder de paperassen. Daarachter is een deurtje dat wordt afgesloten door een tinkelend kralengordijn van jade.

'Is daar iemand?' informeert Ermete. Hij loopt bijna op zijn tenen, bang om iets om te stoten.

Een lange, knokige hand verschijnt van achter de kralen, en pakt het gordijn samen tot één bundel.

'Goedendag,' klinkt de schorre stem van Vladimir Askenazy.

De antiquair, lang en mager, wringt zich als een spin tussen de kralen door en staat dan achter het bureau.

Hij heeft een ingevallen gezicht en weinig haar, heel licht, van onbestemde kleur. Zijn pupillen hebben dezelfde tint, als van acaciahoning. Zijn mond is lang en smal, zijn tanden klein en dicht op elkaar, alsof ze getekend zijn. Zijn neus is dun en niet al te groot. Zijn dunne handen zijn zo wit dat het lijkt of ze zijn doordrenkt met talkpoeder. Hij is helemaal in het zwart gekleed.

'Wat kan ik voor jullie doen?'

Harvey kijkt hem aandachtig aan en laat Ermete het woord voeren.

'Aha! Goedendag!' begint de ingenieur. 'We zijn naar u toe gekomen nadat we een kijkje hadden genomen in uw catalogus.'

Hij toont het foldertje aan Vladimir, die er met enige nieuwsgierigheid naar kijkt. Dan zegt hij: 'O ja, natuurlijk.'

'U hebt hem aan mijn vader gegeven,' preciseert Harvey.

'Natuurlijk, natuurlijk,' beaamt de antiquair, die de jongen nog steeds geen blik waardig heeft gekeurd. Hij laat een rond brilletje schitteren en plaatst het op het puntje van zijn neus. 'Ik heb gisteren een beetje reclame gemaakt. En... in welk van die voorwerpen bent u geïnteresseerd?'

'In de tol,' antwoordt Ermete prompt.

De brillenglazen van Vladimir weerkaatsen een lichtflits. Voor het eerst draait de antiquair zich naar Harvey en kijkt hem aan. 'Aha,' zegt hij.

'Is hij al verkocht?'

'Ik heb hem niet echt verkocht... Maar ik kan hem ook niet verkopen.' Vladimir legt het foldertje op de talloze andere papieren op het bureautje, kijkt om door de kralen van de deur, alsof hij iets gehoord heeft, en richt zich dan weer op zijn klanten. 'Het feit is dat... luister... Laten we het zo doen. Mag ik even...'

Vladimir schuifelt om het bureautje heen en glipt tussen Ermete en Harvey door, keert het bordje bij de ingang van "geopend" naar "gesloten" en draait de sleutel twee keer om.

'Kom mee, alsjeblieft,' oppert hij terwijl hij terug loopt en de kralen voor het deurtje naar de achterkamer openhoudt.

'Pas op je hoofd,' waarschuwt de antiquair terwijl hij hen voorgaat naar het achterkamertje, een smal, donker gangetje. 'Het komt er nooit van om de lamp te laten repareren, maar precies hier, in het midden... zit een balk van het plafond die...'

Een nauwelijks gedempte bons geeft aan dat Ermetes voorhoofd de balk al gevonden heeft. Achter hem kan Harvey amper zijn lach inhouden.

'Hebt u zich pijn gedaan?' vraagt Vladimir, zonder dat hij echter zijn pas inhoudt.

'Nee, het stelt niks voor. Maakt u zich geen zorgen; ik heb een harde kop.'

'We zijn er,' kondigt de antiquair meteen daarna aan.

Nu wordt zijn gelaat verlicht door het daglicht.

Ze staan in een groot glazen vertrek dat doet denken aan een broeikas. Twaalf ijzeren stangen ondersteunen een doorzichtig plafond, als een grote veldtent die is opgezet op het binnenplaatsje achter de winkel. Het vertrek, dat helemaal onbedekt is, wordt goed verlicht door het licht van buiten, warm en stoffig, dat zich tussen de meubels, beeldjes, schilderijen en andere antieke voorwerpen neervlijt.

'Dit is mijn rijk,' verklaart Vladimir, wiens lichaam meer vaste vorm lijkt te hebben gekregen nu het zich tussen die favoriete voorwerpen begeeft.

Harvey houdt zijn sporttas tegen zich aan geklemd en kijkt omhoog, naar de contouren van de gebouwen die hoog boven het glazen plafond uit torenen. 'Te gek...' merkt hij op.

De antiquair mompelt iets onverstaanbaars, doet een oud kastje open en haalt er een paar kistjes uit.

'Het voorwerp dat jullie zochten zou hierin moeten zitten...' mompelt hij, terwijl hij een van de kistjes op een werkbank plaatst die vol ligt met stukken van lijsten en pleisterwerk die reparatie behoeven.

'Hebt u er toevallig niet nog meer?' informeert Ermete, die gespannen toekijkt hoe de lange vingers van de antiquair met het kistje worstelen.

Vladimir schudt zijn hoofd. 'O, nee. Dat zou echt geweldig zijn, gezien hun waarde...'

'Zijn ze erg kostbaar?' vraagt Ermete.

'Dat zou ik wel zeggen,' antwoordt de man, terwijl hij eindelijk de houten tol tevoorschijn haalt. Hij houdt hem even vast en geeft hem dan aan Harvey. 'Jij was waarschijnlijk degene die hem heeft gezien...'

Harvey laat zijn sporttas op de grond glijden. Hij pakt de tol vast en bekijkt hem aandachtig. Zijn hart begint sneller te kloppen. Hij draait hem alsmaar rond in zijn vingers, en bekijkt vol bewondering de regenboog en de metalen punt.

Hij heeft geen enkele twijfel: dit is een van hun tollen. De vijfde.

Ermete, die dezelfde mening is toegedaan, veinst onverschilligheid en zegt: 'Ik snap niet wat er zo kostbaar aan is... Het lijkt mij gewoon een oud speelgoedje.'

'Ha!' reageert Vladimir met opgestoken vinger. 'U bent erin geslaagd twee fouten te maken in één zin.'

'Dat is mijn specialiteit...'

'Deze tol is niet oud. Hij is antiek. En het is geen speelgoedje. Het is een theürgisch instrument.'

'Theü... wattes?'

'Theürgisch. Dat is een Grieks woord dat staat voor het vermogen om handelingen te verrichten dankzij de inmenging van de goden. Deze tol, mijn beste, werd gebruikt in een reeks ingewikkelde rituelen, en diende om contact te krijgen met de goden en een antwoord van ze te verkrijgen. Het was een... orakeltol.'

'Hoor je dat? Het is een instrument van de goden...' zegt Ermete tegen Harvey, die altijd de meest sceptische is geweest over de werking van de tollen en de manier waarop ze konden worden gebruikt op de houten kaart.

'Op z'n zachtst gezegd mysterieuze orakelen,' voegt Vladimir Askenazy eraan toe. Hij zoekt iets op de werkbank, pakt dan een gehavend boekje en bladert er even in. 'Michael Psellus, een oude erudiete Byzantijn met een alomvattende kennis, heeft iets geschreven dat puur op deze tollen slaat. Hier is zijn traktaat over de Chaldese orakelen...'

'Chaldese orakelen?' hapt Ermete.

'Kennen jullie die?'

'Absoluut! Wie kent ze niet?' glimlacht de ingenieur.

Vladimir grinnikt. Hij pakt een oude ring met een robijn erin gevat. 'En toch...' zegt hij terwijl hij de ring omhoog houdt, 'zouden alle vrouwen de Chaldeeën moeten kennen: zij waren namelijk degenen die op het idee kwamen om verlovingsringen om hun linkerringvinger te dragen. Ze dachten dat er van die vinger een energielijn rechtstreeks naar het hart liep...'

Ermete trekt een scheef gezicht.

De antiquair loopt half om de werkbank heen en gebaart naar de wijzerplaat van een klok aan de muur. 'Maar ze hebben ook het rekensysteem op basis van twaalf uitgevonden. En de uren van zestig minuten. De tekens van de dierenriem en een groot deel van de namen van sterren.'

'Dat wisten we al,' komt Ermete met een zweem van trots tussenbeide. 'En we kennen ook de Wijzen uit het Oosten...'

'Geleerde priesters, maar niet echt Chaldeeën,' herneemt Vladimir Askenazy. 'Zij bewaakten eeuwenoude tradities.

Ze wisten... iets wat ze mondeling hebben doorgegeven aan degenen die na hen kwamen. En dat vandaag de dag misschien verloren is gegaan.' De man zucht. 'Arme Wijzen uit het Oosten. De enigen van hen die in de herinnering voortleven zijn die drie die de komeet volgden en zo in Betlehem aankwamen. En weldra zullen de kinderen ook hen vergeten, en het belangrijkste van de drie geschenken die ze meebrachten.'

'Goud?'

'Wierook?'

Vladimir Askenazy schudt zijn hoofd. 'Mirre, natuurlijk.'

'Dat wilde ik net zeggen!' protesteert Ermete.

'Volgens mij weet niemand tegenwoordig meer waar mirre voor dient,' vervolgt de antiquair.

Bang om af te gaan, houden Harvey en Ermete wijselijk hun mond.

De ogen van de antiquair lijken reusachtig achter zijn brillenglazen. 'We zijn alles kwijtgeraakt,' vervolgt hij. 'Betekenissen, symbolen, tradities. En langzamerhand raken we ook de goden kwijt.'

'Misschien hebben we alleen maar nieuwe goden bedacht,' werpt Harvey tegen. 'Internet, petroleum, mobiele telefoons, televisie...'

'En welke wijsheid schenken die nieuwe goden ons?' Vladimir schudt zijn hoofd. Dan komt hij ineens terug op het onderwerp waarover ze waren begonnen. 'Hoe dan ook, dit zijn geen tollen. Ze heten eigenlijk... iynxen.'

'Wat... iynxen?'

Vladimir leest hardop voor uit het boekje van de geleerde Byzantijn: '*Binnen in elke tol zit een gouden bol die op zijn beurt een edelsteen omsluit. Als hij wordt gegooid, laat de tol het geloei van de Oerstier horen en wordt hij beïnvloed door de omwentelingen van de hemellichamen.'*

'Gouden bol? Edelsteen?'

'Geloei van de oerstier? Hemellichamen?'

De antiquair legt het boek op de werkbank en kijkt naar de tol, die nog steeds in Harvey's handen ligt. 'In het hout, dat de kosmos voorstelt, zit een gouden bol, die de Aarde voorstelt, en een edelsteen: het hart van de Aarde.'

'Dan moet hij dus echt veel geld waard zijn...' mompelt Ermete bezorgd.

Als hij dat hoort, fronst Vladimir Askenazy zijn voorhoofd. 'Ik heb nooit gezegd dat hij een prijs heeft. En ook niet dat hij te koop is. Ik heb jullie alleen maar uitgelegd waarom hij kostbaar is: omdat hij uniek is.'

'Daar ben ik niet van overtuigd,' werpt Ermete tegen. 'Voor zover ik weet hebben wij misschien ook wel een stuk of vier, vijf van deze.'

'Deze keer geloof ik u niet. Dit soort voorwerpen zijn nergens te vinden.'

'Hoe hebt u het dan gevonden?'

'Ik heb zo mijn contacten.'

'En waarom verkoopt u hem niet?'

'Omdat hij maanden geleden is gereserveerd door een klant van me.'

'En we kunnen dus op geen enkele manier...'

'Niet meer.'

'Kunt u me dan niet op z'n minst vertellen...'

De antiquair schudt zijn hoofd. 'Het spijt me. Ik kan jullie er alleen maar naar laten kijken.'

Vladimir Askenazy pakt de tol weer uit Harvey's hand en stopt hem terug in de hoes. Dan kijkt hij omhoog.

Er is een eenogige raaf neergestreken op de nok van het dak. Zijn pootjes trippelen op het glas.

'Wisten jullie dat de grote Homerus les heeft gehad van de Wijzen uit het Oosten?' vraagt hij afwezig. 'En ook Pythagoras, de meester der getallen?'

Maar Harvey en Ermete geven geen antwoord: ze zijn volledig gefocust op de houten tol die langzaam terug in het kistje verdwijnt.

Harvey zucht. Ermete krabt op zijn hoofd, hij is zijn blonde pruik even vergeten.

'Het zit eigenlijk zo...' begint Harvey.

Vladimir Askenazy steekt zijn dunne hals over de werkbank uit. 'Wat?'

'Wij...' Ermete slikt en weet niet hoe hij verder moet gaan.

'We moeten eigenlijk weten wie deze tol heeft gereserveerd,' besluit Harvey. 'Dat moeten we heel dringend weten.'

'Dat kan ik jullie niet vertellen... nog niet,' antwoordt Vladimir hoofdschuddend.

Toch klinkt het Harvey niet als een weigering in de oren. Er klinken onuitgesproken dingen door in Vladimirs stem. Zijn verhaal over de Chaldeeën, de Wijzen uit het Oosten en de oude goden leek haast een onuitgesproken uitnodiging... Alsof Vladimir hen informatie heeft gegeven en nu, voor hij verder gaat, andere informatie daarvoor in ruil wil hebben.

'Wij hebben al eerder dit soort tollen gezien,' probeert Harvey dus plompverloren.

'Waar?' vraagt Vladimir Askenazy, alsof hij het antwoord al kent.

Drie meter boven hen trippelt de raaf over het glazen dak. Dan klinkt er een harde klap op de winkeldeur, in het andere vertrek.

De raaf vliegt verschrikt op.

'Ik geloof dat ik even moet opendoen...' zegt Vladimir.

Het is een kwestie van een paar stappen. De doffe klap van een touw op het glas, de heftige klap van een zwaarder lichaam, en een deel van het dak knalt in gruzelementen.

Er ploft een gestalte op de grond te midden van een stroom aan glassplinters. Vladimir slaakt een verbijsterde kreet, terwijl Ermete zich op de grond gooit en zijn hoofd probeert af te schermen voor de scherven die om hem heen regenen. Harvey duikt onder de werkbank.

Het gebeurt allemaal razendsnel: een tweede gestalte komt aan een touw vanuit de lucht omlaag vallen en landt atletisch op de vloer, vlak bij de eerste.

'Wat gebeurt er? Wie zijn jullie? Wat willen jullie?' schreeuwt Vladimir.

Er klinkt geklapwiek, ook de raaf is de serre binnengekomen. Hij fladdert als een gek om Vladimir en Ermete heen.

Opnieuw wordt er op de voordeur gebonsd, nu harder.

Vanuit zijn positie onder de werkbank ziet Harvey vier benen in spijkerbroek dichterbij komen. De vloer ligt bezaaid met scherven.

'Blijf staan? Wie zijn jullie?' kreunt de antiquair op een paar passen van hem af.

De twee gestaltes luisteren niet. Bij elke stap verbrijzelen hun dameslaarzen nieuwe scherven.

Harvey's hart gaat als een razende tekeer. Hij wacht tot de onbekende vrouwen nog dichterbij zijn gekomen en komt dan met een ruk omhoog, in een poging om de werkbank tegen hen aan te gooien.

Het tweetal springt achteruit. In de chaos van voorwerpen die op de grond rollen ontwaren ze het kistje waar de tol in zit, en ze grijpen het zonder aarzeling vast.

Harvey balt zijn vuisten, en plotseling herkent hij ze: het zijn de twee vrouwen uit het café. Een blanke en een zwarte, met strakke gezichten en blinkende tanden, als roofdieren.

Hij probeert de dichtstbijzijnde aan te vallen, maar zijn stoot landt in het luchtledige. Het volgende moment wordt zijn pols vastgegrepen en kan hij zich niet meer verroeren.

De Panter draait zijn arm om op zijn rug en duwt hem met de rug naar zich toe; dan brengt ze haar lippen naar zijn oor en laat een langgerekt, dreigend gesis horen.

Vervolgens duwt ze hem van zich af.

Harvey struikelt en valt in de scherven. Hij hoort Vladimir nog een laatste keer schreeuwen: 'Blijf staan, dievegge!'

Dan, als hij opkijkt, ziet hij de twee vrouwen snel langs het touw omhoog klimmen en verdwijnen.

'Dit is een ramp!' schreeuwt Harvey terwijl hij overeind krabbelt. Hij heeft de palm van zijn hand bezeerd. 'Ze hebben de tol meegenomen!'

Ermete controleert of er niet nog meer gevaren dreigen, hij sleept zich overeind en heft dreigend zijn vuisten op naar de lege ruimte van het plafond: 'Ze hebben geluk dat ze ertussenuit zijn geknepen,want anders...'

Vladimir Askenazy kucht en kijkt verbijsterd om zich heen. Zijn ogen staan wijdopen.

'Alles goed?' vraagt Harvey hem.

'Alleen maar wat schrammen.'

'We moeten de politie bellen..'

De man bekijkt de kistjes en de andere voorwerpen die op de grond zijn gerold, hij is nog helemaal in shock. 'Ja... ik denk... dat we dat maar moeten doen.' Maar hij weet duidelijk niet wat hij moet beginnen. 'Jullie... jij...zij...?' vraagt hij dan ook aan de jongen.

Ermete zoekt op de vloer naar de blonde pruik, die hij kwijt is geraakt.

'Het is onze schuld,' bekent Harvey. 'Ze zijn ons gevolgd.'

'Hoe bedoel je... ze zijn jullie gevolgd?' mompelt Vladimir.

De jongen wijst naar het verbrijzelde plafond. 'Ik had het meteen moeten weten toen ik die raaf zag.'

'Wat heeft die raaf ermee te maken?'

'Au!' roept Ermete. Hij heeft de pruik opgezet, maar daar zitten nog een paar glassplinters in.

Harvey haalt zijn schouders op. 'Laten we zeggen dat ik al een tijdje het gevoel had dat ik... in de gaten gehouden werd. En dat die twee in het café waren waar Ermete en ik hadden afgesproken.'

De ingenieur beent nu met grote stappen de kamer rond. 'Ze hebben die tol voor onze neus weggekaapt!'

'Die twee vrouwen uit het café,' verduidelijkt Harvey.

Ermete helpt de antiquair om de werkbank weer overeind te zetten. 'Nou. Het is voor het eerst van mijn leven dat er twee vrouwen achter me aan lopen... en moet je nou kijken hoe dat is afgelopen.'

'Ze liepen achter míj aan,' preciseert Harvey.

Vladimir stelt geen vragen. Hij is afwezig, totaal overdonderd.

'We moeten de anderen waarschuwen,' zegt Ermete.

'We zijn niet veilig.'

'Dat zijn we nooit geweest.'

Harvey balt woedend zijn vuisten. Hij herinnert zich nog levendig hoe die vrouw in zijn oor siste. 'Ik heb haar niet eens kunnen... raken.'

8
DE SCHEUR

In de slaapkamer van tante Irene heerst een grote stilte. De oude dame zit in haar rolstoel met een geruit dekentje over haar knieën. Voor haar, gehurkt op de grond, zitten Elettra en Sheng.

'En?' vraagt Irene aan haar zus Linda, die stijfjes achter de kinderen staat.

'Wat én? Dit is waanzin!' snuift deze, met haar handen in haar zij.

Elettra laat haar ogen omhoog rollen en geeft Sheng een elleboogstoot. 'Wat zei ik je? Niks mee te beginnen.'

'Linda, alsjeblieft, wees redelijk!'

'Ik bén redelijk! Kan Fernando niet gaan?'

'Zijn boek is kennelijk in de smaak gevallen bij een uitgever die is gespecialiseerd in spannende boeken... Hij heeft een goed bod gekregen en...'

'Laten we het niet over dat boek van hem hebben, alsjeblieft zeg!'

'Hoe dan ook, Fernando kan nu niet de stad uit.'

'En ik ook niet. Of wil je soms dat het Domus Quintilia te gronde gaat?'

'Het staat al vierhonderd jaar overeind, Linda,' zucht Irene. 'Ik geloof niet dat het in één week tijd te gronde zal gaan.'

'Daar zou ik maar niet zo zeker van zijn. En trouwens, woensdag komen meneer en mevrouw Olfaddesten, die...'

'Die al jaren trouwe klanten zijn en die ook de komende vijftien jaar weer bij ons zullen komen, ook al vinden ze deze keer misschien een kruimeltje stof op het nachtkastje...' houdt Irene vol.

'Ja en? Ben je soms vergeten dat de gordijnen gewassen moeten worden? En de kasten zitten propvol kleren die gelucht moeten worden. Bah! Jullie kopen veel te veel spullen, en die moet ik dan maar ergens op zien te ruimen, alsof ik kan toveren...'

'Maar deze kast is toch half leeg!' roept haar zus uit, wijzend op een grote notenhouten kast. 'Leg die kleren daar maar in.'

'O nee!' zegt Linda beslist. 'Die moet half leeg blijven. Je moet altijd een of twee kasten in huis leeg houden voor noodgevallen. En trouwens... zonder lege ruimtes... krijg ik het gevoel dat ik stik.'

'Linda!'

'Je hoeft het niet te geloven maar het is wel zo. Ruimte, orde, hygiëne. Voor mij, voor jullie en voor het hotel!' predikt ze met haar armen gespreid.

'Tante! Snap je dan niet hoe belangrijk het voor ons is om te kunnen gaan?' roept Elettra terwijl ze overeind springt.

'Ik kan er niks aan doen. Deze week komt het echt niet uit. En de week erna ook niet. Net met de wisseling van de seizoenen! En de wisseling van winter naar voorjaar is beslist de lastigste van allemaal...'

'Linda, alsjeblieft!' komt haar oudere zus tussenbeide. 'Het enige wat de kinderen je vragen is om voor een weekje met ze mee te gaan naar New York. De reis is al betaald. Het hotel ook.'

'Ja ja...' antwoordt Linda wantrouwig, wapperend met een visitekaartje. 'Betaald door zo'n onbekende Japanse groep. *Wij vliegen de wereld rond!*'

'Hé! Dat is het bedrijf van mijn vader,' protesteert Sheng. 'En het is niet Japans. Het is Chinees.'

Irene grijpt de wielen van haar rolstoel vast en draait ze een halve slag naar voren. 'Ik vind dat de vader van Sheng de kinderen een geweldige kans biedt. En zij bieden jou een geweldige kans.'

'Maar is er dan niemand anders die met ze mee kan?' probeert Linda Melodia, halsstarrig naar het plafond starend. 'De moeder van Mistral?'

'Die is voor haar werk op pad.'

Linda kijkt naar de kinderen en wijst naar een piepklein vochtplekje in een hoekje van het plafond. 'Zien jullie dat? Als ik met jullie naar New York ga, is dat na mijn terugkeer al twee keer zo groot geworden.'

'We hebben drie kamers op de bovenste verdieping van het Mandarin Oriental Hotel...'

'Met thermaalbad...'

'Uitzicht op Central Park...'

'Vlak bij de boetieks aan Fifth Street...'

Nu ze een sprankje belangstelling ontwaart, opent Irene opnieuw de aanval: 'Linda, hoelang heb je al geen mooie nieuwe schoenen meer gekocht?'

'Ach, kom. Wat moet ik met al die schoenen?'

'Dat is mijn tekst, zusje. Jij kunt je benen nog wel gebruiken.'

'Dat bedoelde ik niet, Irene...'

Maar de blik van de oude vrouw is zacht en begripvol. 'Ik weet heel goed wat je bedoelde. Een vakantie, eindelijk, na al die jaren! In de mooiste stad van de wereld. En de kinderen zullen zich als engeltjes gedragen...'

'We zullen heel lief zijn,' beaamt Elettra voor hen beiden. 'Je zult niet eens merken dat we erbij zijn.'

'Maar het is nu eenmaal zo dat er... in New York niets is wat mij interesseert,' mompelt Linda.

'Ook niet de wolkenkrabbers?'

'Of de musea?'

'Brooklyn Bridge?'

'Het Vrijheidsbeeld?'

Bij het horen van het Vrijheidsbeeld lichten Linda's ogen op. Ze lijkt op het punt te staan om zich over te geven. Ineens gooit ze echter haar hoofd omhoog en roept beslist: 'Ik kan niet.'

'Tante!'

'Ik kan niet ik kan niet ik kan niet,' herhaalt ze koppig, wapperend met haar handen. 'Ik heb niet zo'n optische dinges.'

'Wat?'

'Om naar de Verenigde Staten te gaan moet je zo'n speciale dinges hebben. Zo'n paspoort, dat bedoel ik. Zo'n elektronisch

paspoort. En ik heb gelezen dat het minstens twee maanden duurt om zo'n ding te maken. Ik kan dus helemaal niet weg.'

'Is dat het enige probleem?' vraagt Irene.

'Dacht je soms dat dat niks voorstelde? Als je niet het goede paspoort hebt, word je aangehouden! En de kinderen? Hoe doen die dat?'

'Ik heb al lang een elektronisch paspoort,' zegt Sheng.

'Ik ook,' voegt Elettra eraan toe.

'Maar ik niet!' roept Linda Melodia triomfantelijk. 'En als je probeert op het vliegtuig te stappen met een oud paspoort, ben je nog niet jarig. Dan moet je alles uit je tas halen, ook je lippenstift, je handcrème en alle vloeibare dingen. En je nagel-schaartje. Zeg, lezen jullie geen kranten? Het is een kwestie van veiligheid. En van bureaucratie. Als die twee bij elkaar komen, kun je geen kant meer op.'

'Fernando!' roept Irene luid.

De deur van de kamer gaat een stukje open en laat een glim-lachende Fernando Melodia zien. De man knipoogt naar de kin-deren. Linda kijkt hem argwanend aan.

'Het mooie van bureaucratie...' verklaart haar oudere zus, 'is dat die niet om vrienden heen kan. En het toeval wil dat één van Fernando's vrienden nou juist bij de Questura werkt, waar de paspoorten worden uitgegeven.'

'Ik snap het niet,' mompelt Linda, die inmiddels heel goed doorheeft dat ze in de val wordt gelokt.

'Met een vriend op de juiste plek heeft het niet zoals normaal twee maanden geduurd om jouw paspoort te vernieuwen, maar...'

'Zes uurtjes,' maakt Fernando haar zin af, terwijl hij Linda een splinternieuw optisch paspoort aanreikt. Dan zegt hij, alsof hij zich wil verontschuldigen: 'De foto heeft Sheng van je gemaakt.'

'Met telelens, mevrouw,' preciseert deze.

Linda Melodia pakt het document aan zonder nog verder verzet te bieden.

'Lafaards,' zegt ze. 'Spelen jullie onder één hoedje?'

Irene, Fernando en de kinderen kijken elkaar samenzweerderig aan.

'Eerlijk gezegd wel, ja.'

Later op de dag sluit Sheng zich op in zijn kamer. Hij leunt tegen de muur aan en haalt diep adem.

Buiten zijn deur gaan de drie dochters van zijn gastgezin gewoon door met dansen op *You Make Me Crazy*, met het volume op de hoogste stand. Zelfs de vloer trilt ervan.

De Chinese jongen doet zijn handen voor zijn oren en probeert zich te concentreren. Algauw geeft hij het op.

Hij haal zijn grootste koffer met wieltjes van onder het bed vandaan, doet hem open, trekt de lades van de kast open en gooit zoveel in de koffer als er maar in past. Uit de badkamer haalt hij zijn tandenborstel, tandpasta en flosdraad, denkt even na en pakt dan toch ook maar zijn volkomen nutteloze scheermes. Hij kijkt vol optimisme in de spiegel.

'Misschien begint mijn baard in New York wel te groeien,' zegt hij.

Hij probeert de herrie van de drie meisjes te negeren en loopt naar de schoenenkast, haalt de bodem van de onderste la eruit en tast met zijn hand in de ruimte die zich daaronder bevindt. Hij haalt een klein houten voorwerp tevoorschijn en zegt: 'Jij gaat met mij mee, tolletje.'

Nu is de beurt aan zijn onafscheidelijke rugzak. Hij haalt hem van de haak, verstopt de tol in een binnenvak en hangt hem op zijn rug. Dan trekt hij de koffer achter zich aan naar de deur. Net voor hij de kamer uit gaat, blijft hij staan.

'Hao, bijna vergeten, de tickets!' roept hij.

Hij loopt razendsnel terug, maakt de la van het bureau open en pakt alle hotelvouchers en de open vliegtickets die zijn vader hem heeft gegeven.

Dan gaat hij de kamer uit. De muziek blaast hem haast omver, als de harde wind van een föhn.

'Hé, jullie!' schreeuwt hij tegen de drie druktemakers. 'Horen jullie me? Zeg tegen jullie ouders dat ik wegga! Begrepen? Ik ga voor een week naar New York!'

Ze knikken, maar Sheng betwijfelt of ze ook maar één woord gehoord hebben.

Hij zwaait naar ze en haast zich het appartement uit.

'Negentien minuten over acht! We komen te laat!' oordeelt Linda Melodia vanaf de achterbank van het busje.

Ze staan nog op de binnenplaats van het Domus Quintilia. En ze staan stil.

'Heel even nog!' roept Elettra terwijl ze haar koffer in de bus gooit en weer naar binnen rent.

'Ik start de motor alvast!' stelt Fernando voor, maar hij wordt onmiddellijk tegengehouden.

'Geen denken aan!' beveelt Linda. 'Ik wil geen zwarte rook van de uitlaatgassen op de muren van de binnenplaats.'

Fernando laat zich tegen de rugleuning zakken. Sheng, achter hem, geeft een klopje op zijn uitpuilende koffer, om te controleren of hij echt goed dicht zit. De gele koffers van Linda, in aflopende grootte als vele matroesjka-poppetjes, nemen elke vierkante centimeter van de laadruimte in beslag.

Intussen rent Elettra met twee treden tegelijk de trap op naar de kamer van tante Irene.

'We gaan vertrekken!' roept ze voor de zoveelste keer ten afscheid.

De vrouw slaat haar zwakke armen om haar heen en streelt Elettra's pikzwarte, warrige haren. 'Wees voorzichtig, denk erom.'

'Natuurlijk, tante.'

'Doe geen domme dingen. Om geen enkele reden.'

'Daar kun je op rekenen.'

'En...'

Getoeter op de binnenplaats.

'Wat?' zegt Elettra terwijl ze zich los wurmt.

'Niks. Ga maar, veel plezier. En doe de groeten aan de andere kinderen.'

Irene hoort haar nichtje de trap afrennen, de voordeur dichtslaan en de motor van het busje hortend en stotend starten.

'Zorg dat je veilig terugkomt, meisje van me...' fluistert ze tegen de oude meubels in haar slaapkamer. Dan knijpt ze haar handen in haar schoot ineen en voegt ze eraan toe: 'En jij, Natuur, bescherm haar.'

Mistral loopt naar de uitgang van haar appartement. Ze kijkt nog even om. Het briefje voor haar moeder ligt op tafel. Ze heeft het vijf keer opnieuw geschreven. Ze heeft haar niet aan de telefoon kunnen krijgen.

Ze bijt op haar lip. Misschien klinkt het te ongevoelig?

Ze loopt terug, leest nog eens na wat ze heeft geschreven, en tekent dan onderaan het blaadje het profiel van haar eigen gezicht en schrijft erbij: Ik hou van je.

Dan drukt ze haar lila hoedje met de stoffen bloem op haar hoofd en trekt de deur achter zich dicht.

De taxi staat al op haar te wachten. Hij heeft de vorm van een dikke, luidruchtige kever.

'Luchthaven Charles De Gaulle,' zegt Mistral terwijl ze achterin plaatsneemt.

Ermete blijft ineens staan, midden in 35th Street, Queens. Er klopt iets niet. Er is iets mis met zijn huisje.

Het licht.

Hij had het licht in de keuken niet aangelaten.

Dus leunt hij tegen de straatlantaarn en wacht. Tien ellenlange minuten gebeurt er niets.

En als ik het nu toch heb aangelaten? vraagt de ingenieur zich weifelend af.

Voor de zekerheid wacht hij nog tien minuten langer. Dan bezweert hij zichzelf dat er niks aan de hand is, steekt de straat over en doet de voordeur open.

Zijn twijfels worden werkelijkheid.

'Het is gebeurd,' prevelt hij als hij naar binnen gaat. 'Ze zijn gekomen.'

Het appartement is volkomen op zijn kop gezet. Blaadjes en schriften op de vloer. Kleren, sokken, overhemden. Zijn dekbed doormidden geknipt, de kussens binnenstebuiten gehaald. Schuimrubber. De laden omgekeerd. De kasten opengesperd.

Ermete doet de deur achter zich dicht. Hij is ongewoon kalm. Als de dieven hebben gevonden waar ze naar op zoek waren, is het voorbij. Dan is alles voorbij.

Hij stapt over zijn spullen die op de grond verspreid liggen en gaat naar de badkamer: medicijnen opengemaakt en in de wasbak omgekeerd. Tandenborstel op de grond. Kleedjes opgefrommeld.

Hij kijkt in de spiegel. En hij glimlacht, op slag gerustgesteld.

Dan verlaat hij het appartement, gaat weer de straat op en loopt door naar de eerste openbare telefoon. Hij kijkt hoe laat het is.

'Ze zouden inmiddels moeten zijn aangekomen...' mompelt hij.

Hij stopt een muntje in de telefoon en kiest het nummer.

'Mandarin Oriental Hotel, goedenavond.'

'Ja, nee... ik wil een kamer, ik ben...' En hij legt neer.

Zoals altijd wanneer hij met de receptie van een hotel praat, wordt Ermete overvallen door paniek. Hij stopt nog een muntje in de telefoon en oefent in zijn hoofd wat hij moet zeggen.

'Mandarin Oriental Hotel, goedenavond.'

'Ik heb een boodschap voor de dames en heer Elettra Melodia, Sheng Young Wan Ho en Mistral Blanchard,' zegt Ermete. 'Zeg tegen hen dat het beter is als we elkaar niet treffen. Veel beter. Mijn huis is een puinhoop. Een gróte puinhoop. Zeg tegen hen dat ik wel iets van me zal laten horen. Goedenacht. En succes,' besluit hij, waarna hij ophangt.

Voor de zekerheid herhaalt hij zijn boodschap in het antwoordapparaat van huize Miller, bestemd voor Harvey.

Plotseling opgewonden leunt hij tegen de muur en kijkt naar de brandende lampen van zijn appartement, weifelend wat hem te doen staat. Naar het hotel gaan of thuisblijven? Degenen die zijn huis zo hebben toegetakeld zouden terug kunnen komen. En als ze terugkomen, hoe moet hij ze dan het hoofd bieden?

Hij probeert rustig te worden. In misdaadfilms zijn dit soort doorzoekingen meestal enkel bedoeld om mensen bang te maken. Pure intimidaties, die willen zeggen: 'We weten wie je bent en waar je woont.'

'Bekijk het maar!' mompelt Ermete terwijl hij terug naar huis loopt. 'Ik ga niet weg.'

Zittend in de hal van het Mandarin Oriental, controleert Harvey voor de zoveelste keer de aantekeningen die hij op een blaadje heeft geschreven:

- *zij kennen Ermete*
- *zij volgen mij. Aanwijzingen: de raaf en de twee vrouwen.*

- is Vladimir Askenazy te vertrouwen?

- waartoe dient de Ring van Vuur?

- heb ik echt de stem van Dwaine gehoord?

Als hij wat rumoer hoort bij de ingang van het hotel, kijkt hij op. Hij ontwaart als eerste het zwarte haar van Elettra, dan de kleurige sneakers van Sheng, en ten slotte het reigersprofiel van Mistral. Ze worden vergezeld door de mevrouw van het Domus Quintilia, die verhit tegen de loopjongen staat te foeteren. Meer dan foeteren, ze wijst naar een kanariegeel koffertje dat op de grond is gevallen.

Harvey glimlacht. Hij streept de laatste regel van zijn geheugensteuntje door, en voor de zekerheid verscheurt hij het briefje en gooit het in de prullenbak.

Hij loopt naar de balie van de receptie, en voelt zich ongewoon licht.

Hij heeft zin om zijn vrienden weer in de armen te sluiten.

Het is vijftien maart. En ze zijn eindelijk weer alle vier bij elkaar.

9
DE KOPER

'Hier is het...' verklaart Harvey terwijl hij Elettra, Sheng en Mistral naar de antiekwinkel leidt.

Ze bevinden zich in een donkere straat, bewaakt door strenge, donkere gebouwen van baksteen en cement.

Het bordje achter het glas geeft aan dat de antiekzaak geopend is.

'Mijn tante gaat net omhoog in het Empire State Building,' leest Elettra de sms op haar mobieltje voor. 'Ze schrijft dat er op de begane grond zelfs een bord hangt waarop staat aangegeven hoe het zicht is vanaf de top.'

'Hao! Te gek... Gaan wij straks ook naar de top van het Empire State Building?' stelt hij hoopvol voor. 'Net zoals King Kong?'

'Eerst proberen we iets te weten te komen over die tol,'

besluit Mistral terwijl ze achter Harvey aan de winkel in loopt. 'Daarna gaan we toeristje spelen.'

Als hij de bel hoort rinkelen duikt Vladimir op door het deurtje met het kralengordijn.

'We zijn gesloten...' begint hij, voordat hij Harvey herkent. 'O, jij bent het.'

'De vrienden waarover ik u had verteld,' antwoord de jongen terwijl hij de andere drie snel voorstelt.

De antiquair drukt hen voorzichtig de hand, hij heeft allemaal pleisters om zijn vingers. Dan draait hij het bordje bij de ingang van "geopend" naar "gesloten" en draait de sleutel twee keer om.

'Kom mee, alsjeblieft... En pas op...' zegt hij, teruglopend naar het kralengordijn.

Hij gaat de kinderen voor door het gangetje naar wat er over is van het tweede vertrek. Het glazen plafond is gerepareerd met een nylon doek, bijeengehouden door bruine tape. Vladimir wijst op de glasscherven en de voorwerpen die nog steeds over de vloer verspreid liggen. 'Ik probeer alles weer op te ruimen, maar het valt niet mee, in mijn eentje. Wees voorzichtig en raak niets aan, er ligt overal glas.'

'Hebt u al bericht gehad van de politie?' vraagt Harvey.

'Die heb ik niet gebeld.'

'Waarom niet?'

'Daar heb ik geen tijd voor gehad. Kom mee... hier kunnen we gaan zitten. Deze stoeltjes staan nog overeind. Tenminste, dat denk ik.'

Hij gaat hen voor naar een soort geïmproviseerd zitkamertje tussen de meubelen van de achterkamer.

Op Harvey's stoel staat een aardewerken bloempot met uitgedroogde primula's. De jongen aait er achteloos overheen, zet
de bloempot op de plank naast hem en gaat zitten.

Weggezakt in de stoel tegenover de kinderen ziet Vladimir
eruit als een reusachtige ineengedoken sprinkhaan.

Zijn honingkleurige ogen glijden van Elettra naar Sheng en
naar Mistral. Hij zoekt zijn bril en zet hem op. 'Harvey heeft me
verteld dat jullie... nou ja...'

'Ik heb meneer Askenazy verteld dat wij allemaal een tol
hebben die identiek is aan de tol die van hem gestolen is,' verklaart Harvey. 'En ik heb hem beschreven welke symbolen er in
de onze staan gekerfd.'

'Hebben jullie ze bij je?' vraagt de antiquair.

'We hebben foto's meegenomen,' antwoordt Elettra terwijl ze
hem de afbeeldingen van drie tollen overhandigt.

'Fantastisch,' zegt Vladimir terwijl hij ze aandachtig bekijkt.
'Mag ik jullie vragen hoe jullie in het bezit ervan zijn gekomen?'

'Ze zijn niet echt... van ons.'

'Iemand heeft ze bij ons achtergelaten.'

'In bewaring.'

'En de uwe dan, meneer Askenazy?' vraagt Elettra.

'Die zat in een kist met voorwerpen die uit Irak afkomstig
waren. Daar woonden de oude Chaldeeën.'

'En hebt u de persoon die hem had gereserveerd al op de
hoogte gebracht van de diefstal?'

De man schudt zijn hoofd. 'Nee. Nog iets waar ik niet aan
toegekomen ben. Ook al heb ik eerlijk gezegd al heel lang niets
meer van die persoon gehoord.'

'Hoe kan het dan dat diegene de tol gereserveerd had?'

'Ik heb een archief met de namen van verschillende verzamelaars. Er zijn er die gewaarschuwd willen worden voor elke Russische icoon die ik binnenkrijg. Sommigen zijn alleen geïnteresseerd in vazen uit de jaren dertig. En sommigen in antieke Assyro-Babylonische handgemaakte voorwerpen.'

Vladimir staat moeizaam op uit zijn fauteuil en begint te rommelen in een aantal bakken die uitpuilen van de formulieren, die hij door elkaar gooit met zijn knokige handen.

'Dat is hem,' zegt hij dan, terwijl hij een kaartje tevoorschijn haalt. 'Meneer Alfred van der Berger.'

Bij het horen van die naam kunnen de kinderen een schok niet onderdrukken.

'Kennen jullie hem?' informeert Vladimir.

De vier kijken elkaar aarzelend aan. Ze hebben het al uitvoerig gehad over de tactiek die ze ten opzichte van de antiquair zullen gebruiken, en ze zijn tot de conclusie gekomen dat ze zullen proberen hem tenminste deels in vertrouwen te nemen. Heel voorzichtig en zonder hun mond al te veel voorbij te praten.

'Niet echt...' mompelt Harvey, die begrijpt dat de rest ermee instemt. 'Maar hij was degene die ons de tollen heeft overhandigt.'

'Wanneer was dat?'

'Een paar maanden geleden, in Rome. Hij vroeg of we ze wilden bewaren, maar toen...'

Na de pijnlijke stilte die volgt, dringt de antiquair aan: 'Maar toen?'

'Toen is hij het nooit meer komen ophalen, laten we het zo zeggen.'

Vladimir Askenazy gaat weer zitten. 'Ik snap jullie niet.'

'Hij ging dood,' legt Mistral uit.

'Hij ging niet gewoon dood...' preciseert Sheng. 'Hij is vermoord.'

De man schudt zijn hoofd, alsof hij het niet kan geloven. 'Waarom dan?'

'Misschien om dezelfde reden dat wij ons hier bevinden. Er is iemand die die tollen wil hebben. Koste wat kost...' zegt Elettra.

'Maar weten jullie dan niet wie dat kan zijn?'

'We hadden gehoopt dat u ons dat zou kunnen vertellen.'

'Hoezo dan?' vraagt Vladimir met doordringende blik.

Elettra zegt handenwringend: 'Misschien heeft Alfred van der Berger u verteld over iemand of iets waarvoor hij... doodsbang was. Toen hij ons de tollen gaf, was de professor op de vlucht.'

Vladimir legt zijn rechterwijsvinger verbluft tegen zijn slaap: 'Zoals ik me hem herinner was het een volkomen... evenwichtige man. Hij praatte graag over de meest ongelooflijke onderwerpen, en misschien was hij er niet helemaal bij met zijn hoofd, maar... Hij heeft het met mij nooit over gevaren gehad, of over angstaanjagende dingen.'

'Wij denken dat de tollen dienen om iets veel belangrijkers te ontdekken,' waagt Harvey.

'Maar we weten nog niet wat dat is.'

Vladimir Askenazy schudt zijn hoofd. Langzaam, heel langzaam.

'Het is toch vreemd dat jullie hem uitgerekend in Rome zijn tegengekomen. Alfred van der Berger was geen Italiaan.'

'Maar hij woonde al jaren in Rome,' werpt Elettra tegen. 'Hij had er een appartement.'

'Hij had er zelfs twee,' preciseert Sheng.

'*122 East, 42nd Street, Chanin Building, appartement zevenen-vijftig,*' leest Vladimir Askenazy van het kaartje.

'Wat is dat?'

'Dat is zijn adres,' verklaart de antiquair, terwijl hij de kinderen het hoekige, puntige handschrift van professor Van der Berger laat zien. 'In Manhattan.'

Zodra de vier vrienden de winkel hebben verlaten, gaat de antiquair terug naar de achterkamer, pakt de bloempot met de primula's die Harvey van zijn stoel heeft gehaald en loopt terug naar het bureautje bij de deur. Vol bewondering en verbazing tegelijk streelt hij met zijn bleke vingers de twee gele bloempjes die tussen de bladeren zijn ontloken.

Hij vouwt zich dubbel om zich op de stoel te wringen, plaatst de bloempot en zijn benige ellebogen op het bureau en klemt zijn hoofd tussen zijn handen.

Zo blijft hij roerloos zitten, met een zwaar hoofd, zonder naar iets te kijken of aan iets te denken. Als hij eindelijk in staat is om een zucht te slaken, laat hij de greep van zijn vingers verslappen en pakt de telefoon.

Automatisch kiest hij het landnummer van Italië, het netnummer van Rome, en een nummer dat hij inmiddels van buiten kent.

10
AGATA

De wolkenkrabbers verdwijnen in de bewolkte hemel als torens waar geen einde aan komt. De kinderen lopen met hun ogen omhoog gericht, starend naar de duizenden ramen die uitkijken op de straten. Elk nieuw kruispunt lijkt weer een razend ingewikkelde spiegelpuzzel. Manhattan is een glazen stad die hemel en aarde met elkaar verbindt, rank omhoog torenend.

Harvey, Sheng, Elettra en Mistral lopen haastig tussen honderden andere mensen die haastig lopen, terwijl ze onophoudelijk blijven praten. Ze vertellen elkaar nieuwe bijzonderheden over wat er de afgelopen maanden is gebeurd, ze wisselen gedachten, ideeën, angsten uit.

Ten slotte bereiken ze een hoog oprijzende, ranke wolkenkrabber met twee sierstroken op de voorgevel. Bronzen vogels en vissen spelen met geometrische figuren van aardewerk, temidden van een bloemenzee en gestileerde bloemmotieven.

Vlakbij is de ingang van het Grand Central Station te zien, het treinstation, en het uithangbord van een Starbucks, de Amerikaanse keten gespecialiseerd in koffie en cappuccino.

De kinderen trekken de grote voordeur open en lopen dan over een marmeren vloer. Aan de wanden hangen bronzen versieringen die het leven van de bouwer van de wolkenkrabber beschrijven, grote klokken, futuristische brievenbussen en liftdeuren in dezelfde kleur als de zee met zonsondergang.

Met ingehouden adem sluipen ze langs een lusteloos uitziende portier en ze nemen de lift naar de zeventiende etage.

'Dit is wel even wat anders dan het Romeinse appartement van de professor...' mompelt Mistral, verwonderd bij het zien van al die luxe.

'Hao! Laten we hopen dat het niet hetzelfde eindigt,' zegt Sheng nerveus grinnikend.

De lift heeft de zeventiende etage in een paar seconden bereikt. Ook daar dezelfde marmeren vloer als in de hal. En in de gang hangen sierlijke wandlampen.

Appartement nummer zevenenvijftig.

'Hier is het,' zegt Harvey terwijl hij er stil voor blijft staan.

Bij de bel staat geen naam vermeld. De kinderen kijken om zich heen.

Stilte. Niemand. Alleen nog meer gesloten deuren.

Elettra leest de namen bij de andere bellen. 'Whisper, Almond, R.G.'

'Er wonen dus wel mensen...'

'Wat doen we?'

'Simpel. We kijken of er iemand thuis is,' stelt Sheng voor. En voordat iemand hem kan tegenhouden, belt hij aan.

'Dat heeft geen zin,' sneert Harvey, wijzend op de gesloten deur. 'Het staat leeg.'

'En hoe weet jij dat ?'

'De professor is in Rome gestorven,' zegt Harvey. 'Dan kan hij nu toch moeilijk open komen doen, of wel soms?'

'Wie is daar?' vraagt op dat moment een zachte vrouwen-stem, terwijl de deur een stukje opengaat.

Een lichtblauw oog neemt de kinderen op vanonder het vei-ligheidskettinkje.

'Goedemorgen!' groet Sheng, terwijl hij Harvey aan de kant duwt. 'Het spijt me dat ik u stoor, mevrouw. Wij zijn op zoek naar professor Van Der Berger.'

'Ach, nee toch!' roept de vrouw uit, van achter de deur naar hem glurend. 'En mag ik weten om welke reden?'

'Ik ben... ik ben zijn neefje!' floept Sheng eruit, want het enige wat hem te binnen schiet is hetzelfde smoesje dat ze in Rome hebben gebruikt.

De vrouw kijkt hem onderzoekend aan door het spleetje van de deuropening, en besluit dan: 'Daar geloof ik niks van.' En ze slaat de deur in zijn gezicht dicht.

'Hé!' protesteert de Chinese jongen, die zijn neus nog net in veiligheid kan brengen.

Mistral legt hoofdschuddend een hand op zijn schouder. '"Ik ben zijn neefje"... geweldige vondst!'

'Misschien is zij wel zijn vrouw,' doet Harvey er nog een schepje bovenop.

'Zijn vrouw?' roept Sheng verbluft.

Uit het appartement klinkt het gerinkel van het veiligheids-
kettinkje dat over het hout schuift. Dan wordt het slot open-
gedraaid. En tenslotte gaat de deur open.

Voor de kinderen staat een bejaarde dame met een grote
schildpadbril en een roomkleurige peignoir aan, waaronder ze
een zwart-wit gestippelde legging tot op de kuiten draagt. Ze
leunt tegen de deurstijl en kijkt de vier vrienden tegelijkertijd
onderzoekend en geamuseerd aan.

'Maar aangezien ik de laatste tijd toch heel veel vrije tijd
heb, kunnen jullie me net zo goed eens nader uitleggen wat jullie precies komen doen hier.' Ze gaat aan de kant en wijst naar
binnen. 'Als jullie willen, kan ik jullie een kopje thee aanbieden. Wordt er tegenwoordig nog thee gedronken?'

'Heel graag, mevrouw,' bedankt Mistral, en ze gebaart naar de
anderen dat ze zich ook bereidwillig moeten tonen.

Het appartement lijkt wel een lijstenwinkel. Elke vierkante
centimeter van de muren wordt in beslag genomen door ingelijste krantenknipsels en zwart-witfoto's. Er zijn zilveren en gouden lijsten, en lijsten van donker en licht hout. Lijsten van kris-
tal, been en koraal. Bewerkte lijsten en lijsten die zijn bekleed
met kunstgras.

De bewoonster gaat de kinderen voor naar een woonkamer
met spectaculaire ramen, die uitkijken op de straat en de andere
wolkenkrabbers. Het uitzicht is adembenemend mooi. De inrichting van de kamer daarentegen lijkt betere tijden te hebben
gekend: een versleten zebrahuid ligt tussen een perzikkleurige
bank en twee gestreepte fauteuils met doorgezakte bodems
en gescheurde franjes. Lampen die kromgebogen zijn door het

gewicht van de ouderdom werpen onrustbarende flitsen over een massa kristallen snuisterijen.

'Alsjeblieft, ga zitten...' noodt de vrouw.

Een beeldje van een kat pronkt op een laag achthoekig tafeltje. De kinderen gaan er aarzelend omheen zitten, terwijl de vrouw des huizes naar de keuken sloft. 'Dus jíj was zogezegd het neefje van Alfred...' begint ze tegen Sheng, rommelend met het fornuis. 'En wie waren jullie dan?'

'Sorry dat ik heb gelogen. Het was maar een grapje,' verontschuldigt Sheng zich onmiddellijk, in een poging de zaak recht te zetten. 'Ik zei het eerste wat in me opkwam.'

'Interessant,' antwoordt de vrouw vanuit de keuken, rommelend met de kopjes.

'Kan ik u helpen?' biedt Mistral aan, terwijl ze opstaat uit haar stoel en om het hoekje van de deur kijkt.

'O nee, dankjewel! Of eigenlijk toch wel. Breng me even het dienblad dat op de salontafel staat.'

Mistral werpt een blik op het achthoekige tafeltje. 'Dienblad?'

'Je moet Paco even aan de kant duwen.'

Sheng steekt zijn vinger uit om het kattenbeeldje midden op tafel aan te raken. Dan pas merkt hij dat het een kat van vlees en bloed is.

'Hao!' roept hij als zijn vinger in de vacht verdwijnt, zonder dat de kat ook maar een centimeter aan de kant gaat.

Paco wordt voorzichtig opgetild en op een lege stoel gelegd, waar hij zonder een kik te geven in wegzakt. Elettra pakt het dienblad waarop hij lag te slapen en geeft het aan Mistral, die het op haar beurt naar de keuken draagt.

'Interessant, zei ik...' vervolgt de oude vrouw terwijl ze vijf verschillende theekopjes zonder bordjes op het dienblad rangschikt, 'dat het eerste wat in je opkwam was zeggen dat je het neefje was van iemand die ik al acht jaar niet meer gezien heb.'

'Acht jaar?'

'Als ik niet verkeerd geteld heb... ja,' bevestigt ze. 'Hoe oud denk je dat ik ben, jongen?'

Sheng snuift, onmerkbaar voor haar. 'Vraag me niet dat soort dingen, alstublieft! Ik ben een ramp als ik de leeftijd van mensen moet raden...'

'En jullie?' dringt de vrouw aan.

'Vijftig?' waagt Elettra.

Harvey buigt zijn hoofd.

Vanuit de keuken barst de vrouw in lachen uit. 'Niet overdrijven, meisje. Dankjewel, maar dat gaat echt te ver. Ik ben tweeëntachtig.'

'Hao!' roept Sheng uit.

'Mijn complimenten,' glimlacht Mistral. 'Dat zou je echt niet zeggen.'

'En ik wed dat u degene bent op al die foto's,' voegt Elettra eraan toe, kijkend naar de muren.

De vrouw komt even de keuken uit en volgt de blik van het meisje.

'Ja. Heel wat jaartjes geleden,' knikt ze voldaan. 'Toen het nog iets wilde zeggen als je jong was en als actrice werkte.'

'Bent u actrice geweest?' vraagt Sheng verrast.

'Officieel ben ik dat nog steeds,' antwoordt de vrouw, terwijl ze haar schildpadbril omhoog schuift over haar voorhoofd om hem beter aan te kunnen kijken.

'Sorry, ik bedoelde...'

'Je hoeft je niet te verontschuldigen. Dat is tijdverspilling in het leven. Ik heb nooit sorry gezegd tegen iemand.'

Elettra en Harvey bekijken de foto's nu met heel andere ogen. Op sommige ervan herkent Harvey de uithangborden van enkele beroemde New Yorkse theaters.

'Was u een filmactrice, of zo een van het soort "zijn of niet zijn, dat is de vraag?"' dringt Sheng vol bewondering aan.

'Beter nog,' grapt de dame. 'Een actrice in Griekse tragedies.'

'Te gek!' roept Sheng.

'En hoe heet u?' vraagt Elettra, wier blik verdwaald is tussen foto's uit andere tijden, lange zwarte jurken, hoedjes met struisvogelveren en roomkleurige automobielen met ronde koplampen.

'Ik ben Agata.'

'Aangenaam, mevrouw Agata. Ik heet Elettra.'

'Mistral.'

'Harvey.'

'Het is me een waar genoegen, mevrouw Agata van der Berger; ik ben Sheng.'

De ketel op het vuur laat een lang, tevreden gefluit horen. Agata draait zich met een gekunsteld lachje om, schudt haar hoofd en preciseert: 'Jij zegt echt de gekste dingen, jongen. Wat haal je je in je hoofd? Ik ben niet zijn vrouw.'

De thee wordt geserveerd. Stomend heet. En Agata gaat op de bank tussen Elettra en Harvey zitten en begint te vertellen: 'Ik heb Alfred leren kennen bij de première van de *Medea*. Een Griekse tragedie. Ik was dol op die vreselijke, bloedige drama's.

En op premières. Het was een herfstavond, en we speelden de eerste voorstelling in het Lyceum aan Broadway. Dat is het oudste theater van New York dat nog steeds open is. Natuurlijk regende het pijpestelen.'

Agata neemt een slok thee en is lang stil.

'Voor de duidelijkheid, jongelui, ik ben nooit een beroemd actrice geweest. Ik heb het wel geprobeerd, maar nadat ik meer dan eens gebruik had gemaakt van kruiwagens in de theaterwereld, heb ik me uiteindelijk tevredengesteld met kleine rollen hier en daar, als het zo uitkwam. Mijn schitterende carrière hangt helemaal om jullie heen; een paar zwart-witfoto's, wat krantenknipsels, wat etentjes met min of meer belangrijke personen en veel, heel veel gebabbel. Meer niet. In de *Medea* van die avond speelde ik de voedster. Een bijrol, maar wel een belangrijke,want ik moest als eerste het toneel op, in de absolute stilte in het theater. En ik moest beginnen met de tekst: "O, was het schip Argo maar nooit vertrokken op zijn lange reis naar Colchis..." Ik was geen jonge meid meer, maar ik kan jullie verzekeren dat ik zo opgewonden was als een debutante. Ik heb zo'n beetje in de hele wereld opgetreden, jongelui, maar het Lyceum... o, het Lyceum is gewoon het Lyceum. Dat is een verhaal apart.'

Agata pauzeert opnieuw om een slok thee te nemen. Als ze haar verhaal hervat, grijpt ze de kinderen met haar blik vast, waardoor ze hun volle aandacht krijgt: 'De *Medea* was een groot succes en na afloop van de voorstelling vroegen de acteurs van het gezelschap of ik zin had om mee te gaan eten. Ik had echter geen zin om hun dromen te delen en de woorden te horen die ik al zo vaak had gehoord, dus sloeg ik het aanbod af. Ik wilde in

alle rust van de sfeer in de kleedkamer genieten. Het theater na het theater is een wereld vol fluisteringen en mysteries. Het is alsof je in je hoofd alle stemmen kunt horen van alle acteurs die vóór jou zijn gekomen.'

Harvey gaat ineens rechtop zitten.

'Ik haalde in alle rust de make-up van mijn gezicht,' vervolgt Agata, 'en toen ik naar buiten ging was er niemand meer, behalve het schoonmaakpersoneel en de portier. Buiten viel een muur van regen naar beneden. En aan de overkant van de straat stond Alfred.'

De vrouw glimlacht. Ze zet haar kopje neer en benadrukt haar volgende woorden met een beweging van haar handen: 'Hij stond daar roerloos in de regen, alsof het helemaal niet regende. Hij had zo lang daar buiten op me staan wachten dat hij volkomen doorweekt was. Hij was broodmager, bijna uitgehold, en zijn baard van een paar dagen stak boven een lange bruine regenjas uit. In zijn ene hand hield hij een druipend bosje bloemen, en in de andere een verfomfaaide paraplu. Ik had niet door dat hij daar voor mij stond. Maar toen hij me naar buiten zag komen, kwam hij naar me toe om me te complimenteren, en ik barstte in lachen uit omdat ik dacht dat hij me voor de gek hield. Waarop hij plotseling ernstig werd en... me mee uit eten vroeg.'

'En ging je daarop in?' vraagt Elettra met enig ongeduld.

'Natuurlijk niet!' antwoordt Agata. 'Ik had hem nooit eerder gezien en ik wist niet wie hij was. En trouwens... ik voelde me niet direct tot hem aangetrokken. Die avond nam ik een taxi en ging ik terug naar mijn hotel, maar de volgende avond stond Alfred weer voor het theater. En zo ging het een hele maand

lang. Als hij me in mijn eentje zag kwam hij naar me toe en gaf hij me de gebruikelijke complimentjes, als ik niet alleen was hield hij zich discreet afzijdig. Hij volgde me nooit en drong me zijn aanwezigheid evenmin op een andere manier op dan voor het theater op me wachten. Na een maand werd de voorstelling van *Medea* naar een kleiner theater verplaatst, buiten Broadway. En voor de deur van dat theater trof ik opnieuw Alfred die op me stond te wachten. Hij kwam naar me toe alsof het de eerste avond was en probeerde me nog eens uit te nodigen voor een etentje. Ik vond het zo ontroerend dat ik er die keer wel op inging. En tijdens dat ene etentje betoverde Alfred me. Hij had gereserveerd bij restaurant Bacco, maar het kwam niet door wat we aten of dronken. Het was zijn eigen verdienste. Hij bleek een geweldige gesprekspartner, ook al was hij een droevige gesprekspartner; hij beweerde dat hij niemand meer kon vinden om mee te praten. Praten om het praten, om de lucht te vullen met denkbeelden, ideeën en suggesties. Hij zei dat jongeren het leuker vonden om "dingen te doen", maar dat ze geen flauw idee hadden waarom ze die dingen deden. Hij beweerde dat niemand meer geïnteresseerd was in woorden. Dat niemand ze meer koesterde, en ze in stilte liet verwelken. En dat de woorden op die manier niet groeiden, en geen nieuwe vruchten kregen... Ik luisterde naar hem en ik vond dat hij volkomen gelijk had. Woorden zijn zó belangrijk! De juiste woorden op het juiste moment. Die zijn als enige in staat om de werkelijkheid echt te veranderen!'

'Hao... Te gek!' roept Sheng, die op dat moment pas bemerkt dat hij al een paar minuten zijn adem inhoudt.

'En ook mijn werkelijkheid veranderde, na al dat gepraat. We

begonnen elkaar steeds regelmatiger te zien, en na een paar maanden bood hij me aan om hier te komen wonen, in zijn appartement. Ik accepteerde. Ik accepteerde hem en zijn woorden vele jaren lang, en liet het theater en de Griekse tragedies steeds meer in de steek om me te kunnen concentreren op de grootste voorstelling van allemaal: mijn leven met hem. Maar begrijp me niet verkeerd; ik heb nergens spijt van. Alfred bracht het grootste deel van de dagen in zijn werkkamer door, daarginds, al schrijvend, lezend en zoekend. En ik zat hier, op deze bank, op hem te wachten. Maar het was een vol leven. En ik had niemand anders nodig. Zelfs Paco niet.'

Agata aait de kat zonder dat ze enige noemenswaardige reactie krijgt, en dan pakt ze haar inmiddels koud geworden thee. 'Tenslotte, op een dag, verdween die man gehuld in woorden zomaar uit mijn leven, net zoals hij erin verschenen was.'

'Hadden jullie ruzie?'

'O, nee, nooit. Integendeel, ons leven samen was volmaakt. We werden samen oud. Of beter gezegd, ik werd oud en hij niet... tenminste, dat idee had ik. Terwijl mijn gezicht steeds rimpeliger werd, bleef hij dezelfde magere, uitgeholde Alfred zoals ik hem de eerste dag had gezien. Maar nee, geen enkele ruzie.'

'Hoe ging het dan?'

'Hij vertrok gewoon, in de letterlijke zin van het woord. Op een dag acht jaar geleden... zonder enige verklaring. Sindsdien heb ik nooit meer iets van hem gehoord... Totdat jullie kwamen.' Agata glimlacht. De glazen van haar schildpadbril lijken net twee zwarte poelen. 'En nu jullie mijn kant van het verhaal kennen, mag ik jullie denk ik wel vragen hoe jullie hier terecht zijn gekomen.'

'We hebben dit adres uit de agenda van een antiquair,' legt Harvey uit. 'We wilden iets kopen dat de professor had gereserveerd. En we wilden rechtstreeks met hem komen praten.'

Agata laat een cynisch lachje horen. 'Een antiquair! En ik haalde me al van alles in het hoofd! Even dacht ik dat Alfred niet durfde terug te komen en dat hij jullie vooruit had gestuurd. Maar nee... een antiquair! Uit New York?'

'Ja.'

Ze haalt haar schouders op. 'Nou ja, als hij een voorwerp heeft gereserveerd bij een antiquair betekent dat in elk geval dat hij nog leeft.'

De kinderen geven geen antwoord, en staren alleen maar gegeneerd naar de lijsten aan de muren.

'Wat voor voorwerp is het?'

'Een tol.'

'Typisch Alfred,' knikt Agata. 'Hij gaf zijn geld alleen maar uit aan boeken en zonderlinge voorwerpen. Niet dat hij ooit geldgebrek had, en hij heeft er ook voor gezorgd dat ik nooit geldgebrek had. Sterker: nu nog wordt er elke maand tweeduizend dollar op mijn rekening gestort, zonder dat ik weet van wie dat geld komt. Maar ik stel geen vragen. Alfred en ik hebben nooit over geld gepraat, en al die jaren dat ik met hem samenwoonde heb ik nooit geweten wat voor werk hij deed. Ik weet alleen dat hij geobsedeerd was door antiekzaken; hij onderhield een drukke correspondentie met winkels over de hele wereld, waar hij steeds oudere boeken en snuisterijen op de kop wist te tikken waarvan hij steeds geestdriftiger werd. Hij was voortdurend aan het kopen, of aan het ruilen, en hij verkocht complete planken van zijn boekenkast om plaats te maken voor nieuwe aanwinsten.'

'Hij moet er wel heel veel hebben gehad...' merkt Mistral op.

'Ontzettend veel,' beaamt Agata. 'En de laatste tijd was hij steeds vaker weg, juist om op jacht te gaan naar boeken. Voorheen kwam hij amper de deur uit. Hij ging zo ver weg met zijn verbeelding dat het idee om fysiek te reizen niet eens in hem opkwam. Maar om een goed boek te bemachtigen kon hij zomaar een dag of twee wegblijven, of zelfs drie. En uiteindelijk, kennelijk... acht jaar,' besluit Agata met een bitter lachje, waarna ze met haar handen op haar knieën slaat, waardoor Paco opschrikt. 'Nu is het genoeg geweest met dat gemijmer van een in de steek gelaten oud vrouwtje.'

'U bent helemaal geen in de steek gelaten oud vrouwtje!' protesteert Mistral. 'Zeg dat maar eens hardop: "Ik ben geen in de steek gelaten oud vrouwtje". Woorden veranderen immers de werkelijkheid?'

Agata moet hartelijk lachen om die opmerking. 'Alfred zou trots zijn op jou, meisje.'

'Neem me niet kwalijk, mevrouw Agata,' komt Elettra op achteloze toon tussenbeide, 'zou ik u mogen vragen om de werkkamer van Alfred te bekijken?'

'Waarom niet? Er is niets gebleven.'

'En alle boeken en snuisterijen dan die hij had gekocht?'

'Die zijn samen met hem verdwenen. Als hij ze hier had gelaten, had ik nog het idee kunnen koesteren dat hij op een dag weer zou terugkomen. Niet voor mij, maar om iets heel belangrijks op te zoeken in die geliefde boeken van hem.'

Er volgt een lange stilte, die weer wordt verbroken door de oude actrice: 'Misschien vragen jullie je af waarom ik hem nooit

heb gezocht, of waarom ik niet wil weten hoe die antiquair heet die jullie naar mij toe heeft gestuurd.'

'Inderdaad...' mompelt Sheng.

'Omdat ik vierenzeventig jaar was toen hij vertrok, en nu ben ik tweeëntachtig,' vervolgt de actrice. 'En op deze leeftijd vraag je je maar één ding af, waar geen enkel boek een bevredigend antwoord op kan geven, neem dat maar van me aan. Hoe dan ook, kom maar mee...' Agata komt moeizaam overeind. 'Ik zal jullie laten zien wat ik van hem heb overgehouden.'

De deur achter in de gang komt uit op een lege kamer. Het geraamte van een boekenkast onder een dikke laag stof. Een tafel met een groene notarislamp. Een raam dat uitkijkt op de stad. Vier stoelen bekleed met fluweel, op een oud, versleten tapijt.

Verder niets. Geen boek, geen voorwerp, geen agenda. Geen notitieboekje of aanwijzing die hen op enigerlei wijze van nut kan zijn.

'Dit is zijn laatste aandenken...' mompelt Agata, terwijl ze Mistral een klein, verzilverd lijstje geeft dat achter op een plank staat.

Het is een oude zwart-witfoto van drie lachende mannen die naast elkaar staan.

'Alfred staat in het midden,' verklaart de vrouw aan de kinderen, die hem allang herkend hebben. Vergeleken met de doodsbange man die ze in Rome hebben ontmoet, ziet hij er hier een stuk geruststellender uit. Hij is in de bloei van zijn leven en lijkt blij met het gezelschap van de andere twee.

'Wie zijn die anderen?'

'Dat heb ik nooit geweten. Of ik heb het wel geweten, maar ik ben het vergeten. Vrienden van school, geloof ik.'

De kleren die ze dragen zijn oud, heel oud. De foto is van tamelijk dichtbij genomen en laat weinig van het landschap op de achtergrond zien. Het frontale licht werpt een lange schaduw op het trottoir van een vierde man: de fotograaf.

'Mag ik hem uit de lijst halen?' vraagt Mistral aan Agata. 'Misschien staat er iets achterop geschreven.'

'Natuurlijk,' antwoordt die.

Mistral legt de lijst ondersteboven en klikt drie haakjes los die de houten achterplaat op zijn plek houden. Ze haalt hem er voorzichtig af en ontdekt dat er een opdracht en een stukje stof met etiket achter de foto zitten.

'Wat heb je gevonden?' vragen de anderen als ze haar zien aarzelen.

'Er zit een stukje stof achter,' antwoordt het Franse meisje.

Het is een glanzend zwart stukje, niet veel groter dan een postzegel. Het etiket dat er met drie vergulde naalden op zit vastgespeld is van een kleermakerij: *Helios, Maatkleding*.

'Zegt u dat iets?' vragen de kinderen aan de actrice.

Ze schudt haar hoofd. 'Ik wist niet dat dat er zat. En nee... die kleermakerij ken ik niet. Volgens mij is het Grieks: Helios betekent "zon". Maar ik zou niet weten hoe dat stukje stof daar terecht is gekomen. Ja... Alfred liet graag maatpakken maken. Hij hield niet van massaproductie en hij vond het heerlijk om hele dagen bij de kleermaker rond te hangen. Hij poseerde, bekeek zichzelf in de spiegel en was hele middagen bezig met de stof voor een nieuw pak uit te zoeken. Hij was heel ijdel, in dat soort dingen. Volgens mij genoot hij daar erg van.'

'Mogen we dit houden?' vraagt Mistral.

'Natuurlijk! Waarom niet?'

Mistral stopt het stukje zwarte stof in haar zak, oppassend dat ze zich niet prikt aan de drie naalden. Dan pakt ze de foto vast en leest hardop de opdracht die er achterop staat geschreven: *'Voor Paul, Alfred en Robert...'*

'Hebt u ooit gehoord van die Paul en Robert?'

Agata schudt opnieuw haar hoofd.

'En zou u niet kunnen zeggen wanneer die foto is genomen?'

'Dertig jaar geleden? Vijftig? Alfred droeg hem altijd bij zich. Hij gebruikte hem als boekenlegger, tot hij besloot om hem te laten inlijsten.'

'Dus u hebt dat stukje stof erin gedaan?' vraagt Elettra.

'Nee! Waarom zou ik?'

'In dat geval...' fluistert Sheng tegen Harvey, 'zou dat stukje stof weleens van belang kunnen zijn.'

Agata grinnikt. 'Nou zeg, mag ik ook weten waarom jullie zo in Alfred geïnteresseerd zijn?'

'Mogen we u nog een verzoek doen?' vraagt Harvey in plaats van te antwoorden.

'Natuurlijk.'

'Hebt u een telefoonboek?'

Niet veel later en zeventien verdiepingen lager, als ze in Starbucks zitten, krijgt Harvey eindelijk de kans om een telefoonboek door te bladeren. Agata had niet alleen geen telefoonboek, maar niet eens een telefoon.

'Hebbes!' zegt hij tegen de anderen. 'Vlak bij Little Italy is een kleermakerij die zo heet: *Helios, maatkleding sedert 1893.* Dat is niet ver van waar ik woon.'

'Wat zeggen jullie ervan?' vraagt Elettra. 'Zullen we ernaartoe gaan?'

Sheng zit onderuitgezakt in een fauteuil en hapt net in een reusachtige bosbessenmuffin. 'En wanneer treffen we Ermete?'

'Hij zei dat hij zelf wel contact op zou nemen,' helpt Harvey hem herinneren. 'Misschien wordt het morgen, nu het al zo laat is.'

'Perfect,' mompelt Mistral. Ze zit het gezicht van Agata te tekenen in haar schriftje.

'Het is maar wat je perfect noemt...' moppert Elettra terwijl ze het schermpje van haar mobiel bekijkt. 'Ik moet morgen minstens de halve dag met tante Linda doorbrengen, anders is het bekeken.'

'Wordt ze boos?' informeert Harvey.

'Ze heeft net een bronzen reproductie van het Vrijheidsbeeld gekocht, en het echte wil ze samen met mij gaan bekijken.'

'Hallo.'

'Hoe is het gegaan?'

'Ik heb ze het adres van Agata gegeven.'

'Ze zetten overal veel minder vraagtekens bij dan wij destijds.'

'Dat lijkt me alleen maar een punt in hun voordeel.'

'Dat denk ik ook.'

'Ik voelde de energie van je nichtje al van een meter afstand. Ze had al mijn papieren in brand kunnen zetten, als ze wist hoe dat moest.'

'En de anderen?'

'Sheng heeft zichzelf nog niet ontdekt. Zijn instinct sluimert nog. En dan te bedenken dat zijn ogen...'

'Bijna onrustbarend, vind je niet?'

'Hij heeft een ontwapenende glimlach.'

'En wat voor indruk had je van Mistral?'

'Zij is als de wind van de hoop.'

'En dat is ook de enige wind die resteert op de bodem van Pandora's vaas... Hoop is vrouwelijk.'

'En moed is mannelijk.'

'Wat vind je van Harvey?'

'Ik heb hem een bloempot met uitgedroogde primula's in de hand gegeven.'

'En is er iets gebeurd?'

'Nadat hij erover had geaaid, ontloken de primula's. De Aarde is weer aan het ontwaken, Irene.'

11
DE KLEERMAKER

Het uithangbord van kleermakerij Helios is een vergulde zon, waarvan de stralen uitmonden in kleine handjes. De naam staat geschreven in hoekige Griekse letters, boven een piepklein winkeltje, half verborgen achter de afvalcontainers. Een bijtende regen en het vrijwel volkomen ontbreken van licht in de zaak verleent het geheel een sfeer van verwaarlozing.

Aan de overkant van de straat kijken de vier kinderen teleurgesteld om zich heen.

'Wat denk je, zullen we naar binnen gaan?'

'Om wat te doen?' snuift Elettra.

'We kunnen... Ik weet niet, vragen of ze de professor hebben gekend...'

Harvey speelt met het stukje stof tussen zijn vingers. 'Misschien hebben die drie naalden een bepaalde betekenis.'

'Ach ja, natuurlijk...' mompelt Elettra sceptisch. 'Een kameel kruipt nog eerder door het oog van een naald dan dat wij iets van dit hele gedoe zullen begrijpen...'

'Het is goed dat we hierheen zijn gekomen,' zegt Mistral daarentegen, wijzend op het uithangbord. 'We bevinden ons nog steeds in het voetspoor van de zon. In Rome was het de zon van Mithra, en hier is het...'

'Het uithangbord van een kleermakerij,' grapt Sheng terwijl hij de straat oversteekt. 'Hao, te gek!'

'Misschien kunnen we beter niet allemaal naar binnen gaan,' houdt Elettra vol.

'Waarom niet?'

'Ik weet niet. Ik heb een akelig gevoel...'

'Net zo'n akelig gevoel als je in Rome steeds had? Tintelende vingers? Warm? Zin om lampen te laten exploderen?'

'Zoiets, ja.'

'Blijf je liever buiten?'

'Ik blijf wel bij jou, als je wilt,' biedt Mistral aan.

'Nee, nee. Gaan jullie maar,' antwoordt het meisje. 'Dan bel ik intussen mijn tante.'

'Denk je niet dat je juist... van pas zou kunnen komen daar binnen? Misschien... vóel je wel iets?'

'Ik vóel dat ik niet naar binnen wil. Is dat genoeg?'

'We zijn zo terug,' antwoordt Mistral terwijl ze met Harvey naar Sheng loopt, die al voor de deur van de kleermakerij staat te wachten.

Als ze alleen buiten is achtergebleven, slaakt Elettra een zucht terwijl ze ongemakkelijk om zich heen kijkt. Ze heeft gelogen: ze voelt helemaal niks bijzonders. Integendeel, ze voelt zich volkomen leeg, misschien door de vermoeiende reis, misschien door de afstand tot thuis. Maar het voelt alsof al haar energie verdwenen is. In de zinderende stad om haar heen, tussen de ramen die elkaar weerspiegelen boven de straten, voor de reusachtige etalageruiten waarachter talloze mensen schuilgaan, heeft ze het gevoel dat ze wordt platgedrukt. Elke straat van Manhattan werkt benauwend op haar. Alsof ze te weinig lucht krijgt. Maar lucht is niet waar het haar aan ontbreekt; die is fris en sprankelend, vol geuren van de zee. En ze heeft zelfs de witte zeemeeuwen tussen de wolkenkrabbers door zien vliegen.

Wat ze mist is vaste grond onder haar voeten. Het is alsof de aarde hier voortdurend trilt, alsof die ook onrustig is, en in beweging. Of eeuwig in afwachting van een nieuw ontwaken.

De zon gaat schuil achter de wolken.

Elettra is moe. Ze kan niet zeggen wat haar precies overkomt, maar ze heeft inmiddels wel geleerd om op haar gevoelens te vertrouwen. En die zijn niet allemaal negatief.

Ze ziet Harvey's profiel door de ruit van de kleermakerij. Daar wordt ze weer rustig door.

Dan hoort ze een geluid naast zich.

Een lelijke zwarte raaf zit met zijn snavel in de vuilniszakken te wroeten.

De kleermakerij is klein en donker, doordrongen van de geur van wol en andere geuren waar moeilijk de vinger op te leggen is: oud hout, stoom, vanille, strengen katoen en knopen.

Er zijn twee mensen aan het werk. Een oude man met weinig grijs haar en dikke brillenglazen die op een puzzelblaadje zijn gericht, en een mevrouw met kromme benen die de mouw naait van een jasje om het bovenlijf van een paspop doorboord met spelden.

'Dag jongelui,' groet het oude mannetje terwijl hij zijn neus uit het blaadje haalt. Er steken twee plukken grijzige haren uit zijn neusgaten, als antennes. 'Wat kan ik voor jullie doen?'

'Hallo,' antwoordt Harvey. 'Eerlijk gezegd... weten we het zelf ook niet precies.'

'Geweldig,' antwoordt de man opgewekt. 'Precies het soort antwoord dat je verwacht van iemand die een kleermakerij binnenstapt!'

De vrouw maakt een ongeduldig gebaar en geeft een ruk aan de mouw op de paspop. Dat ontgaat de man niet: 'Ik mag toch wel een grapje maken, Trittolema! Doe niet zo flauw!' roept hij, terwijl hij het blaadje over de toonbank wegschuift. 'Jij doet altijd zo ernstig! Altijd maar naaien en knippen, naaien en knippen...'

De vrouw antwoordt hem iets in onvervalst Grieks, maar de toon is hoe dan ook internationaal.

'Let maar niet op haar,' herneemt de oude man. 'Ze doet al vijftig jaar zo, maar ze bijt niet. Waar of niet, Trittolema?' Hij legt zijn vuisten op tafel, met de duimen onder de wijsvingers geklemd. 'Hoe dan ook... het ging erom dat jullie niet precies wisten wat jullie hier komen doen. Wel, dit is een kleermakerij. We maken kleding op maat. En neem me niet kwalijk, maar ik geloof niet dat jullie daar behoefte aan hebben. Niet dat ik niets tegen jullie spijkerbroeken heb, of tegen jullie sweaters met varkens erop...'

'Dat is geen varken!' protesteert Sheng onmiddellijk. 'Het is een nijlpaard, en het is razend beroemd in China.'

'Dat bedoel ik. De enige beroemdheid die wij hier hebben is onze Prins van Wales, oftewel prince-de-galles.'

'Die ken ik niet.'

'Zo noemen ze een zwart-wit geruite stof,' legt Mistral hem uit.

'Goed gezegd, juffrouw. Ik ben blij dat tenminste een van jullie die dingen nog weet.'

'Mijn moeder werkt in de modewereld. Ze maakt parfums.'

'Maar dat is fantastisch! Hoor je dat, Trittolema? Parfums!' Dan fluistert hij tegen de kinderen, om ze aan het lachen te maken: 'Ik heb haar nooit kunnen overhalen om er eens een te kopen.'

Harvey haalt het stukje zwarte stof met de drie vergulde naalden uit zijn zak. 'Eigenlijk zijn we hiervoor binnengekomen. Zegt dit u iets?'

De oude man legt het stukje stof op zijn werkbank en laat zijn neusharen trillen. 'Engelse wol, van uitstekende makelij, veertienpunts... potjandorie. Dat is minstens twintig jaar geleden dat ik er zo een gezien heb, maar het is beslist een couponnetje van ons. Ook afgezien van het etiket, bedoel ik.'

'En de naalden?'

'Drie uitstekende naalden. Mag ik even?'

'Alstublieft.'

De kleermaker trekt de werklamp naar zich toe en bekijkt de drie vergulde naalden in de lichtbundel. 'O ja, zeker weten. Die zijn ook van ons. Sterker nog, ik durf te wedden dat dit de oude vergulde naalden van mijn vader zijn, die hij rechtstreeks uit Nederland had laten importeren. Even checken... Hm hm... ja ja, wat ik al dacht. Het zijn de drie maten van de stof. Naald

New York, lang en robuust, voor mouwen en knoopsgaten. De Parijs voor het omslag van de kraag. En ten slotte de Londen, de dunste, voor de binnenvoering. Wat een duik in het verleden is dit, jongens! Deze gebruiken we al niet meer sinds mijn vader... God hebbe zijn ziel... Nou ja, jullie snappen het wel, sinds een hele tijd. Waar hebben jullie ze gevonden?'

'In een oud huis.'

'Ach, de naalden van pa! Die gaf hij alleen mee aan heel belangrijke klanten, samen met stukjes stof en draad van het pak. Als er dan ergens ter wereld iets gerepareerd of versteld moest worden... had het pak tenminste zijn eigen naalden en originele lapjes bij zich. Dat soort dingen zijn voor jullie onbegrijpelijk. Maar vroeger was een goed pak duizend keer meer waard dan een goede auto. Hoe dan ook, als jullie willen koop ik ze van jullie.'

De kleermaakster moppert wat in het Grieks, waardoor haar man in woede ontsteekt.

'Jawel, ik wil ze wél kopen! Dit zijn de naalden van pa, en die kinderen hebben ze teruggebracht naar mij. Die naalden zijn mijn verleden, en dat is toevallig een stuk interessanter dan mijn toekomst.' De oude man schraapt zijn keel en concentreert zich weer op de drie kinderen. 'Hoeveel willen jullie ervoor?'

'We wilden ze eigenlijk helemaal niet verkopen,' legt Harvey een beetje gegeneerd uit.

'O nee? Wat willen jullie dan?'

'We hebben meteen al tegen u gezegd dat we dat niet precies wisten.

'Kent u een man die Alfred van der Berger heet?'

'We dachten dat hij een klant van u was.'

'Die stof en de naalden waren van hem.'

'Van der Berger, Van der Berger... Dat zegt me helemaal niets. Trittolema!' schreeuwt de kleermaker, waarna hij zich in een lange Griekse monoloog stort, waarvan de enige verstaanbare woorden de achternaam van de professor vormen.

Na een kernachtig vraag- en -antwoordspel is de kleermaker nog meer in de war.

'Is er iets niet in orde?' vraagt Mistral, die ziet dat hij steeds zorgelijker kijkt.

'Nee, maar... het lijkt me gewoon absurd,' antwoordt hij terwijl hij zijn bril op zijn neus zet. 'Echt absurd. Maar Trittolema vergist zich nooit, met betrekking tot bepaalde dingen. Ze heeft een ijzeren geheugen.'

De kinderen wenden zich naar de vrouw die met de rug naar hen toe bezig is de jas en de stof over de strooien paspop te schuiven.

De oude kleermaker bukt zich achter de toonbank en komt weer te voorschijn met een koekblik waarop een etiket geplakt zit met de tekst: Forgotten. Vergeten.

'Zijn jullie familie van hem?' vraagt hij aan de kinderen terwijl hij het blik openmaakt. Er ligt een heel stapeltje vierkante blaadjes in.

'Ik ben zijn neefje,' antwoordt Sheng onmiddellijk, met een glimlach naar de andere twee.

De kleermaker richt zijn waterige ogen even op. Vergroot door de brillenglazen lijken het net twee enorme kwallen. 'Jij?'

'Inderdaad,' beaamt Sheng. 'Wilt u mijn documenten zien?'

'Ik zou niet weten wat ik daarmee zou moeten,' antwoordt de kleermaker terwijl hij de blaadjes doorneemt.

De kinderen kijken gespannen toe. Harvey werpt een blik uit het raam, waar hij Elettra zenuwachtig heen en weer ziet drentelen over het trottoir, en hij glimlacht.

Nadat hij een paar minuten hoofdschuddend en ongelovig heeft staan zoeken, stopt de kleermaker bij een blaadje, zo dun dat het bijna doorzichtig is. 'Natuurlijk het onderste blaadje van de stapel. Maar ook deze keer heeft Trittolema zich niet vergist: acht jaar geleden. Alfred van der Berger. Zwart pak met reparatie op de rechterelleboog. Hmm... Jullie boffen,' voegt hij eraan toe.

'Hoezo?'

'Hij had al betaald.'

12
DE ANSICHTKAART

Elettra ziet Harvey, Sheng en Mistral op een rijtje naar buiten komen. Harvey voorop, Sheng met een groot pakket van bruin papier in de armen en Mistral als laatste, nog bezig afscheid te nemen van degene in de winkel.

'Wat is dat nou?' vraagt ze aan Harvey, wijzend op het pakket.

'De smoking van professor Van der Berger, die hij hier acht jaar geleden heeft laten verstellen.'

'Dat meen je niet.'

'Echt waar.'

'Wil je zeggen dat ze die al die tijd hebben bewaard?'

'Kennelijk.'

'Kunnen jullie me misschien een handje helpen, in plaats van daar maar te staan babbelen?' klaagt Sheng, bedolven onder het papier van de kleermakerij.

'Jij bent zijn neefje, dus jij mag het pak dragen,' antwoordt Harvey beslist.

'Mooi is dat! Als ik er niet was geweest, hadden we het niet eens mogen meenemen.'

'Ik help je wel, Sheng,' biedt Mistral aan, terwijl ze het pakket bij het andere uiteinde vastpakt.

'O nee, dankjewel,' werpt hij geïrriteerd tegen. 'Ik wilde juist dat "Meneer Probleem" me zou helpen.'

Harvey draait zich met een ruk om. 'Heb je me soms iets te zeggen, Sheng? Want ik merk toevallig dat je de hele ochtend al zo doet.'

'Hoe dan? Vrolijk blijven ondanks alles? Jij zei amper hallo tegen ons toen we in het hotel aankwamen! Het lijkt wel of je je ergert aan alles wat we zeggen...'

'Zo is het genoeg!' komt Elettra tussenbeide. 'Hou daarmee op, jullie twee.'

Harvey's ogen gaan schuil achter zijn haren. Hij draait zich om naar de straat en blijft zo staan. Achter hem laat Sheng zich wegvoeren door Mistral, terwijl hij samen met haar het pakket met de smoking draagt.

'Harvey?' vraagt Elettra.

'Laat maar. Het gaat zo weer over.'

'Nee, ik laat het niet. Sheng heeft gelijk!'

'Ga dan maar met hem mee, en laat mij met rust.'

'Wij zijn toch vrienden?'

Harvey geeft geen antwoord, en duwt alleen maar zijn handen in zijn zakken.

'We proberen allemaal ons best te doen,' vervolgt Elettra. 'En dat we de kans kregen om hierheen te komen is alleen dankzij de vader van Sheng.'

'Laten we hem dan maar gauw gaan bedanken!' sneert Harvey.

'Mag ik weten wat je tegen hem hebt?'

'Ik heb niks tegen hem. Ik heb helemaal niks tegen hem!'

'Wat is het dan, heb je iets tegen ons allemaal?'

'Stel je voor!'

Elettra probeert hem in de ogen te kijken. De lucht is doordrongen van de geur van vuilnis. 'Je hebt echt een fijne plek uitgezocht om de beledigde onschuld uit te hangen.'

'Ik hang niet de beledigde onschuld uit.'

'Wat doe je dan?'

Harvey bijt op zijn lip, en schudt dan zijn ongekamde hoofd. 'Oké, goed dan. Ik weet heel goed dat ik niet zo aardig ben. En misschien had ik me niet op hem moeten afreageren, daarnet...'

'Dat had je zeker niet moeten doen.'

'Het komt doordat... hij...' Harvey staart naar Sheng en Mistral die al een eind verderop lopen. 'Hij doet overal zo luchtig over, alsof hij nergens door wordt geraakt. Alsof hij niet echt is.'

'En wat is daar verkeerd aan?'

'Gewoon... ik kan dat niet. Hoe langer dit gedoe duurt, hoe rotter ik me voel. Rot van binnen. Ik voel... O! Hoe moet ik je uitleggen wat ik voel?'

'Ben je bang voor de mensen die achter ons aan zitten?'

'Nee. Ik ben niet bang.'

Elettra kijkt hem aan, in afwachting van een verklaring.

'Het is vanwege... vanwege mijn broer,' bezwijkt Harvey. 'Hij is een jaar geleden gestorven, precies rond deze tijd.'

'Ik snap het. Hoe heette hij?'

'Dwaine.'

Elettra zwaait met haar hand.

'Wat doe je?' vraagt Harvey.

'Ik zwaai naar de raaf,' antwoordt ze, wijzend op een raaf die opvliegt en verdwijnt.

Harvey's gezicht betrekt op slag. 'Alweer die raaf...' mompelt hij om zich heen kijkend.

'Wat is er mis met die raaf?'

'Hij is een teken dat ik gevolgd word.'

'Hoe weet jij dat nou?'

'Ik weet het gewoon. Kom, snel wegwezen.'

Elettra knikt. 'We kunnen Mistral niet overlaten aan het oriëntatievermogen van Sheng. Als hij al kon verdwalen in de bussen van Rome, moet ik er niet aan denken wat hij in New York voor elkaar zou kunnen krijgen...'

Harvey pakt Elettra bij de arm en loopt naar de andere twee. 'Ik denk dat ik hem mijn verontschuldigingen moet aanbieden.'

'Dat lijkt me een goed idee.'

'Olympia heeft tegen me gezegd dat ik ontzettend veel woede heb, vanbinnen.'

'Dat is nog geen reden om die op ons af te reageren.'

Gezeten op de bankjes in de metro, Harvey en Elettra aan de ene kant, Mistral en Sheng aan de andere kant, reizen ze in westelijke richting. Sheng, die de smoking van professor Van der Berger op schoot heeft liggen, tilt een stukje van het bruine pakpapier op en gluurt naar binnen.

'Hij ziet er heel mooi uit,' zegt Mistral naast hem.

'Hij is zwart.'

'Smokings zijn altijd zwart.'

'Waarom?'

'Dat hoort gewoon.'

'Ik heb nog nooit een smoking gezien.'

'Heeft je vader er geen? Wat doet hij dan aan als hij een chique avondje heeft?'

'Zijn rode tuniek met zijn baboesjes!' antwoordt Sheng stralend.

'Oké. Laat maar zitten...'

De metro begint af te remmen.

'Vinden jullie niet dat we hem moeten terugbrengen naar Agata?' vraagt Elettra.

'Ik stel voor dat we hem eerst even goed bekijken, bij mij thuis,' zegt Harvey.

Dat lijkt de anderen een goed idee. De metro stopt, de deuren gaan open, de stem uit de luidspreker kondigt de naam van de volgende halte aan. Mensen stappen in en uit. De trein vertrekt weer.

'Ik denk dat we de tollen moeten gooien,' stelt Mistral voor, terwijl ze de onderaardse wielen door het raampje horen piepen.

'Wat zoeken we dan?' vraagt Harvey.

'De tol die van Vladimir is gestolen,' vervolgt Mistral.

'O ja. Wie weet waar die terecht is gekomen...' zucht Harvey. 'Die tollen zijn stuk voor stuk een hoop geld waard. Goud, edelstenen...'

Een dame naast hem draait zich om en kijkt naar hem. De kinderen gaan zachter praten.

'Denken jullie dat het mogelijk is dat ze Alfred vermoord

hebben en dat ze jou, Ermete en Vladimir bewusteloos hebben geslagen, alleen om... een waardevol voorwerp te bemachtigen?' fluistert Mistral.

Harvey steekt zijn handen in de lucht. 'Dat is toch duidelijk?'

'Denken jullie dan niet...' komt Elettra tussenbeide, 'dat ook zij de tollen willen hebben om ze over de houten kaart te laten draaien?'

'Daar geloof ik niks van,' zegt Harvey.

'Ik denk wel dat Elettra gelijk heeft,' werpt Sheng tegen. 'En dat *zij*, als ze de kans zouden krijgen, de houten kaart zouden gebruiken. Denk eens na, wat wij van de professor hebben gekregen heeft toebehoord aan de Drie Wijzen, aan Marco Polo en aan Christoffel Columbus! Het is niet zomaar een kaart.'

Rondom hen is het zeldzaam stil geworden. Maar het duurt maar een tel, dan wordt de oppervlakkige aandacht van de andere passagiers alweer op iets anders gericht. Bij het volgende station stappen er mensen in en uit, en verdwijnt het voorval onmiddellijk uit ieders herinnering.

In de keuken van Harvey merkt Mistral als eerste dat er iets in de smoking zit. 'Het is heel klein, in de binnenzak zit het.'

Ze haalt er een oude zwart-witansichtkaart uit, met afgeronde hoeken. Er staan enkele arbeiders op die een spoorlijn aanleggen.

Harvey trapt tegen de koelkast om hem dicht te doen.

'Wat is het?'

'Raad maar eens.'

'Een oude ansichtkaart van New York.'

'Nu komt het,' mompelt Sheng handenwrijvend.

Mistral kijkt op de achterkant. 'Hij is aan Agata gericht!'

Harvey loopt naar de tafel en reikt Elettra een pak melk aan.

'Zo te zien is dat de aanleg van de metrolijn...' zegt hij met een blik op de kaart. 'Deze meneer hier lijkt de opzichter van de bouwwerkzaamheden.'

'Misschien is dat die vent die die ene brug heeft gebouwd, hoe heet-ie...' probeert Sheng.

'Brooklyn Bridge?'

'Ja, die man bedoel ik: Brooklyn.'

'Die brug is niet gebouwd door Brooklyn,' verbetert Harvey, 'maar door een zekere Roebling.'

'En waarom heet het dan niet de Roebling Bridge?'

'Omdat het de brug naar Brooklyn is, denk ik.'

'Sst!' onderbreekt Elettra hen. 'Kunnen we het daar alsjeblieft later over hebben? Mistral, wat staat er op die kaart?'

'Als ik zo'n kaart zou krijgen, jongens...' zegt die, 'zou ik er geloof ik niet gauw wijs uit kunnen worden.'

'Laat zien,' snuift Elettra, en ze begint te lezen: '*129, 90, 172, 113, 112, 213, 25, 73, 248, 11, 247, 71, 168, 142, 168, 128, 82, 82, 84, 140, 162, 81, 208, 27, 1, 25, 102, 212, 124, 172, 84, 212, 168, 171, 97, 75, 1, 107, 132, 15, 168, 233, 1, 233, 162, 212, 1, 162, 88. Ster van Steen, 2 van 4.*'

'En verder?'

'Dat was het.'

Mistral pakt de ansichtkaart weer aan en kijkt nog eens naar het adres waaraan hij gericht is. 'Verder niks,' bevestigt ze.

'Zullen we Ermete bellen?'

'Dit is een makkie voor hem,' beaamt Harvey. 'Die getallen zijn natuurlijk een code. Of nee, een cijferschrift.'

'Wat is dat?'

'Elk getal staat voor een letter.'

'Dan is het simpel!' roept Sheng. 'De A is 1, de B is 2, enzovoort...'

Ze proberen het, maar de zin die ze krijgen is onbegrijpelijk.

'Misschien is dat niet de goede code.'

Sheng doet nog een paar pogingen, maar zonder succes.

'Wat zou "Ster van Steen" betekenen, denken jullie?'

'Een meteoriet,' antwoordt Mistral zonder na te denken. En als de anderen haar aankijken voegt ze eraan toe: 'Een vallende ster, een vuurbol. Hoe noemen jullie die dan?'

'Meteoriet...' bevestigt Elettra. 'Maar hoe kom je in 's hemelsnaam nou juist op een meteoriet?'

'Ik weet niet. Dat lijkt me logisch.'

'Het zou van alles kunnen zijn...' werpt Sheng tegen.

'Zoals?'

De Chinese jongen kan niks anders bedenken. Hij trekt een scheef gezicht en geeft het op. 'Ik denk dat je gelijk hebt.'

'In Rome heeft de professor aanwijzingen voor ons achtergelaten om de Ring van Vuur te vinden,' mompelt Mistral. 'En dat bleek uiteindelijk een spiegel te zijn. En nu heeft hij het over een Ster van Steen...'

'Die misschien wel een meteoriet is,' vult Elettra aan. 'Waarom niet? Harvey, wat voor meteorieten zijn er in New York?'

'Er is een hele grote in het Museum of Natural History...' antwoordt hij. 'Maar laten we niet te snel gaan, alsjeblieft! We weten nog niet eens wat de Ring van Vuur eigenlijk is, en waar hij toe dient, en we moeten nog een tol zoeken... Misschien kunnen we nu nog maar beter niet op zoek gaan naar de Ster van Steen...'

'Daar ben ik het mee eens,' zegt Sheng. Dan, als hij de verblufte uitdrukking op Harvey's gezicht ziet, zegt hij: 'Ik meen het. Laten we deze keer eens voorzichtig zijn. Ons niet halsoverkop ergens in storten, en ons leven riskeren. We zijn immers niet alleen, en *zij* weten wie Ermete is... en misschien ook wel wie Harvey is, trouwens...'

'Wat stel je voor?'

'Laten we samen met Ermete proberen uit te vinden wat er op die ansichtkaart staat geschreven, en laten we vooral een plattegrond van New York kopen en...'

'Gebruik de houten kaart,' zegt een stem in Harvey's hoofd.

Zodra de jongen dat hoort, spert hij zijn ogen wijd open en kijkt hij geschrokken om zich heen.

'Wat zeiden jullie?' vraagt hij aan de anderen. 'Zeiden jullie iets over de houten kaart?'

Sheng schudt zijn hoofd. 'Ik wilde inderdaad net zeggen dat we de aanwijzingen van de tollen moeten volgen.'

Harvey rent als een dolle de keuken uit.

'Wat bezielt hem?' vraagt Sheng aan de twee meiden.

Ze horen hem de trap op naar zijn kamer gaan, in laden rommelen en weer naar beneden komen met zijn sporttas op de rug. Hij is bezweet, en zijn ogen spatten vuur.

'Sorry...' zegt hij, 'ik moet echt weg.'

'Wacht even,' houdt Elettra hem tegen. 'Wat zullen we met de tollen doen? Waar is de houten kaart, Harvey?'

'Ik heb hem niet,' antwoordt deze, terwijl hij naar de deur loopt. Hij loopt langs de penduleklok en blijft op slag staan, als in trance. 'Maar we kunnen het zo doen. Ik ga hem ophalen als ik van de sportschool kom en dan gebruiken we hem vanavond. In jullie hotel.'

Daar stemmen ze allemaal mee in.

Ze gaan snel naar buiten en laten Harvey de taak om de deur op slot te doen. Sheng en Mistral lopen voorop, terwijl Elettra wacht tot hij heeft afgesloten.

'Wat had jíj ineens?'

'Ik wil er liever niet over praten.'

'Misschien had je een briefje voor je moeder moeten neerleggen, over die smoking.'

'Dat is nu te laat.'

Ze lopen door de voortuin. In de hoogste takken zijn de eerste blaadjes ontloken, en het paadje dat ze af lopen tot aan het hek wordt aan beide zijden geflankeerd door kleine blauwe bloempjes.

Er hangt lente in de lucht.

Eenmaal op straat kijkt Elettra Harvey aan: 'Mag ik met je mee naar de sportschool?'

'Als je wilt.'

13
HET KASTJE

'Echt een leuk mens, die trainster van je...' zegt Elettra een paar uur later. Ze loopt samen met Harvey in zuidelijke richting tussen de groepjes verkleumde mensen in Church Street door. De lucht is doordrenkt van de geur van aarde en van de diesel van de veerboten. De bomen zijn skeletachtig en zwart. Het gras in de bloemperken onnatuurlijk.

Harvey vertrekt zijn gezicht, voelend aan zijn ribben.

'Doet het pijn?'

'Vooral mijn trots is gekwetst.'

'Je hebt zelf ook een paar klappen uitgedeeld. Hoe lang ben je al aan het trainen?'

'Twee maanden.'

'Een beetje kort om jezelf al als een echte bokser te beschouwen, vind je niet?'

Harvey geeft geen antwoord. Hij steekt Barclay Street over en loopt rechtdoor, met ingehouden pas.

'Volgens Olympia was je niet geconcentreerd...' vervolgt Elettra. Ze ziet het ultrakorte partijtje van Harvey weer voor zich. Hij tegen Olympia, die één en al spieren, snelheid en intelligentie is. Wat een vrouw. 'En zij heeft je hard geraakt om je dat duidelijk te maken. Wat zeg ik, ze heeft je niet zomaar geraakt... ze heeft je neergeslagen.'

'Dat had ik niet kunnen zien aankomen.'

'Volgens Olympia wordt iemand die zijn dekking laat zakken altijd geraakt.'

'Dat overkomt zowat iedereen...' antwoordt Harvey, terwijl hij ineens blijft staan voor een grote open vlakte.

Elettra kijkt recht voor zich en kan geen woorden meer vinden. Een onmiddellijk stilte maakt zich meester van haar gedachten, en tempert al haar enthousiasme. Het voelt alsof ze balanceert op een blaadje vloeipapier. 'Is dit het?'

'Ja. Dit is het,' beaamt Harvey.

Ground Zero, de lege vlakte van het World Trade Center, de plek waar de Twin Towers stonden. Er zijn bulldozers aan het werk onder het straatniveau, als grote mechanische wormen. Er staat een hoog ijzeren hek om het hele blok heen. De namen van de mensen die daar om het leven zijn gekomen zijn in witte letters gedrukt.

'Hoor jij dat ook?' vraagt Harvey terwijl hij verder loopt, om Ground Zero heen.

'Wat?'

'De aarde die zich daaronder bevindt.'

Elettra knikt. 'Ik voel haar heel dun, alsof ze niet bestaat. Alsof ze ongelooflijk breekbaar is.'

'Ze is niet breekbaar. Voor mij is het alsof ze aan één stuk door praat. Ik heb al eerder een stem gehoord... Thuis, en volgens mij is het Dwaine. Maar hier zijn honderden stemmen.'

'En wat zeggen die stemmen?'

'Niets,' antwoordt Harvey. 'Ze huilen.'

De twee kinderen lopen om Ground Zero heen in de richting van Battery Park, op het zuidelijkste puntje van de stad. Bij de zee. Bij de eerste eeuwenoude bomen aangekomen slaan ze linksaf, naar een groot, vierkant gebouw waarvan de granieten voorgevel wordt bewaakt door vier gigantische standbeelden van vrouwenfiguren.

'We zijn er,' wijst Harvey terwijl hij de weg oversteekt.

'Wat is dit?'

'Het indianenmuseum.'

'En wie zijn dat?' vraagt Elettra, doelend op de standbeelden.

'De vier continenten. Amerika die vooruit kijkt, Europa omringd door oude symbolen, Azië die mediteert en Afrika die nog slaapt.'

'Vier vrouwen,' glimlacht Elettra. 'De Aarde is vrouwelijk.'

'Inderdaad? Wat doen wij mannen hier eigenlijk?' vraagt Harvey zich af, terwijl ze het museum binnengaan.

Van binnen ziet het gebouw er indrukwekkend en statig uit. Grote zuilen en hoge gewelven, en een ronde hal van marmer met rondom muurschilderingen van schepen die de baai overvaren. Harvey blijft niet staan om ze te bekijken en houdt zijn pas niet in. Hij maakt een grote boog en loopt een gang in die toegang geeft tot een bewaakt kantoor. Hij maakt zich bekend.

'Ha, Miller,' groet de bewaker aan de andere kant van de glazen scheidswand. 'Heb je iets nodig?'

'Ik kwam mijn sleuteltje halen.'

De bewaker maakt een lade open, zoekt een sleutel met een oranje label en geeft hem aan Harvey. Dan werpt hij een blik op Elettra, die een paar passen achter hem omhoog staat te kijken. 'Mooie meid, die vriendin van je.'

Harvey laat de sleutels rinkelen en loopt naar Elettra.

'Waarom zijn we hierheen gekomen?'

'Om de houten kaart op te halen,' antwoordt de jongen.

'In een museum?'

'Mijn vader werkt ook voor hen. Er zijn hier kastjes, en die worden bewaakt. Het was de beste plek om de kaart achter te laten.'

Ze lopen naar een rij metalen kastjes. In het kastje dat Harvey openmaakt, ligt het koffertje van de professor. Ze krijgen allebei een raar gevoel nu ze het terugzien.

'Ik heb het niet meer aangeraakt sinds ik ben thuisgekomen.'

'Het lijkt járen geleden.'

Ze staan te aarzelen wie het koffertje nou moet pakken, en willen het dan allebei tegelijk pakken.

Ze barsten in lachen uit.

Ze staan heel dicht bij elkaar. Elettra's haren geuren naar shampoo. Aan Harvey's vingers kleeft nog steeds de wrange lucht van de bokshandschoenen.

Ze kussen elkaar.

Het duurt maar even, en geen van beide zou kunnen zeggen

wie als eerste de ogen heeft dichtgedaan. En wie als eerste de
ander kuste.

Maar ze hebben elkaar gekust, enkel een lichte beroering van
de lippen, die tot 's avonds laat zullen blijven branden.

Ze zeggen geen woord tot ze het museum uit zijn. Harvey
glimlacht. Elettra is zwijgzaam. Allebei wisten ze dat het vroeg
of laat zou gebeuren. Al vanaf dat ze in Rome waren. Al vanaf
de eerste keer dat ze elkaar zagen, op de besneeuwde binnenplaats van het Domus Quintilia.

Hun hart gaat als een razende tekeer.

En ze hebben er weer een geheimpje bij.

Later voegen Harvey en Elettra zich bij Sheng en Mistral in
de lobby van het Mandarin Oriental. Ze kiezen twee tafeltjes op
een rustige plek, bij de enorme glaswand die uitkijkt op Columbus Circle en Central Park. Linda Melodia drentelt om hen
heen en controleert de ruimte argwanend voor ze gaat slapen.

'Jullie maken het niet te laat, hè?' zegt ze voor de zoveelste
keer.

'We doen één spelletje en dan gaan we naar boven, tante...'

Linda's gezicht is rood geworden van de wind. 'Ik ben op het
Empire State Building geweest,' vertelt ze voor de zoveelste keer.

'Tante...' probeert Elettra haar te onderbreken.

'Morgen gaan we samen naar de top van het Vrijheidsbeeld.'

'Beloofd,' antwoordt haar nichtje. 'Morgenochtend maken
we het tochtje met de veerboot. Laat je ons nu dan alsjeblieft
spelen?'

Linda Melodia geeuwt nadrukkelijk. 'En hoelang duurt dat spelletje van jullie?'

'Je hoeft ons heus niet in de gaten te houden alsof we op schoolreisje zijn.'

'Hoezo, wie houdt jullie in de gaten?' vraagt tante Linda gemaakt argeloos. Dan geeuwt ze nog een keer. Maar in plaats van dat ze zich omdraait en naar de liften loopt, spot ze een lege stoel en ploft ze daarop neer, waarna ze onmiddellijk in slaap valt.

'Wat doen we nu?' roept Sheng uit, want het zit hem niet lekker dat Elettra's tante op een paar meter van hen af zit.

'We gooien gewoon,' besluit Mistral.

Sheng knikt. 'De beste manier om iets voor iemand te verstoppen, is het vlak voor zijn neus te houden.'

'We gebruiken de houten kaart,' herhaalt Harvey hardop.

Ze leggen de oude kaart van de Chaldeeën op tafel. Het is een houten rechthoek waarover een wirwar van sporen loopt, en die aan de buitenkant voorzien is van tientallen teksten. Je kunt alleen maar fantaseren als je probeert de betekenis te doorgronden van die graffiti, die handschriften, die tekens, zoals je ze ook vaak op schoolbankjes aantreft. Alleen het geduld en de kennis van Ermete hebben hem in staat gesteld om veel van die opschriften een duidelijke betekenis toe te kennen. Het zijn de namen van de personen die hem in hun bezit hebben gehad: de Drie Wijzen, Christoffel Columbus, Marco Polo. Maar ook de wiskundige Pythagoras, de filosoof Plato, de stoïcijn Seneca, de legendarische Leonardo da Vinci. De houten kaart, een heel eenvoudig voorwerp, straalt zelfs door de beschermhoes heen nog energie uit. Hij is licht en loodzwaar tegelijkertijd.

'Ik moest ergens aan denken, terwijl ik stond te douchen,' zegt Mistral terwijl ze haar tol tevoorschijn haalt.

'Kon jij de waterstraal ook niet harder zetten?' vraagt Sheng, in zijn onafscheidelijke rugzak rommelend op zoek naar de zijne.

'Het gaat over de foto van Agata...' vervolgt het Franse meisje.

'Wat dan?' vraagt Harvey, ongewoon geïnteresseerd voor zijn doen.

Tegenover hem zit Elettra, die hem aankijkt terwijl ze probeert hem niet aan te kijken. En ze voelt dat hij hetzelfde spelletje speelt. Ze zouden het liefst met z'n tweetjes ergens gaan zitten praten, desnoods zonder iets te zeggen. Maar ze luisteren naar Mistral. En ze doen geïnteresseerd mee.

'Die drie mannen waren niet van dezelfde leeftijd, en volgens mij konden ze geen klasgenoten zijn...' Mistral tekent de foto razendsnel na, en wijst dan met haar potlood op de man in het midden. 'Alfred stond in het midden, als tweede. En links onder zag je de schaduw van de fotograaf, met zijn hand in de lucht.'

'Dat weet ik nog.'

'Die schaduw geeft aan dat de fotograaf een man was...' vervolgt Mistral nauwgezet. 'Ze waren dus met z'n vieren, en onder aan de ansichtkaart staat geschreven: 2 van 4. Wat ik nu bedacht heb is dat er misschien wel vier ansichtkaarten zijn.'

De kinderen kijken elkaar opgewonden aan. 'Dat is een goed idee. We moeten terug naar Agata en vragen of ze nog meer foto's heeft.'

'Ik kan morgenochtend vroeg wel naar haar toe gaan,' stelt Harvey voor.

Mistral staart geboeid naar de houten kaart. Zij is de enige van hen die niet in Ermetes winkel Lagers & Lopers is geweest, omdat ze was ontvoerd door Jacob Mahler en gevangen werd gehouden in de wijk Coppedè. 'Hoe werkt hij?'

'Op een absurde manier,' antwoordt Harvey.

'Niet waar,' protesteert Sheng. 'Je moet je alleen goed concentreren, en denken.'

'In Rome dachten we aan jou,' voegt Elettra eraan toe. 'Aan hoe we je konden terugvinden.'

'En doordat jullie aan mij dachten... wezen de tollen jullie de plek waar ik zat opgesloten?'

'Niet allemaal. Alleen de tol met de hond en die met de draaikolk,' preciseert Sheng.

'De tol met het oog daarentegen leidde me naar de zigeunerin, en via haar naar de Ring van Vuur,' zegt Elettra.

'Maar waarom?' vraagt Mistral zich af.

'*Wat maakt het uit langs welke weg je de waarheid zoekt? Zo'n groot geheim ontrafel je niet langs één weg,*' citeert Sheng uit de aantekeningen van de professor. 'Maar over welk geheim hebben we het eigenlijk?'

Mistral knikt. 'Wat ik me afvraag is... waar zijn we nu naar op zoek? De gestolen tol, een aanwijzing om de getallen op de ansichtkaart te ontcijferen, de andere ansichtkaarten, de Ster van Steen, of... de twee vrienden van de professor uit de tijd voordat hij er vandoor ging?'

'Ik geloof niet dat hij er vandoor is gegaan...' komt Elettra tussenbeide. 'Ik denk dat hij genoodzaakt was om te vluchten. Misschien had hij het bestaan van de Ring van Vuur al ontdekt, of van deze... Ster van Steen. Misschien heeft de Ster hem naar

Rome gevoerd... en leggen wij nu dezelfde weg in omgekeerde richting af, alsof we terug in de tijd gaan.'

'Hij heeft aanwijzingen voor ons achtergelaten. Een foto en een ansichtkaart.'

'Weten jullie nog wat de professor schreef? Wie het geheim onthult, moet het vervolgens bewaren en beschermen. En misschien... is dat hem niet gelukt. Misschien heeft hij een verkeerde keus gemaakt, of heeft hij zich verraden.'

'Of hij is door iemand anders verraden.'

'En zo kruisten zijn wegen met die van... *hen*.'

'Inderdaad...' vervolgt Harvey somber. 'En die zitten nu achter ons aan, op zoek naar hetzelfde geheim. Zo moet het zijn gegaan.'

Precies op dat moment verschijnt er een in het zwart geklede man achter hen.

14

DE ONBEKENDE

Harvey, Sheng, Elettra en Mistral draaien zich met een ruk om. De man is van gemiddelde lengte, draagt een rond brilletje, een pet à la Sherlock Holmes en een lange baard. Hij heeft een negentiende-eeuwse roetkleurige trenchcoat aan en balanceert een pijp tussen zijn lippen.

'Wie is dat?' vraagt hij met een keelstem, wijzend op Linda Melodia die in de fauteuil ligt weggezakt.

De kinderen werpen hem een onderzoekende blik toe. Sheng, die over de tafel gebogen ligt in een poging om de kaart van de Chaldeeën te beschermen, ziet dat de baard een stukje loslaat van de kin. 'Ermete, ben jij dat?'

De man haalt zijn pijp uit de mond. 'Wie anders, jongelui?'

Elettra wil hem tegemoet rennen, maar de ingenieur houdt haar met een bliksemsnel handgebaar tegen. 'Nee, geen opvallende bewegingen. We doen alsof we elkaar net hebben leren kennen.'

Zijn blik glijdt door de lobby. Dan pakt hij met ervaren traagheid een stoel van een aangrenzende tafel en schuift hem naar de tafel van de kinderen.

'Wat heb je jezelf toegetakeld!' roept Mistral onthutst.

'Mooi hè?' pocht ingenieur-radiozendamateur-archeoloog-striplezer-spelletjesmeester Ermete De Panfilis. 'Allemaal via eBay, het was geen geld.'

'Je lijkt net een kruising tussen Sherlock Holmes en inspecteur Colombo,' spot Elettra, met haar voet over de armleuning van haar stoel.

Ermete trekt een teleurgesteld gezicht. 'Ik had gehoopt dat een van jullie mijn verwijzing naar *Raaf*, een gedicht van Edgar Allan Poe, zou herkennen. Overigens een schrijver die hier in deze stad woonde en gek werd...'

'Nooit van gehoord,' antwoordt Sheng.

'Wat lees jij in godsnaam, daar in China?'

'Ik heb net het laatste boek van Ulysses Moore uit,' antwoordt Sheng. 'Hao, dat is te gek! Je komt er in feite achter dat Ulysses Moore in het echt...'

'Maar jullie hebben me nog steeds geen antwoord gegeven,' onderbreekt Ermete hem, terwijl hij zich weer naar de fauteuil draait. 'Wie is die vrouw?'

'Mijn tante,' antwoordt Elettra. 'Ze is te vertrouwen. Ze heeft Jacob Mahler stokslagen gegeven toen hij haar verraste in het Domus Quintilia.'

'Dan is ze heel erg te vertrouwen!' grinnikt Ermete, terwijl hij met zijn ellebogen op tafel leunt. 'Heb ik al een worp gemist?'

'We zaten ons af te vragen wat we aan de tollen moeten vragen.'

'Wat zijn de alternatieven?'

Mistral geeft hem de oude ansichtkaart die ze in de binnenzak van de smoking hebben gevonden. Intussen vertelt Elettra hem hoe ze daar aan zijn gekomen.

'Mijn hemel. Dit lijken wel... de getallen van een matrixcode!'

Ermete had nog nooit gehoord van Agata, en evenmin van het voormalige New Yorkse leven van de professor. Als hij hoort hoe Alfred uit het Chanin Building is vertrokken, stamelt hij: 'Heeft hij een appartement in het centrum van Manhattan verruild voor dat krot in een buitenwijk van Rome?'

De verwijzing naar de Ster van Steen vindt hij nog raadselachtiger.

'Zodra ik thuiskom, zal ik in de aantekeningen van Alfred nakijken of hij het ergens over die ster heeft.'

'Probeer ook in het boek van Seneca te zoeken, dat traktaat over de kometen...' suggereert Mistral.

'Goed idee. En ook in de mythes over Mithra. Ik meen me te herinneren dat die god van de zon werd geboren uit een rots. Zou de Ster van Steen een ster kunnen zijn die uit een steen geboren wordt? Klinkt dat aannemelijk?'

'Het lijkt mij nogal vergezocht,' zegt Harvey. 'En trouwens, dat zou ook nergens op slaan, in New York. De verering van Mithra is nooit doorgedrongen tot in de Nieuwe Wereld. Het is een heel oude cultus...'

'Er komt officieel een eind aan in 392 na Christus, als de Romeinse keizer Theodosius met geweld verordent dat de oude heidense godheden niet meer aanbeden mogen worden,' antwoordt Ermete als een wandelende encyclopedie.

'Dat bedoel ik. In 392 waren er nog geen Romeinen in Amerika. Alleen de mensen die Columbus later de indianen noemde leefden hier, en die hadden andere goden.'

'Weten jullie nog dat Columbus een van de mensen is die de houten kaart gebruikt heeft?' komt Sheng tussenbeide.

'Welke indianenstammen woonden er hier in New York?' vraagt Mistral.

'Ik heb geen flauw idee,' antwoordt Harvey. 'Maar dat kan ik wel aan mijn ouders vragen.'

'Ik denk dat we het aan de tollen moeten vragen...' komt Elettra tussenbeide, en ze houdt de hare omhoog.

Het vijftal vouwt een plattegrond van Manhattan over de houten kaart, en trekt hem goed strak bij de hoeken. Dan overleggen ze wie er moet beginnen.

'Ik heb nog nooit een tol gegooid...' fluistert Mistral, terwijl ze al die voorbereidingen bewonderend gadeslaat.

'Het is makkelijk. Zo moet het,' legt Sheng uit, en hij gooit zijn tol, die met het oog, op de kaart. 'Deze geeft een detail aan dat je moet bekijken of ontdekken,' vervolgt hij terwijl de tol rond begint te draaien en zich door de wirwar van lijnen verplaatst om de rechthoekige straten van Manhattan te kruisen.

'Er is wel een verband tussen New York en Rome...' mompelt Ermete met een blik op de plattegrond. 'Manhattan heeft precies

156

de opbouw van een Romeins legerkamp. Zien jullie die straten? Ze vormen allemaal rechte hoeken.'

De tol met het oog gaat kleinere rondjes draaien, en valt ten slotte stil. In East Village, op de hoek tussen 6th Street en Avenue B.

'Wat is daar?' vragen ze allemaal aan Harvey.

Hij schudt verbaasd zijn hoofd. 'Ik zou het zo gauw niet weten.'

Hij denkt er even over na. 'Een park, geloof ik...'

Elettra gooit de tol van de toren, die in zijn geheel eigen tempo begint te draaien, anders dan de vorige, langzamer en bedachtzamer. Hij stopt precies in het midden van de East River, bij het onderste puntje van Roosevelt Island.

'Dat zou de veilige plek moeten zijn,' zegt het meisje.

'Maar dat is onmogelijk,' werpt Harvey sarcastisch tegen.

'Waarom? Wat is er dan op dat eiland?'

'Een oud, verlaten gekkenhuis.'

'Mooie veilige plek...'

Sheng vouwt zijn handen in zijn nek. 'Misschien betekent het dat je gek moet zijn om je veilig te kunnen voelen.'

Ermete kijkt naar Mistral. 'Jij bent aan de beurt.'

'En Harvey dan?' vraagt het Franse meisje.

'Hij gooit altijd als laatste,' verklaart Sheng. 'Hij moet het nadoen.'

Mistral gaat staan. Dan buigt ze zich over de tafel, zet de tol met de hond voorzichtig op de kaart en laat hem bijna met tegenzin gaan. Deze tol beweegt zich weer anders, het is een onrustig, driftig wervelen. Hij geeft aan welke bewaker ze moeten trotseren.

'Deze is makkelijk,' zegt Harvey als de tol stopt. 'En dat is beslist een goed bewaakte plek. Het Rockefeller Center.'

'Waar die ijsbaan is?' vraagt Mistral, die dat in vele films heeft gezien.

'Precies. En waar ze de hoogste kerstboom van de stad neerzetten. Het is een van de belangrijkste wolkenkrabbers van New York. En nu, let op...'

Harvey zet de laatste tol op de kaart, en hij slingert hem eerder weg dan dat hij hem laat draaien. Het is de draaikolk, de plek waar het gevaar dreigt. De tol schiet ervandoor, met een dreigend gesis, tot hij uitgeput tot stilstand komt midden in Hell's Kitchen. De keuken van de hel. Het hart van de Ierse gemeenschap in New York.

'Fantastisch...' zegt Harvey. 'En precies op het juiste moment. Morgen is het de 17e, als ik me niet vergis. Dat is St. Patrick's Day, de nationale feestdag van de Ieren.' Harvey wijst naar de wijk ten westen van Broadway. 'Dat wil zeggen dat hier morgen een enorme massa mensen met groene kleren aan in optocht door de straten trekt.'

Een enorme massa mensen.

Het gevaar is een feest.

15
DE MISSIE

Er heerst absolute stilte in het kantoor van Egon Nose. Een doodse stilte. Elk geluid van buiten wordt gedempt door de palissanderhouten panelen waarmee de muren bekleed zijn. De geluidwering houdt de omringende wereld op afstand. En het feestgedruis in de club. Er is stilte nodig, om te kunnen denken.

De gouden lijsten weerkaatsen roerloze schijnsels. Doctor Nose is gehuld in een blauwe rooksliert die omhoog kringelt naar de laaghangende plafondlampen, als een verstrikte engel.

Hij houdt een houten tol voor zich uit en ademt de rook diep in.

Op de houten tol staat een tekening van een brug. Of van een regenboog. Verder niks. Alleen maar oud hout dat door de eeuwen heen steeds harder is geworden, perfect geconserveerd door de warme, droge omgeving waar het is ontdekt. Het is hout uit de woestijn.

'Er stond maar één boom midden in de woestijn...' zegt Egon Nose hardop. 'Het was een reusachtige boom. Hij werd de boom van Judas genoemd.'

Een lichte hoestbui kriebelt in zijn keel. Zijn sigaar gloeit op.

'De boom van Judas had ontzettend diepe wortels. En rond die boom verzamelden zich alle handelaren van de zijderoute. Honderden jaren lang symboliseerde hij de overgang tussen Oost en West.'

'Hij bestaat niet meer,' antwoordt een stem op ijselijke toon.

Egon Nose is aan het telefoneren. Een van de schermen in zijn werkkamer toont een stadsgezicht dat niet dat van Manhattan is. Het zijn andere wolkenkrabbers, andere lichten, andere razernijen van menselijke insecten die gevangen zitten in een metropool.

Het is Shanghai. De stem met de ijselijke toon komt daar vandaan.

Doctor Nose laat de sigaar op een kristallen asbak balanceren, die het licht ervan in tien schuine prisma's uiteen laat vallen. 'Klopt. Hij is een paar honderd jaar geleden omgehakt. Het is altijd jammer, als een boom sterft. Vind je niet?' Hij legt zijn vingers op het eeuwenoude oppervlak van de tol en draait hem half rond. 'Dus dit is alles? Een speeltje van oud hout? Weet je zeker dat het zoveel waard is als je mij betaalt om het te bemachtigen? Ik geloof niet...'

'Jij wordt niet betaald om te geloven,' antwoordt de snerpende stem.

'Uhhuhhuh... Neem me niet kwalijk meneer, dat ik het waagde te twijfelen...' antwoordt de nachtclubeigenaar sarcastisch. 'En dat ik niet onder de indruk was van dat speeltje van je.'

'Je weet dat ik niet van spelletjes hou.'

'Dat verbaast me niks, Heremit. Jij houdt nergens van. Behalve dan van jezelf, uiteraard.'

Voor het scherm waarop de stad Shanghai wordt weergegeven loopt een schim langs, te snel om door het beeld te worden gevangen. 'Ik wil de houten kaart. En de andere tollen,' zegt de schim.

'Een kwestie van een paar uur. We hoeven alleen maar te wachten,' antwoordt Doctor Nose.

'Morgen is het 17 maart,' helpt Heremit Devil hem herinneren.

'Het is nú al 17 maart,' antwoordt Doctor Nose met een blik op de klok. 'Hoor je niet hoe stil het is? Het is het feest van Sint-Patrick. Een tijd waarin de heidense geesten zich in de schaduw terugtrekken, wachtend tot het is afgelopen. Het is geen goede dag om naar buiten te gaan. Uhhuhhuh... maar dat wil niet zeggen dat het ook geen gunstige dag is om je... *onder de grond* te verplaatsen.'

'Ik heb nog vijf dagen.'

'Voor wat?'

'Om de tweede afspraak niet te missen.' De schim verschijnt weer op het scherm met het uitzicht op Shanghai. Hij staat met de rug naar de camera toe, voor het glas van de wolkenkrabber, en hij kijkt naar buiten, met zijn armen gekruist onder zijn schouderbladen. 'Ik kan hem al bijna zien.'

'Wat kun je zien? Je eigen stad die wordt vermorzeld door je enorme macht?'

'De ster,' antwoordt Heremit Devil zonder zich om te draaien. 'Maar dat interesseert jou toch niet.'

Egon Nose pakt de sigaar weer op en hult zich weer in de rook. 'Er zijn geen sterren in Hell's Kitchen. En je hebt gelijk, het kan me ook niks schelen. Sterren zijn al met al volkomen nutteloos: te klein en te ver weg. En trouwens, ik word misselijk van die hemel die zich steeds beweegt. Wat voor nut hebben de sterren, als je ze niet eens kunt aanraken?'

16
HET EILAND

De wind in de baai van New York danst tussen de lange haren van Elettra en de balustrade van de veerboot. Het meisje heeft haar ogen dicht en laat haar zorgen lichtjes wegwaaien. Wat een verschil met hoe ze zich gisteren voelde! Ze voelt zich goed, ze heeft vrede met de wereld en zit weer vol met haar vulkanische energie. Het komt door de kus van Harvey, de manier waarop ze verder niets tegen elkaar gezegd hebben. Zijn blikken in het museum, waardoor ze zich ongelooflijk mooi voelde. En begeerd.

'Je lijkt net een octopus,' zegt Linda Melodia, waardoor ze weer met beide benen op aarde belandt.

'Je wordt bedankt, tante,' zegt Elettra geïrriteerd.

De vrouw steekt haar handen met grote bedrevenheid in haar krullen. 'Je hebt geen conditioner gebruikt,' verklaart ze. 'En die olie?'

'Die heb ik opgedronken.'

Linda grijpt een haarlok van haar nichtje vast en analyseert die zoals een insectenkenner zou doen met een zeldzame tropische vlinder. 'Wat een ellende! Allemaal dode punten! Je moet ze laten afknippen!'

'Oké, ik zal me wel kaalscheren,' grapt Elettra.

Haar tante zet een halve stap naar achteren. 'Elettra? Wat heb je? Je doet zo vreemd. Ik zou bijna zeggen... vrolijk.' Ze laat haar de haarlok zien, die ze nog steeds stevig vast heeft. 'Normaal gesproken zou je die uit mijn hand hebben getrokken en hebben gebruld dat ik me niet met je haren moest bemoeien. En nu... lijk je eerder een lief meisje. Dat is niks voor jou.'

Elettra voelt een soort woede opkomen, maar het is er een van het lichtere soort, die makkelijk te onderdrukken zijn. 'Maar als je weet dat ik er kwaad om word... waarom pak je dan mijn haren vast?'

'Omdat er gespleten punten in zitten.'

'Heb jij die dan nooit gehad?'

'Natuurlijk wel. En ik had gewild dat iemand me daarop gewezen had.'

Elettra glimlacht. 'Tante, wie zou het ooit volhouden met jou?'

'O, denk erom, toen ik zo oud was als jij stonden ze voor me in de rij...'

'Ik had niet anders verwacht. Weet je dat dit jouw jasje is?'

'Dat weet ik. Capri, 1979.' De kleren van Linda Melodia zijn door de jaren heen splinternieuw gebleven. 'En ik weet ook nog van wie ik het gekregen heb,' vervolgt Linda voldaan. 'Een mooie donkere jongen die ik later met geweld heb moeten wegsturen.'

'Waarom?' lacht Elettra, die het tafereel voor zich ziet.

'Waarom, waarom? Eerst geven ze je een cadeau... dan beginnen ze je te bellen, nemen ze je mee uit te midden van een massa schreeuwende mensen en komen ze met smerige schoenen je huis binnen omdat ze geen weerstand kunnen bieden aan een bal die over straat rolt. Dus alleen omdat je een cadeau van ze hebt aangenomen, kun je voor ze aan het werk.'

'Maar het is wel leuk,' besluit Elettra.

'Nou, en of het leuk is...' verzucht Linda, die opgaat in de contouren van het Vrijheidsbeeld voor hen. 'Moeten we hier uitstappen?'

'Komt er niet eerst dat andere eiland?'

Tante Linda slaat het programmaboekje van de boottocht open en leest: 'Ellis Island. O ja, dat is waar alle immigranten aankwamen die de Verenigde Staten in wilden. Kun je het je voorstellen? Miljoenen mensen hebben daar op hun inreisvisum staan wachten...'

Wie weet hoeveel verhalen daar zijn blijven steken, denkt Elettra terwijl de veerboot om Liberty Island heen vaart. En wie weet wat Harvey daarover denkt. En wie weet waar hij nu is...'

Harvey is net uit het Chanin Building gekomen, het gebouw waar Agata woont. Hij heeft zijn bokstas op zijn rug. Sheng dribbelt achter hem aan, met zijn onafscheidelijke rugzak en zijn fototoestel om zijn hals. Ze hebben de foto van de professor gefotografeerd, en de lijst. Maar dit is pas het begin van hun dag.

'Waar gaan we nu naartoe?' vraagt Sheng.

Het is een grote drukte op straat. Overal staan politieagenten. En de wegen worden afgesloten met veiligheidslint.

'Naar een oude Ierse wijk,' stelt Harvey voor. 'Hell's Kitchen.'

'Waarom heet die wijk zo?'

'Ik weet niet. Ik denk omdat de Ieren die in het begin van de twintigste eeuw hiernaartoe kwamen waren gevlucht voor een voedselgebrek in hun eigen land, en probeerden te ontkomen aan de honger.'

'Hoe dan ook, Hell's Kitchen is vast net zoiets als de kookkunst van mijn moeder,' grapt Sheng. 'Een ware hel! Duizenden jaren Chinese culinaire traditie zijn zonder enige reden in het niets verdwenen.'

Het tweetal waagt zich met de metro oostwaarts, en als ze zijn uitgestapt bevinden ze zich in een tumult van muziek en mensen.

De hele straat lijkt net één grote groene zee. Witgroene slingers sieren de ramen, de straatlantaarns en de verkeerslichten, en duizenden vlaggetjes wapperen in de zon.

'Zijn ze allemaal gek geworden?' vraagt Sheng aan Harvey terwijl hij zich een weg probeert te banen door de menigte.

Ze zien trompetten, witzwart geruite hoedjes, wolken confetti en serpentines zo lang als lianen.

'Nee maar!' schreeuwt Sheng als hij wordt meegesleurd door een groepje jongelui met beschilderde gezichten. 'Ik kan me niet eens verroeren!'

'En dan heb je nog niet eens gezien hoe het op Fifth Street is!'

Ze banen zich een weg tot aan een kraampje waar beignets worden verkocht.

In de menigte staat één figuur die bepaald niet vrolijk overkomt. Lang, stevig en grimmig, lijkt hij de confetti aan de kant
te duwen. Hij houdt Harvey vanuit de verte in de gaten, en probeert hem niet uit het oog te verliezen in die groene zee van
mensen. En hij bestudeert zijn nieuwe vriend. De Chinees.

Als de twee jongens blijven staan om een beignet te eten,
leunt de man tegen een feestelijk versierde lantaarnpaal, haalt
een notitieboekje tevoorschijn en maakt enkele snelle aantekeningen. Dan begeeft hij zich weer in de massa, onverschillig en
geïrriteerd.

'Vier feest met ons, indianenvriend!' schreeuwen de mensen
hem toe.

Maar hij houdt zijn pas niet in. Hij probeert te achterhalen
waar Harvey Miller naartoe gaat.

Neergestreken op de lantaarnpaal laat de raaf met het gehavende oogje zijn schelle roep horen.

CENTURY
MAP
OF THE
NEW YORK CITY
(included by)
HAGAMAN & MARKHAM
1857.

Liefste Irene

Zoals je kunt zien aan het materiaal dat
ik je stuur, gaat de uitdaging verder.
Maar nu ben ik echt bang dat ik ontdekt
ben, en ik moet mezelf beschermen.
Zíj zijn op de hoogte gebracht van het
bestaan van Century en ze zijn ons
steeds voor. Volgens mij weten ze zelfs
hoe we heten. Als dat zo is, wees dan
alsjeblieft voorzichtig, want dat
betekent dat we zijn verraden. En dan
is het geheim uitgelekt.
Het ware doel van onze kinderen is me
nog steeds een raadsel.
Waartoe dienen al die voorwerpen die
we ze hebben gegeven? Waarom mogen we
niet alles vertellen wat we weten?
Ons is gezegd dat we het Pact moeten
respecteren. Maar met welk doel? En
hoelang kunnen we dat nog volhouden?
Ik omhels je stevig, heel stevig.
En ik hoop dat ik je nog een keer zal
ontmoeten, voordat dit allemaal ten
einde komt.

Vladimir

rest stop 4

OLYMPIA GYM

①

Boxe and Wrestling Greco-Romana

HARLEM - 149th Street - NY

FIGHT II
JOE FRAZIER vs
MUHAMMAD ALI
MONDAY EVENING
JAN. 28, 1974
8:30 P.M.
2nd PROMENADE
$50.00

MADISON SQUARE GARDEN
PENNSYLVANIA PLAZA, N.Y.
FIGHT II
JOE FRAZIER
vs MUHAMMAD ALI
2nd PROMENADE
$50.00
N.Y. State Law - Children Under 14 Yrs of Age
NOT ADMITTED

P
6
2132

ENTER TOWER A
2nd PROMENADE $50.00
232 D 14
SEC. ROW SEAT
FRAZIER vs ALI
GOOD LOC. JAN. 28 1974
GATE
A 17

②

③

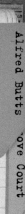

MILTON BRADLEY CO.

GAMES
Card and Paper Trimmers
School and Kindergarten Material

Order
MILTBRADCO

Springfield, Mass.

November 15, 1933

Mr. Alfred M. Butts
101 Park Avenue
New York City

Dear Sir:

After giving your game our very careful review and
consideration, we do not feel we would be interested in adding
this item to our line.

We are returning the model under separate cover.

Very truly yours,

MILTON BRADLEY COMPANY

George A. Fox

Manager Game Department

④

⑤

⑥

⑦

8

9

10

Insert this way / This side facing you

MTA

MetroCard

EXP
1425149

Para Servicios al Cliente, llam

SI V
DI AL

Si ves alguna actividad o paquete sospe
plataforma o tren, no te quedes
Repórtalo a un oficial de la policía o a un emple   MTA.
O llama a la línea gratuita para Combatir el Terrorismo al
1-888-NYC-SAFE (1-888-692-7233)

11

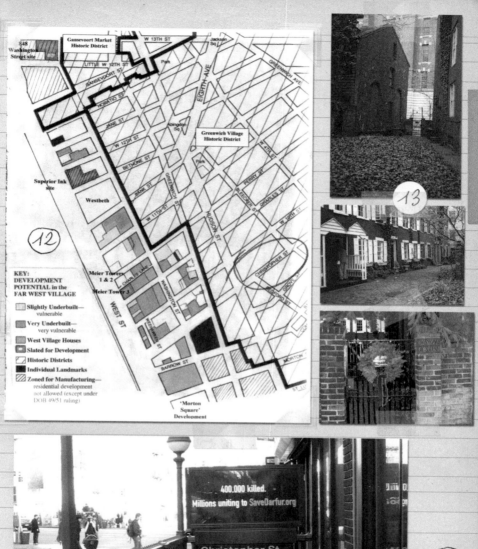

Gansevoort Market
Historic District

848
Washington
Street site

W 13TH ST

Jackson
Sq.

LITTLE W 12TH ST

Park

GANSEVOORT ST

EIGHTH AVE

GREENWICH AVE

HORATIO ST

JANE ST

Abingdon
Sq.

W 12TH ST

Greenwich Village
Historic District

W 4TH ST

BETHUNE ST

Park

PERRY ST

Superior Ink
site

BANK ST

GREENWICH ST

CHARLES ST

W 10TH ST

Westbeth

W 11TH ST

HUDSON ST

W 4TH ST

12

Meier Towers
1 & 2

CHARLES LANE

Meier Tower 3

WEST ST

WASHINGTON ST

WEEHAWKEN ST

Christopher St

BEDFORD ST

GROVE ST

**KEY:
DEVELOPMENT
POTENTIAL in the
FAR WEST VILLAGE**

- Slightly Underbuilt—
  vulnerable
- Very Underbuilt—
  very vulnerable
- West Village Houses
- Slated for Development
- Historic Districts
- Individual Landmarks
- Zoned for Manufacturing—
  residential development
  not allowed (except under
  DOB 49/51 ruling)

BARROW ST

MORTON
ST

'Morton
Square'
Development

13

400,000 killed.
Millions uniting to SaveDarfur.org

Christopher St
Station
Downtown
1

CHRISTOPHER STREET ① ⑨ DOWNTOWN ONLY

Enter with or buy MetroCard
at all times or see agent
across 7 Avenue South

14

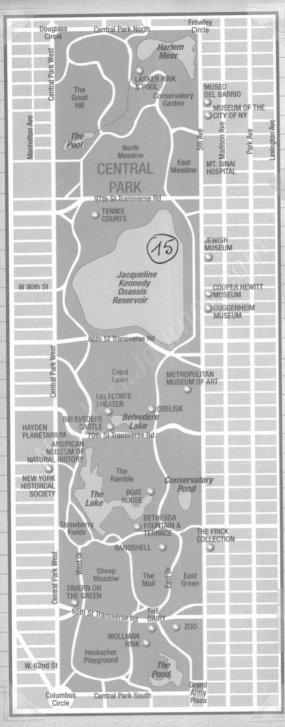

Central Park map labels:

Douglass Circle · Central Park North · Frawley Circle · Harlem Meer · Central Park West · LASKER RINK & POOL · The Great Hill · Conservatory Garden · MUSEO DEL BARRIO · MUSEUM OF THE CITY OF NY · Manhattan Ave · The Pool · North Meadow · 5th Ave · Madison Ave · Park Ave · Lexington Ave · East Meadow · MT. SINAI HOSPITAL · CENTRAL PARK · 97th St Transverse Rd · TENNIS COURTS · (15) · JEWISH MUSEUM · W 90th St · Jacqueline Kennedy Onassis Reservoir · COOPER HEWITT MUSEUM · GUGGENHEIM MUSEUM · 86th St Transverse Rd · Central Park West · Great Lawn · METROPOLITAN MUSEUM OF ART · DELECORTE THEATER · OBELISK · BELEVEDERE CASTLE · Belvedere Lake · HAYDEN PLANETARIUM · 79th St Transverse Rd · AMERICAN MUSEUM OF NATURAL HISTORY · The Ramble · NEW YORK HISTORICAL SOCIETY · The Lake · BOAT HOUSE · Conservatory Pond · Strawberry Fields · BETHESDA FOUNTAIN & TERRACE · THE FRICK COLLECTION · BANDSHELL · Central Park West · West Dr · Sheep Meadow · The Mall · East Dr · East Green · TAVERN ON THE GREEN · 65th St Transverse Rd · THE DAIRY · ZOO · WOLLMAN RINK · Heckscher Playground · The Pond · W. 62nd St · Columbus Circle · Central Park South · Grand Army Plaza

MANDARIN ORIENTAL
THE HOTEL GROUP SM

(16)

(17)

(18)

CENTURY

(19)

20

21

22

(23)

24

25

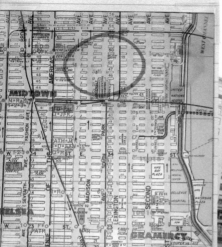

26

27

28

29

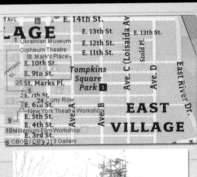

32

33

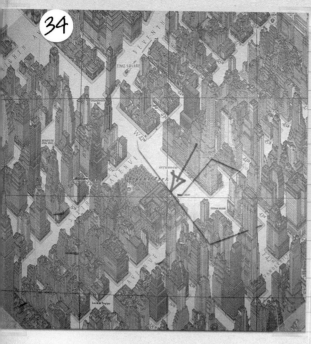

INHOUDSOPGAVE

Ellis Island 1905

Alfred Van Der Bergen

De steen van Inwood Park

17
HET TELEFOONTJE

'Je klinkt krakerig!' zegt Ermete aan de telefoon. 'Nee! Dat komt niet door jou, mama. Het ligt aan de lijn. Nee. Ik heb geen tijd om je terug te bellen. Ik moet weg. Ja natuurlijk ga ik de deur uit. Dat spreekt voor zich. Ik ben in New York. Wablief? Wat kan jou het schelen of de kamer is opgeruimd? Er hoeft hier niemand te komen. En trouwens, hij kan niet opgeruimd zijn nu de dieven alles overhoop hebben gehaald...'

Ermete bijt meteen op zijn lip. Te laat. Hij heeft het zich laten ontvallen.

'Mama! Wacht... ik... nee... ze hebben niks gestolen. Wees gerust. Ze hebben nog geen dollar gestolen. Er lag niets van waarde... Natuurlijk, ze hebben wel wat kapotgemaakt, ja, een paar meubels, maar... ik zit gehuurd! Het zijn niet mijn spullen! En de Amerikanen zijn allemaal verzekerd! Ze verzekeren zich zelfs tegen de verzekeringen! En nu ze eenmaal zijn geweest, komen ze heus geen tweede keer! Ik... Mama, luister, ik moet nu echt weg! Ik... mama... ik moet... AAAAAAAAAHHH!'

Met een smash waar een basketbalkampioen jaloers op zou zijn smijt Ermete de hoorn op de haak. Vervolgens rukt hij voor alle zekerheid de telefooncontactdoos uit de muur.

Hij blijft even staan kijken naar wat hij gedaan heeft; alsof er nog niet genoeg kapot was gegaan bij de doorzoekingen van de dieven. Hij zorgt dat zijn ademhaling weer rustig wordt, kijkt hoe laat het is en vertrekt. Hij heeft met Mistral afgesproken voor het Rockefeller Center, en hij is nu al aan de late kant.

Hij grijpt zijn documentenzakje en loopt naar de deur, maar dan bedenkt hij zich. Hij keert terug, stapt over de stukken vulling van de bank en gaat de badkamer in.

'De beste manier om iets te verstoppen...' mompelt hij bij zichzelf, terwijl hij naar zijn vage beeltenis kijkt in de spiegel, 'is het vlak voor ieders neus te houden.'

Ermete pakt de Ring van Vuur van de badkamermuur en stopt hem weer in zijn documentenzakje. 'Perfect,' zegt hij knauwend, terwijl hij zich in de enige andere spiegel van de woning bekijkt. 'Werkelijk perfect.' Vermomd als bankmanager, in krijtstreeppak en glanzend zwarte schoenen, is hij onherkenbaar.

Dan loopt hij fluitend naar buiten.

Sheng en Harvey gaan het trapje van een zijdeur op om zich terug te trekken uit de massa. Er zijn zelfs mensen in de lantaarnpalen geklommen.

Sheng maakt de ene foto na de andere. Dan vraagt hij: 'Wat denk je dat de tol ons precies wilde aanwijzen?'

'Deze draaikolk van mensen?'

'In Rome bracht hij ons naar de ontvoerder van Mistral.'

'Ik weet het niet, Sheng, echt niet...' Harvey kijkt naar de stroom mensen op straat. 'Het kan van alles betekenen...' Dan grijpt zijn hand ineens Shengs schouder vast. 'Kom mee!' schreeuwt hij, terwijl hij van het trapje omlaag springt. 'Ik heb ze gezien!'

'Wie heb je gezien?' vraagt Sheng terwijl hij achter hem aan loopt.

'Die twee! Die vrouwen die de tol hebben gestolen!' roept Harvey, en hij duikt in die bonte groene zee.

'Ik heb geloof ik nog nooit zoveel mensen bij elkaar gezien!' roept Mistral op Fifth Street tegen Ermete.

De mensen verdringen zich op de trottoirs, wachtend tot de parade van Sint-Patrick voorbijkomt.

'Ik heb er vaak over gehoord, maar ik heb het nooit in het echt gezien...' antwoordt Ermete grinnikend. 'Dit is geweldig!'

Ermete pakt Mistral bij de hand en trekt haar achter zich aan tot aan de hal van het Rockefeller Center, de wolkenkrabber in het hart van de stad. Hier is het een beetje minder druk.

'Lucht!' roept Mistral terwijl ze van bovenaf naar het pleintje kijkt dat in de winter wordt omgetoverd tot een ijsbaan.

Ermete trekt het jasje van zijn chique pak recht.

'Je ziet er goed uit zo! Heel professioneel...'

Ze lopen het trapje af dat het gebouw in voert, tussen de Amerikaanse vlaggen door die wapperen in de wind. Mistral kijkt geboeid om zich heen: voor hen ziet ze de glaswanden en de tafeltjes van een groot restaurant, en de indrukwekkende voorgevel van de wolkenkrabber, als een majestueuze vergulde ingang. Achter hen zijn twee boogvormige trappen die een fontein omsluiten, waarvoor een standbeeld verrijst dat helemaal verguld is.

'Wat zoeken we?' vraagt Mistral aan Ermete zodra ze door de deuren zijn.

'Een waakhond van iets,' antwoordt hij, om zich heen zoekend naar de liften. 'Zullen we proberen omhoog te gaan?'

Zodra ze voet heeft gezet op Ellis Island, krijgt Elettra het warm. Hetzelfde warme gevoel dat ze niet meer dacht te kunnen voelen in New York. Het gevoel dat wordt veroorzaakt door haar vermogen om de energie die om haar heen hangt op te nemen. Een tintelende warmte.

En inmiddels weet ze heel goed wat dat betekent: er staat iets te gebeuren.

Ellis Island is een platte, skeletachtige vlakte, die nog in de greep van de winter is. Voorbij de betonnen kade is een afdak van metaal en glas, dat toegang geeft tot een groot gebouw van rode baksteen, met witte versieringen om de ramen. Vier torens geven de hoeken van het gebouw aan.

Elettra grijpt de arm van haar tante vast en laat zich mee naar voren slepen.

'Je kunt de slaapzaal bezoeken waar de immigranten de nacht moesten doorbrengen in afwachting van hun visum, en... de grote ontvangsthal. Verder... aan die kant... nee, aan die kant...' Linda Melodia draait de plattegrond van het gebouw alle mogelijke kanten op, voor ze er eentje uitkiest, 'is de ruimte waar de bagage werd gecontroleerd, en de medische post voor de inentingen. Pas als de immigranten door alle controles heen waren gekomen, kregen ze een treinkaartje.'

Het tweetal loopt onder het afdak door en bereikt de grote wachthal. 'Kan ik u helpen?' vraagt een heer met een grote snor en een Italiaans accent.

Linda Melodia slaat haar blik net genoeg neer om hem door te lichten: verzorgde snor, gekamd haar, keurige winterjas, keurig overhemd, nette broek, glanzende schoenen.

Haar glimlach verbreedt zich zonder aarzeling. 'Graag!'

De man strijkt vergenoegd zijn snor glad. Elettra haalt de sjaal van haar hals. Het is snikheet in de ontvangsthal.

Harvey rent door de menigte van Hell's Kitchen heen op zoek naar de vrouwen die hij daarnet gezien heeft. Hij draait zich om, hij ziet dat Sheng achter hem blijft steken, de andere mensen duwend en stotend met zijn fototoestel. Dan kijkt hij weer voor zich, en baant zich een weg met zijn bokstas voor zich uit gestoken. Bij het kruispunt houden de twee vrouwen hun pas in.

Sheng worstelt en slaat met zijn rugzak om zich heen om niet ten onder te gaan, hij glipt weg, probeert zich te oriënteren. Harvey zwaait naar hem.

Op dat moment blijven de twee vrouwen staan. Harvey bukt zich en loopt een paar stappen achteruit. Als hij weer in hun richting kijkt, ziet hij dat ze naar de gesloten deur van een nachtclub zijn gelopen. De Lucifer.

Harvey dwingt zichzelf om op dezelfde plek stil te blijven staan, om te blijven kijken. De twee wisselen geen woord. Ze bellen aan en maken zich bekend.

Sheng komt hijgend bij zijn vriend aan, en Harvey wijst naar de nachtclub aan de overkant van de weg. 'Dat zijn ze.'

'Hao!' roept Sheng, getroffen door de schoonheid van de vrouwen.

Hij haalt zijn fototoestel te voorschijn.

Klik. Klik.

Harvey kan de camera nog net op tijd bedekken: alsof de twee vrouwen het geluid van de sluiter hebben gehoord, hebben ze zich omgedraaid om de menigte na te speuren.

De deur van de nachtclub gaat een stukje open. Er steekt een mannenhand door naar buiten, die het gezicht van een van beide vrouwen streelt.

'Ze gaan naar binnen,' vat Sheng samen.

De twee vrienden lopen weer verder, voorbij de Lucifer.

Vijftig stappen en dan eindigt de straat weer in de zoveelste chaotische kruising.

'Weet je zeker dat zij het waren?' vraagt Sheng.

'Zonder twijfel.'

'De tol heeft dus niet gelogen.'

'Daar lijkt het wel op...' geeft Harvey toe.

'Wat wil je doen? Zullen we wachten of... de anderen waarschuwen?'

'Welke anderen?' mompelt Harvey. 'Elettra is bij haar tante. En Ermete heeft geen mobiele telefoon.'

'We kunnen Mistral bellen. Als het goed is zijn ze bij elkaar.'

Harvey wringt nerveus in zijn handen. 'Laten we wachten.'

Er klinkt geklapwiek boven hun hoofden en hij kijkt op naar de zon. Die staat nu al schuin aan de hemel, hij begint te zakken.

'Die club gaat zeker 's avonds open,' zegt Sheng.

'Ik denk het wel.'

Er hangen grijze wolken in de richting van de rivier. Harvey en Sheng leunen tegen een bakstenen muur aan. Rondom hen vieren de mensen feest.

Dan gaat de deur van de Lucifer opnieuw open.

18
DE PROMETHEUS

Het Rockefeller Center is een doolhof van marmeren gangen. Ermete en Mistral dwalen er helemaal doorheen en spiegelen zich in de glanzend zwarte wanden. Ze stijgen op naar de hoogste verdiepingen en lopen de hele ronde langs de winkels in het gebouw. Ze doorzoeken elke gang. Of tenminste, dat hopen ze.

Drie uur later zijn ze weer op het punt van vertrek, neergeploft aan een tafeltje van het café dat uitkijkt op het plein met het gouden beeld. Van waakhonden geen enkel spoor.

Ermete heeft de plattegrond van het gebouw voor zich uit gespreid, waar hij bij een informatiepunt om heeft gevraagd. Hij loopt met zijn vinger langs de plekken waar ze zijn geweest, en schudt zijn hoofd.

'Ik zou niet meer weten waar we nog moesten kijken...' zegt hij moedeloos. 'Ook omdat we niet eens weten wat we zoeken. In Rome was Jacob Mahler de waakhond...'

Mistral probeert de aandacht van een ober te trekken.

'Een mens van vlees en bloed...' klaagt Ermete verder. 'Maar in het Rockefeller Center zijn *duizenden* mensen. Hoe moeten we nou weten wie de bewaker is? En van wat dan?'

'Van een ansichtkaart?' oppert Mistral. 'Of... van de tol die voor jullie neus is weggekaapt?'

'Misschien moeten we de tollen over de plattegrond van deze wolkenkrabber laten draaien,' stelt Ermete voor. 'Dan weten we tenminste een beetje waar we moeten zoeken.'

Mistral knikt en kijkt naar de fontein buiten de glaswand. 'Wat jammer...' mompelt ze.

'Laat je niet ontmoedigen. Dit is pas een eerste verkenningstocht,' probeert Ermete haar op te beuren. 'We vinden hem heus wel.'

Mistral zucht. 'Ik dacht eigenlijk aan die ijsbaan. Jammer dat ze hem al hebben weggehaald. Ik was er graag op gegaan.'

'Kun jij dan schaatsen?'

'Een beetje. Er is een film waarin hij en zij hebben afgesproken op de ijsbaan en met elkaar dansen onder de sneeuw, op het verlichte ijs. Ze blijven precies daar staan om elkaar te kussen... voor dat standbeeld.'

Ermete glimlacht. 'Een gigantische vergulde gruwel.'

De ober verschijnt achter hen. Mistral bestelt een kop thee, Ermete een alcoholvrije cocktail met een schijfje sinaasappel. 'Echt iets voor zakenlui,' rechtvaardigt hij zich.

Ze zitten even zwijgend na te denken.

'Ermete?' vraagt Mistral als de ober hun drankjes brengt. 'Wat stelt dat standbeeld voor?'

De ingenieur trekt een gezicht. 'Ik heb geen flauw idee.' En hij wendt zich tot de ober: 'Weet u toevallig wie die kerel is?'

'Dat is Prometheus,' antwoordt de man met een glimlach.

Ermete verstijft op zijn stoel. 'Prometheus... Prometheus? Diegene die het vuur heeft gestolen?'

'Dat is hem,' vervolgt de ober. 'Het is gemaakt in 1935 en...'

'Hou de rest maar!' schreeuwt Ermete bijna, terwijl hij samen met Mistral het café uit rent.

'Hoe is het mogelijk dat we dat niet meteen door hadden?' vraagt de ingenieur aan het meisje terwijl ze voor het reusachtige gouden beeld staan. 'Hij stond hier, bij de ingang.... recht voor de deur! Kijk dan! Het is maar een jongetje! En hij heeft ook de Ring van Vuur bij zich!'

De Prometheus van goud heeft inderdaad de trekken van een jongetje. Hij houdt een vuurfakkel in de hand, waarmee hij wegvlucht van een bergtop.

'Indrukwekkend...' beaamt Mistral.

Achter het beeld, op koperkleurige panelen tegen de achterwand van de fontein, luidt een tekst in vergulde letters: *Prometheus, leraar in elke kunst, draagt het vuur dat voor de stervelingen een middel naar machtige doelen is gebleken.*

De gedachten tollen door Ermetes hoofd: Prometheus, de Titaan die het vuur van de goden stal om het aan de mensen te geven die hij zelf had geschapen door rots en regen te kneden... Zo'n jonge knul.

Mistral verwoordt zijn twijfels: 'Zou hij de bewaker kunnen zijn waarnaar we op zoek zijn?'

'Ik denk zeker dat hij het is,' geeft de ingenieur toe.

'Maar hoe moeten we hem dan... voorbij gaan?' vraagt het meisje weer.

'Misschien heb ik een idee... Een absurd idee,' antwoordt Ermete. Hij stopt zijn hand diep in zijn documentenzakje en aait over de Ring van Vuur, de spiegel die ze in Rome hebben gevonden, onder het mitreo van de San Clemente.

De spiegel van Prometheus.

'Mistral, ik...' mompelt Ermete. 'Ik weet dat het nergens op slaat, maar...' hij haalt het oeroude stuk spiegel uit het zakje. 'Als Prometheus de bewaker is... en als dit zijn spiegel is, dan moeten we misschien...'

'Wat?'

'Ik weet niet,' geeft Ermete toe, terwijl hij zo dicht mogelijk naar het standbeeld loopt.

Prometheus heeft één hand vrij, de palm geopend. De fontein spuit voor hem omhoog. Ermete kijkt om zich heen of er ergens een uniform, een wachtpost, of een alarm te bekennen is.

'Hij is veel te hoog en te ver weg weg,' mompelt Mistral terwijl ze een rondje om de fontein heen loopt, tot aan de bronzen panelen.

'Misschien heb je gelijk, maar...' De ingenieur kijkt aandachtig naar de vergulde ring die om het lichaam van Prometheus heen loopt. De tekens van de dierenriem staan erin gegraveerd. De sterrenbeelden die door de oude Chaldeeën zijn bedacht. Ze hebben altijd recht onder ieders neus gehangen.

De Ring van Vuur. En de sterrenbeelden.

De jonge Titaan, die alle goden te slim af is.

'Ik probeer het!' roept hij.

En hij stapt de fontein in.

Ermete zet een paar stappen in het ijskoude water, hij is al bijna bij Prometheus. Dan schreeuwt er iemand achter hem. 'Rustig maar!' roept Ermete met opgeheven arm. 'Ik heb niks kwaads in de zin.'

Hij ziet dat er in de gouden ring oude handschriften zijn gegraveerd. En precies aan zijn kant vormen die tekens een soort inkeping. Een nisje. Een sluiting.

'Ermete!' roept Mistral, en ze smeekt hem uit de fontein te komen.

Maar hij luistert niet naar haar. Wat gedaan is, is gedaan. Hij hoort nog meer verbaasde kreten en ook wat gelach, maar het kan hem niks schelen. Ze kunnen hem niet doodschieten alleen omdat hij in een fontein is gestapt....

Klik. Iemand heeft besloten een foto van hem te maken.

'Goed zo!' roept hij, terwijl hij op zijn tenen gaat staan. Hij tilt de spiegel omhoog en houdt hem tegen de binnenkant van de gouden ring. De spiegel glijdt, schuift verder en dan, als Ermete op het punt staat om het erbij te laten zitten, blijft hij precies steken in twee tekens in reliëf.

Klak! doet een van de onderste panelen van de fontein, en er opent zich een nisje. Twee waterstralen worden lager, zodat het nisje beter bereikbaar is.

Ermete draait zich triomfantelijk om. Maar de glimlach blijft in zijn keel steken.

Een hele troep bewakingsagenten komt op hem af rennen. Groot en dreigend.

'O o...' mompelt hij met een blik op Mistral.

Ook zij heeft het nisje achter de fontein opgemerkt. En ze staat er heel dichtbij.

Er is een afleidingsmanoeuvre nodig: de bewakers moeten alleen aan hem denken, op hem letten...

Ermete kan niks beters bedenken dan met zijn volle gewicht in het water te springen en te schreeuwen: 'Ik verdrink! Help!'

Het volgende moment zijn de bewakers bij hem. Ze grijpen hem bij zijn overhemd en tillen hem op als een doorweekt vogeltje.

'Wat was jij van plan, hm?'

'Dank u wel! Jullie hebben mijn leven gered!' roept Ermete. Intussen probeert hij om zich heen te gluren op zoek naar Mistral. Als hij haar nergens ziet, verschijnt er een grijns op zijn gezicht.

'Er valt weinig te lachen voor jou, hoor.' De veiligheidsdienst sleept hem weg, voor de ogen van de nieuwsgierige toekijkers. 'Wat deed je met dat standbeeld?'

'Niks. Ik heb er een ontbrekend stukje in gezet,' antwoordt Ermete, zonder dat de grijns van zijn gezicht verdwijnt.

Elettra heeft pijn aan haar vingers. Een stekende pijn, alsof de huid ze niet voldoende kan beschermen. Net zoals toen ze in Rome de Ponte Quattro Capi was overgestoken.

In de enorme hal van het immigratiegebouw op Ellis Island heeft ze het gevoel dat ze stikt, alsof ze in een piepkleine cel zit. En de lachjes van haar tante en de meneer met de snor maken het er niet makkelijker op om te achterhalen waar die plotselinge uitbarsting van energie vandaan komt.

Er is hier iets... zegt ze bij zichzelf, en ze probeert haar instinct te volgen.

Of misschien overkomt de anderen iets. Misschien hebben ze iets ontdekt. Misschien is Harvey, met de draaikolk...

Ze wil er niet eens aan denken. Ze probeert Harvey's nummer te bellen. In gesprek. Ze gooit de telefoon weer in de zak van haar witte jack.

Dan kijkt ze vijandig naar haar handen. 'Waarom doen jullie zo'n pijn?' vraagt ze.

Er is daar niets elektrisch, behalve de lampen. En er zijn geen spiegels. Wie is het? Wie moet ze ontmoeten? Is er iemand die naar haar kijkt? En waarom?

Is het misschien die man met de snor? Die mevrouw in het blauw? Die drie kinderen met de hartvormige ballonnen?

Een zweetdruppel valt van haar wenkbrauw op de grond, op de punt van haar schoen. Elettra trekt haar jasje uit. Ze schenkt geen aandacht aan de protesten van tante Linda, alsof ze van een andere planeet komen, en tuurt om zich heen: lange rijen houten krukjes. De witte, onbereikbare gewelven die de Amerikaanse vlag ondersteunen, op de achterwand. De ramen waardoor een bleek zonnetje naar binnen schijnt. De computers met de registers van de immigranten. Ieren, Italianen, Nederlanders, Spanjaarden.

Russen.

Elettra voelt iemands blik in haar nek prikken. Als ze zich omdraait, ziet ze een man die tegen een koperen balustrade geleund staat. Het is een indiaan, met ouderwetse kleren aan. Hij staat zo roerloos dat hij wel een standbeeld lijkt, maar dat is hij niet.

Waarom kijkt hij naar haar? Er zijn talloze mensen in de hal. Er klinken volop tikkende voetstappen en gedempte stemmen.

De indiaan met de ouderwetse kleren werpt haar een laatste blik toe, maakt zich dan los van de balustrade en loopt weg.

Hij is het, denkt Elettra. Ze weet niet wie hij is, ze weet niet waarom, maar ze begrijpt dat ze hem moet volgen.

Ze zet het op een rennen.

19
DE AFSPRAAK

'En, Mistral,' zegt Sheng in zijn mobiel. 'Iets gevonden?'

Even later spert hij zijn ogen wijd open. 'Hoezo, een nisje? Zijn jullie de Ring van Vuur kwijtgeraakt? In het standbeeld? Wacht even, wacht even! Leg het nou eens goed uit... Over welke engel heb je het?'

Harvey luistert niet eens en begint weer te lopen. De twee vrouwen zijn weer door de deur van de Lucifer naar buiten gekomen.

'Kom op!'

Sheng werpt hem een vlugge blik toe, en fluistert dan in de telefoon: 'Mistral! Wij moeten... Ik bel je straks terug. Echt waar, anders raken we ze kwijt. Ik weet het niet! O, nee hè! Waarom hebben ze hem geslagen?' Zonder de telefoon van zijn oor te halen, zet hij de achtervolging op Harvey in. Die op zijn beurt de vrouwen van de Lucifer volgt. 'Goed! Tot straks. Waar?

Ik weet niet! Maar wie heeft Ermete dan geslagen? Oké. Over een halfuur zijn we er, wat... daar dan ook moge zijn. Nu ga ik, anders verdwaal ik voorgoed!'

Sheng gooit de mobiel in zijn rugzak en wringt zich tussen de menigte door, terwijl hij het ongekamde hoofd van zijn vriend niet uit het oog probeert te verliezen. Als Harvey blijft staan, is Sheng buiten adem en heeft hij het gevoel dat hij uren geworsteld heeft om zich een weg door het oerwoud te banen. 'Ik wil ook op boksen!' barst hij los, terwijl hij zijn vriend bijna in de armen vliegt.

Harvey kijkt serieus. Sheng probeert te begrijpen waar hij naar kijkt, maar de menigte beneemt hem het zicht. 'Wat gebeurt er?'

'Ze zijn iets aan het uitdelen...' mompelt Harvey.

'Wat dan?'

'Foldertjes.'

'Foldertjes?'

'Zo te zien wel.'

Harvey zet een paar stappen en raapt er een op die een jongen net op de grond gegooid heeft.

'Waar gaat het over?' vraagt Sheng.

'Een feest,' antwoordt hij. 'Beter gezegd: een rave.'

'Zo'n wild dansfeest dat de hele nacht doorgaat?'

'Bij metrostation City Hall,' vervolgt Harvey. 'Maar moet je die tekening zien...' Op het foldertje staat de tekst:

THE UNDERGROUND SPIN AROUND
CITY HALL OLD STATION
19TH MARCH - AFTER MIDNIGHT

'De onderaardse draaikolk,' leest Sheng. 'Bij het oude station van City Hall, overmorgen, na middernacht...'

'Misschien hebben we er iets aan,' mompelt Harvey peinzend.

Het tweetal loopt snel weg. Een ontzagwekkend uitziende indiaan raapt een foldertje van de grond op en stopt het in zijn zak.

'De metro stopt niet meer bij de City Hall...' zegt Harvey terwijl hij de plattegrond van de metro bestudeert, die naast de deur van de wagon hangt.

'In het foldertje staat: "oude station"...'

'Tja, ik zou niet weten waar dat is,' bekent Harvey.

Ze stappen uit bij de tweede halte en komen boven als de zon vrijwel enkel nog een herinnering is, ze gaan het Time Warner Centre binnen en lopen naar de cafetaria van Whole Food, de gigantische supermarkt op Columbus Circle.

Als ze van de roltrap zijn gestapt, ziet Sheng Mistral meteen zitten aan een afgezonderd tafeltje.

'Ben je alleen?' vraagt hij zodra hij bij haar is..

'Ja,' antwoordt ze. 'En je hebt geen idee hoe blij ik ben dat jullie er zijn!'

'En Ermete?' vraagt Harvey terwijl hij naast haar gaat zitten.

'Hij is een joggingpak en een jack gaan kopen. Het was echt ongelooflijk! Je had erbij moeten zijn...' Mistral zet een bruin houten kistje op tafel en schuift het naar Sheng.

'Waar komt dat vandaan?'

'Dat werd bewaakt door de waakhond.'

'En wat is het?'

'Maak maar open. Niet bang zijn.'

Sheng laat het slotje openspringen en het kistje gaat open. Er zitten twee vergulde voorwerpen in: een sleutel met nummer 32 en het beeldje van een engel met gespreide vleugels en de rechterhand vooruit gestoken, alsof hij ergens naar wijst.

'Hao! Wat zijn dat?'

'Pak dat engeltje eens,' spoort Mistral hem aan.

Sheng doet wat ze vraagt. Het beeldje is behoorlijk zwaar. Op de onderkant staat de handtekening van de maker: Paul Manship.

'Ik snap het niet.'

Mistral is zo opgewonden dat ze bijna over haar woorden struikelt: 'Met de computers van het Internet Point heb ik ontdekt dat Paul Manship de beeldhouwer is die de Prometheus van het Rockefeller Center heeft gemaakt!'

'En dan?'

Mistral haalt adem en geeft een snelle samenvatting van haar dag: 'De ring rondom Prometheus bevatte een soort nisje. En de Ring van Vuur die we in Rome hebben gevonden paste precies in dat nisje.'

'Hou je ons voor de gek?' roept Harvey.

Mistral besteedt geen aandacht aan hem. 'Terwijl de bewakers op Ermete af gingen, ben ik... naar dat nisje gelopen, ik keek erin... en ik vond dit kistje.'

'Heb je het gestolen?'

Mistrals engelengezicht wordt rood.

Sheng geeft haar een schouderklopje. 'Je bent geweldig! Zo hoort dat!'

'En onze spiegel? De Ring van Vuur?'

Mistral haalt haar schouders op. 'Maak je geen zorgen. Na een paar klappen hebben de bewakers van het Rockefeller Center Ermete "overgehaald" om hem terug te pakken... Hij is weer in de fontein gestapt en heeft hem gepakt. Onder het gelach van alle toeschouwers.'

'Hao!' roept Sheng. 'Dat had ik willen zien!'

'Dan had jij ook nog een mooie foto van hem kunnen maken!'

Het engelenbeeldje wordt doorgegeven aan Harvey, die het argwanend ronddraait. 'Ik weet niet waarom, maar het komt me bekend voor...'

'Misschien ben jij de enige die het iets kan zeggen.'

Na lang nadenken schudt Harvey zijn hoofd. 'Vladimir Askenazy,' besluit hij.

'Wat heeft Vladimir ermee te maken?'

'We hebben drie oude dingen in handen: een ansichtkaart, een sleutel en een beeldje. Bovendien hebben Sheng en ik de plek ontdekt waar de twee dievegges verblijven,' zegt Harvey, en hij vertelt over hun uitstapje naar Hell's Kitchen en laat de folder zien. 'Misschien kan een antiquair ons uitleggen hoe het mogelijk is dat een voorwerp dat duizenden jaren oud moet zijn, zoals de Ring van Vuur... uiteindelijk precies blijkt te passen in een beeld uit...'

'1935,' vult Mistral aan.

'Echt heel vreemd, vinden jullie niet?'

Het mobieltje van Harvey laat een soort kreet horen. Het is Elettra.

Harvey staat met een ruk op en loopt weg, zodat Sheng en Mistral alleen achterblijven.

'Ik weet wie het is,' zegt de Chinese jongen. 'Wil je wedden?'

Het telefoontje duurt een paar minuten, en daarna komt Harvey weer naar het tafeltje, een stuk somberder. Hij gaat niet eens zitten. Hij verbergt het mobieltje in zijn zak, maar zijn ongerustheid kan hij niet verbergen.

'Elettra is onderweg terug van Ellis Island,' zegt hij. 'Ze is... ze is iemand uit het museum tegengekomen, die... haar de immigratieregisters heeft laten zien. Ze zegt dat ze heeft ontdekt dat Alfred van der Berger vanuit Amsterdam in de Verenigde Staten is aangekomen.'

'Te gek!' roept Sheng. Dan weet hij even niets meer te zeggen. 'Hebben we daar dan wat aan?'

'Het is gewoon extra informatie.' Als ze merkt dat Harvey geen aanstalten maakt om te gaan zitten, vraagt Mistral hem: 'Ga je weg?'

'Ik ga haar ophalen bij de terminal van de veerboten. Wat doen jullie?'

Zijn vraag houdt niet eens rekening met de mogelijkheid dat ze met hem meegaan. 'Ik zou wel een hapje willen eten,' zegt Sheng met een blik op de bergen voedsel die hen omringen.

'Oké.' Harvey geeft een klapje op tafel en neemt houterig afscheid.

'Wat is er aan de hand, Harvey?' vraagt Mistral.

'Er is niks.'

'Zeker weten?'

Harvey kijkt omhoog naar de lucht en laat zijn bokstas op de grond ploffen.

'Luister,' begint hij, met zijn handen op tafel. 'Ik heb iets bedacht, maar ik waarschuw jullie dat het eigenlijk onmogelijk is...'

'Zeg op.'

'Als ik gelijk heb, is er nog een klein probleempje. Een probleempje waar ogenschijnlijk geen logische oplossing voor is.'

'En dat is?'

'Die foto bij Agata thuis. Die drie mannen. De namen op de achterkant.'

Mistral leest in haar aantekeningen: 'Paul, Alfred en Robert.'

Harvey wijst naar de handtekening onder op het engelenbeeldje. Paul Manship.

'Ach nee!' roept Mistral. 'Die man leefde honderd jaar geleden!'

'Precies,' zegt Harvey, ongewoon dreigend. 'Dat is ook juist het probleem.'

20
HET REGISTER

Het is inmiddels avond, in Battery Park.

Elettra en Harvey lopen langs de rand van de zee, aan het zuidelijkste puntje van Manhattan. De zon is achter de horizon neergestort, ten prooi aan de lange uren van de winterse nacht.

'Ik dacht dat ik het me inbeeldde...' vertelt Elettra, met haar voeten slepend over het fijne grind van de laan. 'Want waar ik ook keek, die man was weg. Verdwenen, alsof hij nooit had bestaan. Dus liep ik terug. Ik had het bloedheet. Toen hoorde ik ineens iemand vragen of hij me van dienst kon zijn. Ik draaide me met een ruk om. En daar stond hij. De indiaan die me eerder had aangestaard. En ik had me niet vergist: hij droeg echt kleren van honderd jaar geleden. Maar op zijn jas zat een kaartje met zijn naam.'

'Welke naam?'

'Washington.' Elettra glimlacht. 'Toen ik dat kaartje zag,

werd ik ineens rustig, en begreep ik dat Washington bij het museum werkte. Hij was gewoon... in uniform. Ik stelde hem een paar vragen over de geschiedenis van de stad en hij vertelde me over de eerste nederzettingen, over de gevechten in de straten en toen over de wolkenkrabbers, die volgens een legende helemaal door de indianen zijn gebouwd. Hoe dan ook,' vervolgt Elettra, 'terwijl ik met hem praatte, voelde ik me nog steeds... geladen. Dus vroeg ik nog meer, over de immigratie en over Ellis Island, tot hij me meenam naar de computers met alle namen van alle immigranten die de laatste tweehonderd jaar naar de Verenigde Staten zijn gekomen. Hij vroeg me of ik iemand wilde opzoeken... en ik kwam op het idee om het met Alfred van der Berger te proberen.'

Harvey staat stil en kijkt haar aan.

'De computer vond er eentje...' vervolgt Elettra na een lange stilte. 'Toen heb ik hem vast laten lopen. Ik heb het hele computernetwerk vast laten lopen.'

'Hoe weet je dat?'

'Mijn toetsenbord vloog in brand,' voegt ze eraan toe. 'Het kwam door mij. Ik voelde het.'

Harvey en Elettra lopen weer verder tussen de lange schaduwen van de bomen. Ze worden ingehaald door een mevrouw in joggingpak en witte oordopjes, die een poedel meesleept.

'Tussen al die miljoenen geregistreerde namen, handtekeningen en documenten, was er precies één Alfred van der Berger.' Elettra blijft niet ver van de lichte stam van een ceder staan. Er blaast een ijskoude wind vanuit de zee. De bomen zijn skeletachtig en stil, alsof ze levenloos zijn. 'In 1905, Harvey,' fluistert Elettra. 'In 1905.'

'Dat kan niet.'

'Hij was het, Harvey,' houdt het meisje vol.

Harvey lacht nerveus. 'De man die we in Rome hebben ontmoet was niet over de honderd, Elettra!'

'Dat weet ik ook wel. Maar ik zeg je dat hij het was.'

Harvey zwijgt sceptisch. 'Het is waanzin, snap je?' Dan staart hij haar doordringend aan: 'Hoe kun je zeker weten dat hij het was? Als de computer niet was vastgelopen, had hij misschien nog wel... duizenden andere Alfred van der Bergers gevonden.'

'De computer is vastgelopen omdat ik hem heb laten vastlopen,' antwoordt Elettra. 'En ik heb hem laten vastlopen omdat ik voelde dat... hij het was.'

Harvey schudt zijn hoofd. 'Het is gewoon onmogelijk... De gemiddelde levensverwachting van een mens is tachtig jaar.'

'Misschien is Alfred van der Berger niet gewoon... een mens.'

'En wat dan wel?'

Er klinkt geen enkele stem, niet ín Harvey's hoofd en niet erbuiten, die het antwoordt fluistert.

Elettra leunt zachtjes tegen hem aan. 'Ik weet het niet, Harvey. Wij hebben ze altijd... *zij* genoemd.'

Harvey legt zijn handen op Elettra's rug, en drukt haar beschermend tegen zich aan.

'Als *zij* onze vijanden zijn, Harvey... zijn Alfred en de andere mannen die met hem op de foto stonden... zijn vrienden...' De volgende woorden van Elettra worden overstemd door de wind, die de laagste takken van de bomen laat kraken en de schors hard laat worden.

'Vrienden?' herhaalt Harvey.

Elettra's ogen zijn zo donker als inkt. Vol woorden die opge-schreven moeten worden.

'Is er niemand die ons kan helpen, Harvey? Hoor je geen stem, hier, die ons zegt wat we moeten doen?'

Hij verstijft en antwoordt: 'Nee.'

'Ik begin bang te worden.'

Harvey's hart begint steeds sneller te bonzen. Elettra's schou-ders zijn tenger en smal. Haar hals lang en dun. Haar ogen zenden onsamenhangende lichtjes uit.

'Je hoeft niet bang te zijn,' antwoordt hij, en hij kust haar.

21
DE TOREN

Ermete, in volmaakte zwerversvermomming, komt aan op de hoek tussen East 7th Street en Avenue B. East Village is een samenraapsel van rommelige woningen met afbladderende gevels en smalle, vuile straatjes, heel anders dan de volkomen opgepoetste huizen in Upper East Side.

Ermete trekt de rits van zijn kreukelige jas dicht. Zijn wollen muts kan de kou niet weghouden van zijn hoofd.

Het is vroeg in de ochtend. En Ermete heeft een bloedhekel aan de vroege ochtend en alles wat voor elf uur gebeurt. De hemel is een grijze berg, die de zon niet eens weet te beklimmen.

De kinderen zijn er al. Ze staan aan de overkant van de straat op hem te wachten.

'Geen beginnen aan,' zegt hij ter begroeting. Zijn ademhaling condenseert zodra hij uitademt. 'Ik heb het hele nacht geprobeerd, maar ik snap er geen snars van.'

Harvey, Mistral, Elettra en Sheng geven de blaadjes aan elkaar door die vol staan met Ermetes handschrift. Getallen en letters. Getallen en letters.

'Er staat geen alfabetische code op die ansichtkaart,' vervolgt de ingenieur. 'De getallen corresponderen op geen enkele manier met letters. En het is ook geen gekruiste Caesarcode.'

'Heel duidelijk...' bromt Sheng terwijl hij hem de blaadjes teruggeeft.

'Een Caesarcode op basis van 3, bijvoorbeeld, zou betekenen dat je in plaats van elke letter de letter gebruikt die drie posities verderop in het alfabet staat. Je kunt de Caesarcode kruisen met een letter/getalvervanging, maar nee. Ik heb alle mogelijke combinaties uitgeprobeerd. Er is geen enkel terugkerend getal waarmee je een klinker zou kunnen opsporen. En er is ook geen zinnige numerieke relatie. Ik heb het met de tafels van Pythagoras geprobeerd... ik heb enkele matrixen toegepast die ik ken, maar... Het heeft niks opgeleverd.'

Ermete slaakt een zucht. De ochtendkou is echt winters. En de stad lijkt te zijn weggezakt in de meest naargeestige droefheid.

'En?' vraagt Elettra.

'Er zijn maar twee mogelijkheden,' vervolgt de ingenieur. 'De eerste is dat de getallen op de ansichtkaart geen enkele betekenis hebben. Ik noem maar wat... een lijst van uitgaven, lottogetallen...'

'En de tweede?' dringt Mistral aan.

'Dat het een cryptogram is.'

'Geweldig.' Sheng wrijft met zijn handen over zijn armen, in een poging om zich op te warmen. 'En mag ik weten wat dat dan is, een cryptogram?'

'De beroemdste cryptogrammen zijn die van Beale. Ze bevatten de instructies om een schat te vinden, en na meer dan honderd jaar zijn ze nog steeds niet allemaal opgelost.'

'Dan is het vast en zeker een cryptogram,' zegt Harvey cynisch.

'We hebben vijf dagen om het op te lossen, voordat we weer vertrekken,' zegt Mistral. 'Dat wil zeggen, als het cryptogram tenminste op te lossen is...'

'Een cryptogram is tegelijkertijd heel eenvoudig en onmogelijk op te lossen,' vertelt Ermete. 'De enige manier om het te ontcijferen, is erachter zien te komen op welke tekst het gebaseerd is. Het enige cryptogram van Beale dat is opgelost, was bijvoorbeeld gebaseerd op de Onafhankelijkheidsverklaring van de Verenigde Staten. Alle woorden van de Verklaring werden genummerd: 1, 2, 3... tot aan het einde. En vervolgens gaf Beale heel eenvoudig het nummer aan van de verschillende woorden waarvan de eerste letters, achter elkaar gezet, zijn boodschap vormden. Dat was alles.'

'Dus om het cryptogram op deze ansichtkaart op te lossen... moeten wij achterhalen uit welke tekst het gehaald is?'

'Precies.'

'Maar kan het dan van alles zijn?'

'Opnieuw... precies. Zelfs het etiket van een flesje Coca Cola.' Ermete steekt meteen zijn handen naar voren. 'Grapje; daarmee heb ik het al geprobeerd.'

'Maar hoe komen we daar ooit achter?' Mistral lijkt er weinig vertrouwen in te hebben. 'Ster van Steen... Is dat een boek, voor zover jullie weten?'

'We zouden ernaar kunnen zoeken. Tot nu toe is onze enige aanwijzing dat... er een tekst moet zijn die acht jaar geleden bestond,' zegt Ermete. 'Een tekst die nog altijd van waarde is. Die niet kan veranderen. Anders heeft het cryptogram geen betekenis meer!'

De kinderen kijken mistroostig om zich heen. Af en toe ronkt er een auto voorbij.

'Echt een sombere dag, moet ik zeggen, om sombere berichten te ontvangen,' mompelt Elettra.

'Hoe dan ook, wat zoeken we hier eigenlijk?' vraagt Ermete geeuwend.

'Een opmerkelijk detail waar de tol met het oog ons op wil wijzen.'

'Net zoiets als die kat in Rome.'

'Misschien heb ik een idee,' zegt Harvey. 'Nu ik erover nadenk, is er inderdaad iets vreemds hier. Daar, in dat plantsoentje...'

Het is een houten toren. Omsloten door een stukje gras, langs de verharde weg.

'Hao!' mompelt Sheng terwijl hij het groene hekje openduwt om het plantsoen in te gaan. 'Wat is dat? Het grootste stuk speelgoed dat ooit gebouwd is?'

De toren verrijst als een absurde steiger, met balken en houten palen die rommelig boven op elkaar getimmerd zijn. Tussen de openingen door gluren de meest uiteenlopende voorwerpen, als een betoverd volkje: reusachtige knuffels, etalagepoppen van fiberglas, houten paarden, oude draaimolenonderdelen, tafelpoten en lampenkappen, plastic speeltjes, vergeten mascottes.

'Het is een monument voor de consumptiemaatschappij, geloof ik...' legt Harvey uit, terwijl hij met de anderen stilstaat voor de toren van vergeten dingen. 'Vol nutteloze, verloren din-gen die uiteenvallen in de regen.'

'Ik heb nog nooit zoiets gezien,' fluistert Elettra, geboeid door die hoeveelheid uiteengevallen voorwerpen.

'Wat afschuwelijk,' oordeelt Mistral, maar ze blijft wel kijken naar de honderden rariteiten die de toren bevolken.

'Heel vreemd inderdaad,' beaamt Ermete terwijl hij op zijn hoofd krabt. 'Nu nog ontdekken wat we moeten ontdekken.'

'Misschien zit er wel een tol tussen al die frutsels,' grapt Sheng.

Hij haalt zijn fototoestel tevoorschijn en zoomt in op dit of dat detail. Dan wijst Elettra hem op iets aan de andere kant van de toren. Een etalagepop die opgehangen lijkt te zijn aan de benen van een half schommelpaard.

'Zit daar iets onder die etalagepop... of vergis ik me?'

Sheng zoekt het met zijn lens. 'Hebbes!' roept hij even later. 'Ja, je hebt gelijk. Het is een soort ijzeren treintje...'

'Het lijkt of er een opschrift op de zijkant staat. Wat staat er?'

'*Pneumatic Transit*,' leest Sheng nadat hij maximaal heeft ingezoomd. 'Wacht eens, het is geen treintje... Het lijken eerder autootjes die aan elkaar vastzitten. En er staat ook een tekening op: een piramide, een obelisk... Ho eens, nee. Nee maar! Het is een komeet.'

Bij het horen van Shengs enthousiaste kreten komt Mistral dichterbij. 'Hebben jullie iets gevonden?'

'Misschien. Ik wil niet te snel roepen...' mompelt Sheng, ter-wijl hij zijn lens instelt. 'Maar volgens mij zit er in het laatste karretje een sleutelhanger.'

Dan laat hij zijn fototoestel zakken en kijkt de twee meisjes aan, die op hun beurt om zich heen kijken.

Op dat vroege tijdstip komt er geen sterveling langs op Avenue B.

'Zal ik omhoog klimmen om te kijken?' raadt Sheng hun gedachten.

Tien minuten later staan ze allemaal in een kringetje om een bankje waarop een zonderling blikken treintje staat met het opschrift "Pneumatic Transit".

'We beginnen ons als echte vandalen te gedragen,' zegt Mistral, die er duidelijk lol in heeft.

'Denken jullie dat iemand me gezien heeft?'

'Niemand.'

'De vraag is eerder: wat moeten we ermee nu we het hebben gepakt?' merkt Harvey sarcastisch op.

Het treintje ziet er niet uit, het is totaal versleten: aangevreten door het vocht en vol deuken. Het bestaat uit vier cilindervormige wagonnetjes met grote, grappige wielen aan de zijkant, zoals de stoomtreinen uit het Wilde Westen. Op de zijkant van de middelste wagon is een komeet geschilderd. Om het laatste wagonnetje daarentegen zit het kettinkje van een sleutelhanger gebonden, met een groot plastic label en een klein metalen sleuteltje.

'We hebben dit,' zegt Sheng, terwijl hij de nieuwe sleutel omhoog houdt.

Op het label staat een nummer: 171.

'Dat is een priemgetal,' zegt Ermete. 'En het is ook nog een palindroom.'

Als hij de vragende blikken van de kinderen opmerkt, heft hij zijn handen op. 'Neem me niet kwalijk. Ik ben de hele nacht als een bezetene bezig geweest met getallen. Palindromen zijn woorden of zinnen die je ook van achteren naar voren kunt lezen en die dan hetzelfde blijven.'

22
HET PLAFOND

De deur van de antiekwinkel in Queens gaat krakend open.

Vladimir staat kromgebogen in de deuropening, hij zuigt zijn longen vol frisse ochtendlucht en kijkt hoe laat het is. Twaalf uur. Hij is precies op tijd.

Hij veegt zijn zwarte jas af en wacht tot de taxi komt.

'Grand Central, alstublieft,' zegt hij tegen de chauffeur.

Daar aangekomen leest hij iets op een blaadje dat hij opgevouwen in zijn zak heeft, gaat het station binnen, kijkt waar hij heen moet op de borden aan de muren en loopt de tunnel in die naar buiten voert. Vlak voor de Oyster Bar blijft hij staan, loopt naar een hoekje in de drukke hal en gaat met zijn gezicht naar de muur staan wachten.

Hij wil net op zijn horloge kijken als hij de eerste fluistering hoort. Het geluid lijkt uit de stenen van de tunnel zelf te komen, alsof die glashelder een mannenstem aan hem doorgeven.

'Goedendag, Vladimir!' fluistert de muur.

'Goedendag...' antwoordt de oude antiquair tamelijk ver-baasd, met zijn mond vlak bij de stenen van de gewelfde ruimte, precies zoals het op het briefje met instructies staat geschreven.

'Hao! Het werkt echt,' antwoordt de stem van de muur. En voordat Vladimir omkijkt, voegt hij eraan toe: 'Ik ben Sheng, meneer de antiquair.'

'Kennelijk werkt de "fluistertunnel" goed,' zegt Vladimir.

'Zeg dat wel! Ik hoor u zo duidelijk alsof u naast me staat,' roept Sheng, die in de tegenoverliggende hoek van de hal staat.

'Wat zijn de volgende instructies?' vraagt Vladimir, nieuws-gierig geworden.

'Ermete heeft gezegd dat we heel voorzichtig moeten zijn.'

'Dan was hij zeker degene die jullie over deze plek verteld heeft?'

'Inderdaad. Hij zei dat hij dat gezien had in een film waarin...'

'Waar zitten jullie?' valt de antiquair hem in de rede.

'In de Oyster Bar, tafel 18.'

'Is jullie iets vreemds opgevallen?'

'Nee. En u?'

'Ook niet. Ga jij maar vast. Ik kom over een paar minuten bij jullie.'

Vladimir telt tot honderd en draait zich dan om. Voor de zekerheid gaat hij niet meteen het café in, maar loopt hij eerst naar de centrale hal van het station.

Jassen en hoedjes zwermen om hem heen als wollen insecten. Als hij in de hal aankomt, heft Vladimir zijn ogen op naar het plafond. En zodra hij daar boven alle sterrenbeelden geschilderd ziet, weet hij weer hoe dol hij op het Grand Central is. Het heelal met al zijn hemellichamen, de tweelingtrappen van licht marmer en de oude klok, boven de informatiekiosk.

'Elke honderd jaar is het tijd om de sterren te aanschouwen,' mompelt hij bij zichzelf, starend naar de sterren aan het plafond. Elke ochtend benen duizenden mensen dwars door die hal zonder ooit omhoog te kijken. En niemand kent het geheim van die sterren inmiddels beter dan Vladimir. 'Dit is het geheim van Century...' voegt de antiquair eraan toe.

Dan loopt hij terug naar de fluistertunnel. De Oyster Bar grenst aan de korte zijde van de hal. Vladimir trekt de deur open.

Op dat moment vliegt een zwarte vogel dwars door de sterrenhemel van het Grand Central, en strijkt hij even neer op de vergulde spits van de antieke klok.

Het is een raaf met één blind oog.

'Wat een geweldige techniek, jongelui!' begint Vladimir Askenazy terwijl hij aan het tafeltje van de Oyster Bar gaat zitten. 'Als echte spionnen. Ook al... moet ik eerlijk zeggen dat ik even het ergste vreesde toen ik dit briefje onder mijn deur door geschoven vond.'

Niemand zit op al te veel plichtplegingen te wachten. Ze hebben hun lunch nog niet besteld of de kinderen hebben Vladimir al verteld wat ze in Hell's Kitchen hebben ontdekt.

'Lucifer...' herhaalt Vladimir als Sheng de naam van de nachtclub laat vallen. 'Nee. Die ken ik niet. Maar ik ben dan ook geen fervent bezoeker van nachtelijke uitgaansgelegenheden.'

Als Sheng hem de folder van de rave party aanreikt, kijkt de man nog veel somberder. 'Dit lijkt me heel zorgwekkend,' merkt hij op. 'Het City Hall Station is een leegstaand station.' Hij legt zijn lange, albastwitte wijsvinger tegen zijn lippen. 'Als ik me niet vergis, werd het in oktober 1904 geopend, en in december 1945 gesloten. De treinen nummer 4, 5 en 6 richting Brooklyn stopten er. Ik meen dat je tegenwoordig een deel van de ring van het station kunt zien, als je uit het raampje van lijn 6 hangt, net voordat die onder de rivier door duikt.'

'Dus het was een metrostation?'

'Een van de stations van de oude stadslijn van New York. Ik ben er wel eens uitgestapt. Ik herinner me grote bogen, beschilderde plafonds, bordjes aan de muren... ik neem aan dat het allemaal nog net zo is als zestig jaar geleden. Voor zover ik weet zijn de openingen aan de oppervlakte dichtgemetseld toen het station werd gesloten. Dat is alles.'

De kinderen werpen elkaar verontruste blikken toe.

'Hoe dan ook...' verandert Elettra van onderwerp, 'dat is niet de echte reden waarom we u hebben gevraagd om ons hier te ontmoeten. We hebben iets gevonden dat we u willen laten zien. Wat zeg ik, meerdere dingen.'

'Ik luister,' glimlacht Vladimir, terwijl hij zijn lange spinnenhanden op tafel ineenvouwt.

'Het eerste... is dit,' begint Mistral, terwijl ze hem het gouden engeltje geeft dat ze in de fontein van het Rockefeller Center hebben aangetroffen.

Vladimir Askenazy laat zijn mond verbluft openvallen. Hij pakt het vergulde engeltje en draait het zo voorzichtig rond alsof het elk moment kan verpulveren. Dan zet hij het op tafel, kijkt ernaar, krabt aan zijn wenkbrauw, kijkt er nog eens van de andere kant naar en blijft roerloos zitten zwijgen, eindeloos lang.

'En? Wat zegt u ervan?'

'Het lijkt me een kopie,' besluit de antiquair raadselachtig. En hij voegt eraan toe: 'Paul Manship was een van de belangrijkste New Yorkse beeldhouwers van de vorige eeuw. Misschien kennen jullie zijn Prometheus, bij het Rockefeller Center.'

'Dat kun je wel zeggen, ja,' antwoorden de vier kinderen in koor.

'Of zijn interpretatie van de elementen, lucht, water, aarde en vuur, op het gebouw van de Western Union op Broadway. Manship had lange tijd in Europa gestudeerd, in het bijzonder in Rome, waar hij een passie had gekregen voor kunst uit de Oudheid. Hij bestudeerde de oudste Romeinse monumenten en ging van daaruit terug in de tijd om de Grieken, de Egyptenaren en de Assyriërs te bestuderen.'

'En de Chaldeeën?' vraagt Mistral.

'Ook,' beaamt de antiquair. 'Paul was dol op de symbolische taal uit de mythologie. Zijn Prometheus zit dan ook vol symboliek. En ook dit engeltje zou één en al symbolen zijn, als het geen kopie was...' Hij wil verder praten, maar dan zwijgt hij, alsof hij zich heeft bedacht.

'Waarom zegt u dat het een kopie is?' vraagt Elettra.

'Omdat het dat... afgezien van die opgeheven arm...' verklaart de antiquair, 'nu eenmaal is.'

'Een kopie van wat?'

'Van de Angel of Waters in Central Park,' antwoordt Vladimir Askenazy. 'Dat is de engel die boven op de fontein bij het terras van Bethesda staat. Het origineel heeft de armen langs het lichaam hangen, maar voor de rest... is het dezelfde engel.'

'Zijn ze allebei gemaakt door Paul Manship?' vraagt Mistral.

'O nee!' roept de antiquair uit. 'De Angel of Waters is veel ouder. Als ik me niet vergis, is de fontein geopend... in 1873. Men gaf opdracht om de engel te maken ter gelegenheid van de ingebruikneming van de eerste drinkwaterinstallatie van de stad. Die van de Croton-waterleiding, de eerste buizenstelsels van New York. Sindsdien heeft de engel van het terras over de onderaardse waterleiding gewaakt.'

'Maar waarom zou Manship de Angel of Waters hebben nagemaakt?' vraagt Sheng zich hardop af.

'Dat zou ik echt niet weten,' antwoordt de antiquair. 'Misschien moeten jullie me eens vertellen... waar jullie dit beeldje hebben gevonden.'

'In een oude kast,' zegt Harvey vlug. 'Samen met dit...' Hij geeft hem de vergulde sleutel met nummer 32 die bij het engeltje lag.

'Een heel gewone huissleutel.'

'... en met dit,' besluit Harvey.

Nu is het treintje aan de beurt, dat ze van de toren in East Village hebben gepakt.

Bij het zien van het treintje moet Vladimir glimlachen. 'Dit is een modeltreintje van de Beach Railroad...' vertelt hij, terwijl hij het speeltje streelt. 'Aan het eind van de negentiende eeuw groef een kerel genaamd Beach in het geheim een aantal tunnels onder de stad, om het pneumatische transportsysteem aan te leggen. Stel je eens voor, een voorbode van de metro, maar dan een die op perslucht werkt.'

'Te gek!' roept Sheng.

'Zijn project werd uitgevoerd, maar in feite werkte het nooit echt, en de Pneumatic Transport raakte al gauw in de vergetelheid... En dit kettinkje? O, een sleutelhanger.'

'Herkent u het?'

'Zeker. Het is een sleutel van de stationskastjes.'

Een vreemd groepje verlaat de Oyster Bar en loopt door de grote hal van het Grand Terminal Station. Een lange, dunne man, met hoekige bewegingen, toont vier kinderen het plafond van de hal, en wijst erop dat het volledig van de andere kant is geschilderd: 'Dat zijn niet de sterren zoals wij ze vanaf de aarde zien, maar zoals je ze van buitenaf zou kunnen zien, als je naar onze planeet toe reist.'

'Professor van der Berger was geobsedeerd door de sterren...' herinnert Elettra zich. 'Zelfs het plafond van zijn slaapkamer was behangen met sterren.'

'Wie zou dat niet willen?' zegt de antiquair instemmend. Voordat hij vertrekt, wijst hij hen nog waar de kastjes zijn. 'Als jullie nog meer advies nodig hebben, weten jullie waar je me kunt vinden.'

'Reken daar maar op,' zeggen de kinderen ten afscheid.

Eenmaal met zijn vieren, zoekt Sheng kastje nummer 171 en probeert het open te maken. Het slotje biedt even weerstand, maar bezwijkt uiteindelijk.

'Nee maar!' roept de Chinese jongen met de lichte ogen, als hij denkt een leeg kastje aan te treffen.

Maar op de bodem ligt toch een oude ansichtkaart. Er staat een stukje van het bouwproject van de Brooklyn Bridge op, en hij is geadresseerd aan Paul Manship. Er staat geen adres bij.

De tekst achter op de ansichtkaart luidt:

7, 212, 51, 113, 65, 186, 168, 101, 102, 107, 73, 155, 87, 164, 77, 26, 71, 25, 212, 141, 174, 178, 212, 61, 26, 121, 174, 186, 41, 45, 251, 3, 1, 53, 45, 128, 13, 13, 42, 128, 212, 168, 1, 2, 90, 139, 198, 27, 26. Ster van Steen, 3 van 4.

23
CENTURY

Het Terras van Bethesda is een van de weinige door mensen-
handen gebouwde architectonische elementen in Central Park.
Het bevindt zich in het zuidelijke deel, op een mooie open plek
die uitkomt op een rustige vijver. Links en rechts ervan starten
verschillende rustgevende weggetjes tussen de bomen door. De
fontein is rond en ligt bijna aan het eind van het terras. Het is
een laag, donker bassin. In het midden, op een voetstuk ondersteund door zuiltjes, staat de Angel of Waters, haar vleugels uit-
gevouwen als in een omhelzing, met zekere blik recht voor zich
uit te kijken.

'Vladimir had gelijk...' zegt Elettra zodra ze hem ziet. 'Het is
inderdaad dezelfde engel.'

'En nu?' vraagt Harvey.

De armen van de engel hangen omlaag. Het water van de
fontein is doorzichtig en ijskoud. De wind stuurt rimpels over de

vijver. Een zwerver die in de buurt rondhangt loopt naar een kraam waar koffie wordt verkocht, bestelt een beker en komt langzaam op de kinderen af lopen, jammerend van de pijn.

'Ik snap niet hoe jullie dit kunnen drinken, het is gewoon kokendheet!' klaagt Ermete, nog steeds in dezelfde vermomming als die ochtend. 'Alles goed gegaan met de antiquair?' vraagt hij dan, terwijl hij op een bankje gaat zitten dat niet ver van hen af staat. 'Heeft hij het kaartje ontvangen?'

De vier knikken. Een meneer met twee honden aan de riem rent langs de fontein, en verdwijnt dan over een pad aan de linkerkant. In de takken van een eeuwenoude boom zit een raaf zachtjes te krassen.

Ze vertellen Ermete alles. Dan loopt Elettra half om de fontein heen, en komt dan weer terug. Ermete nipt van zijn koffie. Sheng leunt op de rand van het bassin en tuurt aandachtig naar het standbeeld. Mistral voegt zich bij hem. Ze zet de kopie van de engel op de rand van de fontein en begint hem naar rechts en naar links te draaien.

'Misschien wil deze engel ons iets aanwijzen...'

'Wat is hier verder in de buurt?' vraagt Sheng aan Harvey.

Die wijst naar het bos. 'Dit hier achter mij is het dichtste bos van het park. Voor de fontein ligt een wandelgebied. Fifth Street is ongeveer daar, links, en als je dat pad links neemt, kom je bij de aardbeivelden, de "Strawberry Fields" die John Lennon en zijn vrouw Yoko Ono hebben aangelegd.'

Ermete snuift. 'Mistral heeft gelijk.' Hij staat op van het bankje en geeft zijn kokendhete koffie aan Sheng. 'Hou eens vast.'

Hij loopt naar Mistral en pakt het beeldje aan. Hij kijkt naar het ijskoude water van de fontein en snuift opnieuw. 'Politie?'

Elettra schudt van nee.

'Je wilt toch niet...' begint Mistral.

Maar het is te laat. Ermete staat al in de fontein.

Roerloos aan de rand kijken de kinderen hoe hij gillend van de kou door het water rent, dat tot aan zijn knieën reikt. Hij is bijna bij het voetstuk in het midden als de man van het koffie-stalletje hem opmerkt en een gedempte kreet slaakt.

Ermete loopt gewoon door. Hij bereikt het midden van het bassin, grijpt zich vast aan een zuiltje en trekt zich op. In zijn andere hand houdt hij het vergulde engeltje, en terwijl hij het voetstuk zorgvuldig onderzoekt maakt hij er een rondje omheen.

'Waar denken jullie dat hij mee bezig is?' vraagt Sheng mis-troostig vanaf de rand van het bassin.

'Ik denk dat hij de nis zoekt waar het... precies in past,' ant-woordt Mistral.

'Net zoals bij het beeld van Prometheus?'

'Zoiets.'

'En... zal het hem lukken?' vraagt Elettra.

'Als ze hem niet eerst neerschieten wel.'

'Misschien moeten we hem helpen.'

'Hoe dan?'

'Een afleidingsmanoeuvre.'

'Wie weet er iets?'

'Zullen we de eigenaar van dat kraampje uitschakelen?' stelt Sheng sarcastisch voor.

De man in kwestie staat intussen tegen de zwerver tekeer te gaan, waardoor een aantal mensen nieuwsgierig dichterbij is gekomen.

Ermete trekt zich nergens iets van aan en is nu aan de voorkant van het voetstuk van de engel beland, waar hij iets lijkt te
hebben gevonden.

Hij bukt zich, duwt het engeltje tussen de zuilen door en laat
hem daar een paar tellen zitten. Dan kijkt hij om zich heen,
pakt het engeltje terug en springt weer in het water, waarna hij
naar de rand van de fontein begint te rennen.

'Geen afleidingsmanoeuvre meer nodig, lijkt me,' zegt Harvey.

'Ik denk dat hij meer heeft aan een droge broek en schoenen.'

De kinderen kijken bezorgd naar de mensen die zich om de
fontein verzamelen. Ermete komt met een brede glimlach op
zijn gezicht naar hen toe rennen.

'Er was er een! Ook in dit standbeeld zat een opening!'

Juist de man van het koffiestalletje is degene die hem uit de
fontein hijst. Hij scheldt hem de huid vol, maar dat gaat bij
Ermete volledig het ene oor in en het andere weer uit.

De Romeinse ingenieur baant zich een weg tussen de nieuws-
gierigen door, wenkt de kinderen en zegt: 'Kom, we gaan.'

Als ze verderop staan, verklaart Ermete de kinderen wat er
precies is gebeurd: 'Het engeltje paste precies in het voetstuk.
En het wees naar links, in die richting... naar die wolkenkrabbers. Toen moest ik aan de sleutel denken...'

'Die huissleutel?'

'Precies.'

'Wat voor wolkenkrabbers zijn dat?' vraagt Mistral aan Harvey.

'Die daar, met die twee torens, is de San Remo,' antwoordt
Harvey.

Maar Ermete schudt zijn hoofd. 'Niet die. Dat gebouw meer
naar het zuiden. Daar achter.'

Harvey staat op slag stil. 'Het Century Building.'

De ingenieur knikt. 'Ja. Het Century. Dat moet het zijn.'

De portier van het Century Building zegt al de tijd dat ze omhoog gaan geen woord. Maar zijn argwanende blik zegt genoeg over wat er in hem omgaat. De lift zoeft razendsnel omhoog. Ermete, vermomd als zwerver, staat naast de portier en probeert zo min mogelijk te druppelen, maar rond zijn voeten heeft zich al een flinke natte plek gevormd. Harvey, Sheng, Elettra en Mistral staren naar de wijzer die de verdiepingen aan-geeft en die duizelingwekkend snel naar nummer 32 schiet.

Dan komt de lift met een trilling en een zucht tot stilstand, en de portier gaat hen plechtstatig voor door de gang. 'Deze kant op, alstublieft,' mompelt hij vol weerzin.

Ermete sjokt druipend achter hem aan.

De deur waar ze naartoe worden geleid is van licht, glanzend hout, zonder een naambordje. De gang heeft een marmeren vloer waarin je je zou kunnen spiegelen.

Nadat de portier de deur heeft aangewezen, blijft hij onbe-weeglijk staan.

'Mag ik?' vraagt Ermete terwijl hij langs hem heen probeert te schuiven. 'Ach ja...' mompelt hij dan, en hij rommelt in zijn zakken op zoek naar een paar dollar fooi. Hij vindt een briefje van vijf en overhandigt het aan de portier. 'Dank u wel, heel vriendelijk van u.'

De portier stopt het biljet met professionele snelheid in zijn zak en loopt dan met een laatste argwanende grimas weg,

starend naar de kletsnatte voetafdrukken die de zwerver heeft achtergelaten.

'Maakt u zich geen zorgen!' schreeuwt Ermete hem achterna. 'Straks maak ik alles schoon.'

De vergulde sleutel draait. Het slot klikt. Een, twee, drie keer draaien en de deur gaat open.

'Hao!' roept Sheng. 'We hebben het raadsel opgelost.'

'Ze noemen me niet voor niets de heer der fonteinen,' grapt Ermete terwijl hij iedereen naar binnen duwt.

Het appartement is donker, er hangt een bedompte geur. Terwijl ze op de tast naar het licht zoeken, zetten de kinderen oude kroonluchters in werking waarvan de helft van de peertjes gesprongen is.

Er staat niet één meubelstuk, nergens. Het appartement is verlaten, volkomen leeg. Geen stoel, geen tafel, geen kleedje.

Het niets.

De vijf doorzoeken snel alle vertrekken.

Sheng loopt naar de ramen die op Central Park uitkijken en staart stomverbaasd naar dat grote stuk groen midden in de stad. 'Hoe is het mogelijk dat je zo'n appartement niet gebruikt?' stamelt hij dan hardop.

'Misschien omdat je dood bent?' antwoordt Harvey.

Hij houdt iets in de hand.

'Hebbes!' roept Elettra als ze ziet dat het een ansichtkaart is.

Het is een oude afbeelding van het Rockefeller Center in de jaren dertig, gericht aan een zekere Robert Peary, zonder adres.

De tekst is hen inmiddels welbekend:

56, 90, 102, 168, 241, 241, 34, 125, 81, 212, 201, 79, 67, 216, 28, 107, 69, 83, 102, 18, 56, 210, 85, 100, 102, 56, 55, 102, 26, 38, 20, 102, 212, 25, 212, 102, 81, 4, 229, 147, 83, 102, 91. *Ster van Steen. 4 van 4.*

Egon Nose beent onophoudelijk door zijn werkkamer.

Dan is hij het wachten beu, hij spert de deur open en loopt hinkend door de lange zwarte gang. Van daaruit komt hij op de bovenverdieping van zijn nachtclub, de Lucifer. Het is net een rode grot, met vormeloze banken, lampen als stalagmieten, gebogen schaduwen, holle stalactieten vol luchtbubbels. Overal dreunt een stampende muziek. Er staan mensen wiegend te dansen. De meisjes bedienen aan de tafeltjes. Anderen dansen op het toneel, gekleed als zwarte engelen.

Doctor Nose loopt naar het eerste meisje dat hij tegen het lijf loopt en schreeuwt haar in het oor: 'Ik wil ze hier hebben. Onmiddellijk!'

De vrouw rent over de bloedrode vloerbedekking en verdwijnt over een trap met aluminium treden. De nepkaarsen gloeien op de spiegelwand.

Egon Nose glimlacht. Hij ziet zijn klanten drinken, dansen en de hele buitenwereld vergeten. Hij leunt tegen de buisvormige leuning en weet zich een paar tellen lang te ontspannen. Dan is hij weer op het heden geconcentreerd. Zijn meisjes komen eraan. Zijn vijf roofdieren. Panter, Marter, Fret, Nerts en Mangoest.

Vijf prachtige, gewetenloze vrouwen.

Doctor Nose heeft het krantenknipsel bij zich. Hij geeft het aan de vrouwen. Het is zo'n gratis krantje dat in de metro wordt uitgedeeld. Het artikel is kort, maar er staat een kleurenfoto bij. En een titel: *Weer een duik voor de heer der fonteinen?*

Op de foto staat een man die uit de Bethesda-fontein wordt gehesen.

'Herkennen jullie die man?'

De krant gaat van hand tot hand, tot hij weer bij Egon Nose komt.

'Nee? Dan zal ik jullie vertellen wie hij is. Dat is de man die jullie hebben gevolgd. Degene die voortdurend zijn moeder belt. Onze kleine... postduif.'

De vrouwen staren hem aan zonder iets te zeggen. Hun vloeibare ogen hebben dezelfde vorm als edelstenen.

'En weten jullie wat hij aan het doen is? Uhhuhhuh. Er staat in het artikel dat... deze illustere onbekende de afgelopen dagen zowel in de fontein bij het Rockefeller Center is gesprongen, als in deze in Central Park. Niemand weet waarom. Ook wij niet.'

De vrouwen kijken de oude man aan, zonder iets te zeggen. Vijf standbeelden, dodelijk volmaakt. En stil.

'De vraag is: waarom weten wij dat niet?' De ogen van Egon Nose schieten vuur. 'Hebben we iets verkeerd gedaan? Maar wat? Ik weet het niet... Maar ik ben niet van plan om een telefoontje te krijgen van alleen-ik-weet-wie met de vraag wat hier aan de hand is. Dus de plannen zijn veranderd. Ik... kan het niet uitstaan... sterker nog... ik haat... alleen al het idee dat we te maken hebben met die vervloekte... kinderen. Maar... wij weten waar één van hen woont. Toch? Die Miller? Harvey Miller?'

De man begint heen en weer te strompelen, en probeert het stilzwijgen van zijn meisjes te interpreteren.

'Maar we weten niets van de anderen, omdat... Omdat die kinderen kennelijk helemaal niet zo slecht zijn. Ze splitsen zich op, ze spelen spionnetje. En wij volgen ze niet goed genoeg. Dus ik zeg... laten we dat beter doen, en laten we ons ervan verzekeren dat ze naar ons toe komen. Hoe? Uhhuhhuh... welke man zou weerstand kunnen bieden aan een echte lonkende vrouw? Ja, uitstekend, uitstekend plan, lieve dames van me! Ga op zoek naar die heer der fonteinen. Volgens mij heeft hij echt behoefte aan een beetje gezelschap...'

24
DE TERUGKEER

Een nieuwe avond valt over New York. De lange, knokige gestalte van Vladimir Askenazy verlaat het gebouw van de *New York Times* nadat hij een hele dag heeft doorgebracht met het uitpluizen van oude krantenartikelen. Hij maakt zich zorgen. Heel veel zorgen.

Hij heeft onderzoek gedaan naar de Lucifer en de geheimzinnige eigenaar ervan. En hij heeft materiaal verzameld waar hij liever nooit mee in aanraking was gekomen.

Het is nog erger dan hij had gedacht.

Nog veel erger.

Nu denkt hij somber en geschrokken na over wat hij het beste kan doen. Hij loopt de trap af om de metro naar de Village te nemen, en onder het wachten overweegt hij welke woorden hij het beste kan gebruiken. Hij mag niet alles vertellen. Hij kan alleen maar suggesties doen, dingen laten doorschemeren, sturen. Een weg wijzen.

Maar die weg moeten ze vervolgens wel alleen afleggen.

Dat maakt deel uit van het Pact.

'Wat maakt het uit langs welke weg je... verkeerd gaat?' mompelt hij, bitter terugdenkend aan vele jaren geleden, toen hij, Alfred, Irene en... en zij, dezelfde uitdaging waren aangegaan. Zonder dat ze daarin waren geslaagd. Geen aandacht besteed aan de aanwijzingen. Zomaar de verkeerde kant op gegaan.

Het was in 1908.

Het was een eeuw geleden.

Als Vladimir Askenazy uit de metrohalte komt, zit er een gelukzalige glimlach op zijn gezicht geplakt. Hij is altijd dol geweest op deze wijk in Manhattan, met de lage huizen, de hemelbomen, de warmte van de kronkelige straten.

Vladimir kucht, trekt zijn jas dichter om zijn hals en denkt aan de jaren die achter hem liggen. Doorgebracht met het bewaken van een geheim dat hij zelf ook niet eens tot op de bodem kent: het geheim van Century. Een eeuwenoud pact, bezegeld tussen de mens en de natuur. Een pact dat verbonden is met de Aarde en haar elementen, geschreven met de baan van de sterren en de tollen. Een pact van stilte en van geheimen die ontrafeld moeten worden.

'Ontrafelen betekent onthullen, reveleren,' citeert de antiquair die al twee eeuwen leeft. 'En in het Latijn betekent *revelare* eigenlijk "opnieuw verhullen met een sluier". Het is als een slang die in zijn eigen staart bijt.'

Als hij de hoek van Grove Court om gaat, deinst Vladimir ineens achteruit. Voor het hek van het huis staan Harvey en Elettra in innige omhelzing.

Dat was natuurlijk niet voorzien, denkt de antiquair. Zelfs niet door Irene. Eigenlijk moet hij er wel om lachen. In het hart van de tragedie ontluikt zomaar ineens een jeugdige liefde. Zo'n onbekommerde, fantastische kalverliefde, die je de rest van je leven bijblijft.

Maar wat moet hij nu doen?

Hij kijkt ongemakkelijk om zich heen. Manhattan is donker, somber. Een indiaan in postbode-uniform steekt de weg over met zijn tas vol brieven die bezorgd moeten worden. Er hangt een vreemde mist. En er is niets dat op het voorjaar wijst.

Hij onderdrukt een rilling.

Dan hakt hij de knoop door en slaat de hoek om.

'Meneer Vladimir!' roepen de twee jonge mensen zodra ze hem opmerken. 'Wat doet u hier?'

Ook al voelen ze zich een beetje betrapt, Harvey en Elettra komen heel kalm over. Ze vertrouwen de antiquair zelfs toe dat ze een derde ansichtkaart hebben gevonden.

'Robert Peary?' vraagt hij, als ze vertellen aan wie deze gericht was. 'De ontdekkingsreiziger?'

'Kent u hem?'

'Hij is de man die Groenland heeft ontdekt, en... die het Museum of Natural History in New York een van de grootste meteorieten ter wereld heeft bezorgd.'

'Misschien had Mistral dan wel gelijk!' roept Elettra als ze het woord meteoriet hoort. 'De Ster van Steen...'

Vladimir trekt een gezicht. 'Misschien moeten jullie nog wat verder zoeken...'

'Hebt u nog een suggestie?' vraagt Harvey terwijl hij zijn arm om Elettra's middel slaat.

'Eerlijk gezegd niet. Ik ben gekomen om jullie te waarschuwen.'

'Waarschuwen?'

Vladimir kijkt om zich heen en wijst op het hek. 'Kunnen we?'

'Alleen tot in het trapportaal,' antwoordt Harvey. 'Mijn ouders zijn thuis.'

'Nog altijd beter dan buiten in het donker.'

Het drietal loopt door de bloeiende tuin, waar de lucht zelf warmer lijkt en de aarde compacter. Ze gaan de hal van Harvey's huis binnen en blijven onder aan de trap staan.

'Hij heet Egon Nose,' begint de antiquair. 'Hij is het probleem. Hij is de eigenaar van de Lucifer. Een crimineel. Hij heeft al jarenlang nachtclubs in de stad, en het merendeel ervan is gesloten vanwege problemen waar jullie je niet eens een voorstelling van kunnen maken. Het ergste van het ergste. Maar...' Vladimir wrijft in zijn lange, verstijfde handen. 'Hij is er altijd ongeschonden uit te voorschijn gekomen. Hij heeft belangrijke vriendjes, denk ik. Sommigen hebben het over politici. Anderen zeggen bij de politie. De ene club is nog niet gesloten of hij opent alweer een nieuwe. En dan stroomt het geld weer binnen. In de horecawereld noemen ze hem Doctor Nose, vanwege zijn groteske uiterlijk. En vanwege zijn neus voor goede zaken. Ik weet niet waar jullie naar op zoek zijn...' vervolgt de antiquair, 'maar jullie moeten oppassen voor hem en voor zijn meiden. Kennelijk omringt hij zich met al even angstaanjagende vrouwen.'

Elettra rilt, en drukt Harvey tegen zich aan.

'Snappen jullie waarom ik meteen naar jullie toe ben gekomen? Ik... zal proberen wat vrienden van me te waarschuwen, maar in de tussentijd vraag ik jullie om... Ik weet niet wat ik jullie vraag. Wees voorzichtig, oké?'

Alsof hij zich schaamt omdat hij zijn mond voorbij heeft gepraat, draait de antiquair zich om.

'U ook, meneer Vladimir!' roept Elettra hem na.

De straatlantaarns in 35th Street vormen bleke aanhalingstekens van licht, die in de grauwe lucht lijken de zweven. In New York is mist in het voorjaar niets bijzonders. Maar het is wel ongewoon dat het zo'n dichte mist is.

Ermete loopt langzaam, want zijn voeten doen pijn. Niet alleen doordat hij ze in het ijskoude water van de fontein heeft gestoken, maar vooral omdat hij de halve stad door heeft gezworven op zoek naar een manier om de nummers op die ansichtkaarten te ontcijferen. En hij heeft geen enkel boek weten te vinden. Geen enkele tekst die als referentie kan dienen. En ook geen verdere aanwijzingen over wat de *Ster van Steen* zou kunnen zijn. Hij heeft een briefje in zijn zak waarop vijfentwintig pogingen staan die hij heeft uitgevoerd.

En afgestreept.

Vijfentwintig paden die op niets zijn uitgelopen.

Misschien gaat het morgen beter, zegt hij bij zichzelf terwijl hij zijn huis nadert.

Als een van hen nu eens een gelukje zou hebben, eentje maar, dan zouden ze verder kunnen. Anders... zijn de tollen nog het enige wat overblijft. Nog een keer gooien.

Ermete merkt dat er iemand staat, op de stoep voor zijn huis. Er tekenen zich schimmen af tegen de mist.

'Hoezo, stad aan de zee...' mompelt hij. 'Het lijkt eerder of we in Londen zijn.'

Ook al is hij nog nooit in Londen geweest.

De eerste die hij uit de mist rondom zijn huis ziet opduiken is een jonge vrouw. Het zegt hem niets. In zijn hoofd rinkelt geen enkele alarmbel. Pas als hij de tweede ziet, en de derde, begrijpt hij dat er iets niet in de haak is.

Drie vrouwen. Extreem lang, extreem mooi. Ze dragen felgekleurde ski-jacks, hoge sjaals die hun gezicht bedekken, soldatenkistjes en wollen handschoenen.

'Potverdorie...' mompelt Ermete, die zich steeds meer zorgen begint te maken. Hij duwt zijn handen diep in zijn zakken. Hij gaat langzamer lopen, controleert het huisnummer, maar er is geen twijfel mogelijk. Die drie staan precies voor zijn huis.

Wat kan ik het beste doen, vraagt hij zich af. Omdraaien en wegrennen? Of ze negeren en gewoon doorlopen? Misschien herkennen ze hem niet. Misschien zien ze hem aan voor een willekeurige zwerver.

Hij laat zijn hoofd hangen en loopt door. Hij zet vijf, tien, twintig stappen.

En hij begint al te geloven dat hij het gered heeft, als hij de kistjes van de vrouwen in beweging hoort komen.

Hij wacht geen tel langer en zet het op een rennen. Onder het rennen denkt de ingenieur aan wat hij in zijn zak heeft:

niks. En wat heeft hij thuis laten liggen? De spiegel. De rest is in handen van de kinderen.

Hij verfrommelt het briefje waarop de getallen van de ansichtkaarten staan en gooit het op de grond, in de mist.

Hij rent stuntelig, onhandig. Hij rent als iemand die dat nog nooit gedaan heeft.

Maar niet lang.

Eerst voelt hij een tik tegen zijn rug, en dan heeft hij ineens geen grond meer onder zijn voeten. Hij struikelt, valt voorover. De klap tegen het trottoir is heftig.

Ermete rolt twee keer over de kop. Dan blijft hij versuft liggen, met een pijnlijke mond en wang. Hij hoort voetstappen dichterbij komen. Hij ziet hun kistjes. Hij kan zich niet verroeren. Iets zwaars houdt hem tegen de grond gedrukt.

Een van de drie vrouwen bukt zich vlak bij zijn gezicht. Ze heeft heel lang, rood haar, en ogen zo groen als smaragden. Op elk ander moment in zijn leven zou Ermete op slag verliefd op haar zijn geworden.

Maar nu jaagt dat gezicht hem alleen maar angst aan. En die volmaakte mond lijkt op het punt te staan om hem te verslinden.

'Wat... willen jullie?' weet hij uit te brengen. Een dun sliertje kwijl druipt uit zijn mond. Hij heeft het gevoel dat hij een tand gebroken heeft.

Maar hij krijgt geen antwoord.

Sheng ligt in bed, en hij droomt. Hij weet heel goed dat het een droom is, maar hij kan er niet mee stoppen. Hij is bang, want het is weer diezelfde droom. De droom die om de zoveel tijd terugkomt. Hij is in de jungle, met Harvey, Elettra en Mistral. Het is een tropisch oerwoud, bloedheet en volkomen stil. Er is geen enkel insect, geen enkele vogel. Het lijkt net of het leeg is. Tussen de planten prijkt af en toe een monument uit de oudheid: een gebouw, een zuil, een obelisk, alsof de jungle boven op een stad is gegroeid. Dan maakt de tropische begroeiing plaats voor een vlakte van fijn, helderwit zand, dat onder hun voeten knerpt. Achter een smalle strook blauwe, heldere zee ligt een klein eiland overdekt met algen. Ze duiken alle vier in de stille golven. Een vrouw staat op ze te wachten op het strand. Haar gezicht is bedekt met een sluier, en ze draagt een nauwsluitende jurk waarop alle dieren van de wereld getekend zijn. Het lukt Sheng niet om het water uit te komen. De vrouw daarentegen loopt naar hem toe, haar jurk bolt op. Ze pakt zijn rechterhand. Sheng merkt dat hij het levenloze lijfje van een postduif in de hand heeft.

En precies op dat moment spert hij zijn ogen open.

Het geklapwiek en de zachte tikjes tegen het dakraam herkent Harvey inmiddels zelfs als hij diep in slaap is. Hij gaat overeind zitten alsof hij nog niet eens heeft geslapen, en zonder het licht aan te doen klimt hij naar de vliering. Hij zet het raam open. Het is een duif van Ermete.

Nog loom van de slaap laat Harvey hem binnen, en stopt hem in de kooi bij de andere.

Hij maakt de boodschap los en leest hem:

DE TERUGKEER

We verwachten jullie morgenavond,
op het feest in City Hall.
Jullie vriend is al bij ons.
Als jullie hem willen terugzien,
neem dan alles mee wat nodig is.

25
HET FEEST

Voor ze het weten is de volgende avond al aangebroken.

Meneer Miller, die in zijn werkkamer zit, kijkt op van zijn papieren. 'Kom binnen,' zegt hij.

Het is zijn vrouw. Zoals altijd beweegt ze zich omzichtig en doet ze de deur heel zachtjes dicht.

'Is hij weg?' vraagt de professor, terwijl hij zijn bril van zijn neus haalt en op zijn bureau legt.

'Heel chic, bijna onherkenbaar,' antwoordt zijn vrouw. 'Volgens mij heeft hij zelfs zijn haar gekamd.'

Meneer Miller komt uit zijn fauteuil, loopt om zijn bureau heen en gluurt uit het raam. 'Fijn om te horen.'

Zijn vrouw komt bij hem staan. Ze leunt tegen zijn schouder aan en zucht. 'Maak je je geen zorgen?'

'Waarover'

'Het is al avond. En hij gaat in zijn eentje naar een feest.'

'Hij is vijftien. En hij is niet alleen. Hij gaat met zijn vrienden.'

'Ja, maar...'

'Maar wat?' De professor draait zich langzaam om en neemt zijn vrouw in zijn armen. 'Nee. Niet zeggen. Je mag het niet eens denken.'

'Ik probeer het... om niet ongerust te zijn... Maar dat is niet makkelijk.'

'Het is voor iedereen moeilijk, ook voor hem. Maar nu hij eenmaal heeft besloten om lol te maken, moeten we hem zijn gang laten gaan. We moeten hem vertrouwen. Hij is toch onze zoon?'

'Dwaine zou hem graag hebben weggebracht... en misschien wel op hem hebben gewacht.'

'Misschien doet hij dat nu ook wel...'

Mevrouw Miller snikt, haar gezicht tegen het overhemd van haar man aan gedrukt. 'Dat uitgerekend jij zoiets zegt.'

'Hoezo uitgerekend ik?'

'De meest verstandelijk denkende mens ter wereld.'

Meneer Miller maakt zich langzaam los uit de omhelzing. 'Af en toe heb je niet genoeg aan alleen je verstand.'

Hij loopt naar zijn bureau om een stapeltje papieren te pakken. 'Weet je nog van dat gedoe over de temperatuur van de oceaan?'

'Dat wat je had laten overdoen?'

'Al die gegevens zijn bevestigd. Een halve graad meer!' Meneer Miller richt zijn ogen naar de hemel. 'En dan? Welke logica kan ons helpen om zoiets te begrijpen? De zee is zich aan het opwarmen als een gigantische snelkookpan. Dat komt niet alleen door het broeikaseffect. Het is het effect van de mens, op volle kracht.'

'Is dat erg?'

'Nee. Het is erger dan erg. Het is een ramp. Als de aarde een patiënt in het ziekenhuis was, zouden we haar testament alvast kunnen openmaken. Daarover zouden wij volwassenen ons zorgen moeten maken. Niet over onze zoon die naar een feestje gaat.'

'En wat kunnen wij daaraan doen?'

'Wat gebeurt er als zelfs wij niets doen? Is er dan nog wel iemand die iets voor onze planeet doet?'

Mevrouw Miller is nog steeds bezorgd.

'Zolang er elektriciteit is, mag Harvey het licht aandoen. Wat ben je toch altijd zwartgallig,' zegt ze tegen haar man.

De professor gooit de blaadjes kriskras op zijn keurig geordende bureau. 'Het is een chaos. En ik heb een bloedhekel aan chaostheorieën. Er moet toch ergens orde zijn! Er moet iets zijn dat we kunnen doen.'

'Je zou die vriend van je, die journalist is, kunnen vragen om een artikel te schrijven.'

'Ach, wie leest er tegenwoordig nog een krant?'

Zittend op het bed met een handdoektulband om haar hoofd, bekijkt Linda Melodia haar nichtje Elettra met dezelfde keurende blik waarmee ze bij de slager een braadstuk zou uitkiezen.

'Wat voor feest is het?' vraagt ze voor de zoveelste keer.

235

'Tante!' roept Elettra geïrriteerd. Ze heeft geen zin in een discussie. Niet vanavond. 'Het is gewoon een feestje. Bij vrienden van Harvey thuis.'

'En ben je van plan om naar een feestje bij vrienden thuis te gaan... in dat rokje? Of nee, sorry, waar is je rok eigenlijk?'

Elettra trekt haar minirokje tot bijna aan haar knie. 'Dat hoort zo, tante! Dat is mode!'

'Hm... dat zeg jij.'

'En jij dan?' vraagt Elettra, wijzend op de glitterjurk die aan de kast hangt te luchten. 'Jij gaat vanavond uit met een decolleté tot aan je navel...'

'Brutale griet!' roept Linda dreigend. 'Hij is helemaal niet zo diep uitgesneden. En trouwens, neem me niet kwalijk, ik ben wel een stuk ouder dan jij. En heel wat... beschaafder.'

'Ik zit jou anders niet uit te horen over waar je gaat eten en met wie.'

'Maar dat weet je heel goed! En trouwens, hou op over mij. Jij bent het probleem, en dat feest van je. Ik denk niet dat Mistral zo'n rokje aantrekt...'

Elettra snuift en gaat terug naar de badkamer.

De volgende tien minuten is ze druk in de weer met make-up, tot er op de deur wordt geklopt.

Het is Harvey, in een smoking die hem als gegoten zit boven zijn gymschoenen. Alleen zijn vlinderdasje zit scheef.

'Hallo Harvey,' begroet Linda Melodia hem, 'Elettra komt er zo aan.'

Ze probeert zich zoveel mogelijk in te houden, maar ze kan het toch niet laten om even snel een ongevraagd advies te geven. 'Als je wilt, kan ik je wel helpen om het recht te krijgen.

Je moet er harder aan trekken, hier, bij je hals...'

Harvey's gezicht loopt rood aan van verlegenheid.

Maar Elettra komt al aanrennen, voor het te laat is.

'Tante!' roept ze verwijtend terwijl ze tussen hen in gaat staan. 'Je ziet er zo prima uit, Harvey.'

Ze nemen haastig afscheid, dan sluit Linda de deur achter hen en leunt ertegenaan. 'En of je er zo prima uitziet, Harvey!' mompelt ze. 'Was ik er maar ooit zo een tegengekomen, toen het moment daar was.'

Vanuit de gang klinkt het onstuimige gelach van Sheng. Wetend hoe hij gewoonlijk zijn kleren op elkaar afstemt, heeft Linda de neiging om de gang op te gaan en ook hem even te fatsoeneren, maar ze houdt zich in. Alleen Mistral ziet er altijd tot in de puntjes verzorgd uit.

Van onder het bed steekt een papieren zak, het resultaat van Elettra's winkelavontuur. Linda kijkt er even in, trekt hem dan onder het bed vandaan en stopt hem in de kast, naast het bronzen Vrijheidsbeeldje.

Ze aait over haar avondjurk, haalt haar haren uit de handdoektulband en zegt: 'En nu tussen ons, meneer-met-de-snor. Je zult eens zien met wat voor Melodia je uit eten gaat!'

'Hebben jullie alles?' vraagt Harvey als ze voor het hotel staan.

Sheng laat de rugzak op zijn schouders dansen. 'Houten bonbonschaaltje waar we het merkje vanaf hebben gekrabd en een paar geheimzinnige tekens in hebben gekrast... en vier houten tollen van drie dollar vijftig, gekocht bij de supermarkt en gekookt in water met zout om ze oud te laten lijken.'

'Ik heb er een hond, een toren, een draaikolk en een oog op getekend,' voegt Mistral eraan toe.

'Het resultaat?'

'Ze zouden erin kunnen trappen, maar dan moeten ze wel heel erg stom zijn.'

'Perfect.' Harvey zet een stap midden op straat en heft zijn arm op om een taxi aan te houden.

'City Hall,' zegt hij onder het instappen.

De taxi raast over het verlichte plein, doorsnijdt Times Square met de gigantische verlichte reclameborden en duikt Broadway op, razendsnel tussen de glimmende auto's door flitsend. Elettra kijkt naar haar spiegelbeeld in de glazen scheidingswand achter de chauffeur. Mistral controleert voor de laatste keer de valse voorwerpen die ze die middag in elkaar hebben geknutseld. Haar zwarte lurex ballerina's glinsteren onder haar elastische wollen broek. Ook haar mouwloze twinset is bezaaid met glitters. Sheng zegt de hele rit geen woord, alsof hij gehypnotiseerd is door al die schitteringen.

Harvey probeert nergens aan te denken.

En niets te voelen.

'En nu?' vraagt Sheng als de taxi hen afzet op een plein omringd door lantaarns als obelisken.

De wolkenkrabbers rondom City Hall lijken net lichtgevende mierenhopen. De zwarte schaduwen van enkele bomen strekken zich uit tot buiten het park.

'Nu moeten we een manier vinden om naar beneden te komen,' zegt Harvey. 'Het verlaten station ligt hier onder.'

'Ik hoor iets klapperen.'

'Dat zullen de tanden van Sheng wel zijn.'

'Het is muziek. Muziek die van onder onze voeten vandaan komt.'

Elettra loopt naar Harvey en vraagt hem voor de laatste keer: 'Weten we wel echt waar we mee bezig zijn?'

'Hebben we een alternatief?'

'Niet gaan.'

'En Ermete dan?'

'Hij zou hetzelfde voor ons doen.'

'Zou hij een paar valse stukjes hout overhandigen?'

Harvey loopt geërgerd weg en gaat op zoek naar een manier om onder het straatniveau te belanden. 'Als jullie niet mee willen, is dat je goed recht.'

Sheng, Elettra en Mistral lopen achter hem aan.

'Liggen de echte kaart en tollen op een veilige plek?' fluistert Sheng.

'Op de kamer van Elettra,' antwoordt Mistral. 'In de bood-schappentas.'

Het viertal loopt zonder nog iets te zeggen door. Ze komen in de buurt van torenhoge gebouwen met scherpe contouren, en intussen horen ze dat het volume van de muziek omhoog gaat, ook al klinkt het nog steeds gedempt, afgeplat, getemperd. Het klinkt vanuit de putdeksels. Van onder de grond.

Twee jongens in zwart leer lopen met vastberaden tred naar het midden van het plein. Harvey besluit achter ze aan te lopen.

De ingang is een bakstenen gebouwtje dat in alles op een openbaar toilet lijkt. Het is ook een openbaar toilet, alleen is er binnenin geen wc, maar een smalle trap die in de diepte verdwijnt. De deur zit vol kartonnen aanplakbiljetten. Een uitsmijter met een ringetje in zijn rechterwenkbrauw houdt de komst van de illegale dansers lusteloos in de gaten.

Harvey aarzelt niet, maar hij wil niet zomaar naar beneden lopen... Hij richt zich tot de uitsmijter en zegt met de schaamteloze moed van een vijftienjarige: 'Ik ben Harvey Miller. Meneer Egon Nose verwacht me.'

De uitsmijter heeft dezelfde blik in zijn ogen als een bedorven moot vis. Hij staart dwars door Harvey heen, en dan, als hij merkt dat die er nog steeds staat, barst hij in lachen uit, alsof hij nog nooit zo'n goeie mop heeft gehoord.

'Loop maar door,' zegt hij, wijzend op de trap die afdaalt naar de muziek.

Harvey gebaart naar de anderen dat ze naar beneden kunnen.

Als hij de eerste treden neemt, staat de uitsmijter nog steeds te lachen.

Onder aan de trap is een tweede deur. En achter die deur bevindt zich een muur van muziek, bestaande uit lage, verlokkende klanken. Terwijl de kinderen omlaag lopen wordt de muziek steeds heftiger; de drums klinken als hamers die door water heen trommelen.

Als ze de deur openduwen, verandert de wereld.

New York wordt uitgewist. En wat ze voor zich zien is iets anders. Het oude verlaten station, met de gewelven van zwarte en witte baksteen, wordt besmeurd door flitsende rode lampen die rondzwaaien in het donker. Een massa op elkaar geperste lichamen danst opgezweept door de muziek en geolied door hun eigen zweet.

Dit is het dansvolk, dat altijd wil dansen, hoe dan ook.

Harvey, Elettra, Sheng en Mistral gaan aan de kant staan, niet in staat om vorm en betekenis te geven aan deze ruimte, die enorm en piepklein tegelijk lijkt. Donker en verlicht. Het is één en al tegenstelling. Zulke hoge bassen dat het bijna stil lijkt. Zulke koortsachtige bewegingen dat ze bijna roerloos lijken.

De kinderen stellen zich zij aan zij op, als soldaten, en proberen elkaar te bemoedigen via de aanraking van hun schouders. Ze hebben het gevoel dat het kwaad met hen danst.

Elettra's ogen staan wijd, geschrokken. Haar vingers tintelen van de energie. Ze staat dicht tegen Harvey aan, als een drenkeling die zich vastklampt aan het laatste stuk hout. Mistral heeft haar ogen dicht. Sheng is het lachen vergaan. Harvey, in de smoking van Alfred van der Berger, doet verwoede pogingen om zijn hart minder snel te laten bonzen dan het ritme van de muziek. En hij houdt zijn vuisten gebald, zijn spieren gespannen, zoals Olympia het hem heeft geleerd.

Hij houdt zijn dekking hoog.

Dan kijkt hij om zich heen, hij wil degene die hij zoekt ontwaren.

'Ik ben Harvey Miller,' schreeuwt hij tegen een vrouw die hij denkt te herkennen. 'Kun je tegen meneer Nose zeggen dat ik ben gekomen om mijn vriend op te halen?'

De vrouw kijkt hem vanuit de hoogte van haar modellenlichaam aan. Ze lacht hem gretig toe. Dan draait ze zich om en loopt weg. Haar lange benen lijken net slangen.

'Wat heb je tegen haar gezegd?' schreeuwt Sheng in Harvey's oor.

'Dat we er zijn.'

De dansers wiegen en schudden. Hun ogen zijn half dicht, hun monden open in een poging om te zingen, hun lichamen zo buigzaam dat ze wel gesmolten lijken.

Elettra knijpt in Mistrals hand. 'Alles goed?'

'Ik vind het eng.'

'Ik ook.'

Harvey gaat voor hen staan. Zijn rug fungeert als de rotsen die een haven afschermen van de volle zee. Hij houdt de rode lampen op afstand en dempt het dreunen van de drums.

Een man met een vogelmasker op loopt een paar meter verderop voorbij. Hij draait zich om, slaakt een ijselijke kreet en mengt zich in het gewoel op de dansvloer.

'Ik wil hier weg!' roept Mistral. 'Laten we weggaan!'

Elettra dwingt haar om te blijven staan. 'Er overkomt ons heus niks.'

Sheng komt bij hen staan. 'We moeten bij elkaar blijven. Dat is de enige kans die we hebben.'

Zijn ogen zijn de ogen van een man. Zijn spreekwoordelijke brede glimlach is verdwenen. 'Weet je nog wat er gebeurde toen we uit elkaar gingen?' vervolgt hij tegen Mistral, terwijl hij probeert de muziek te overstemmen. 'In Rome, in het appartement van de professor?'

Het meisje kijkt hem aan, knikt, komt tot bedaren. 'Toen hebben ze mij te pakken genomen.'

'We moeten bij elkaar blijven,' herhaalt Sheng. Hij steekt

zijn hand uit. Mistral grijpt hem vast. Elettra voegt de hare erbij. Ze wenden zich alle drie tot Harvey.

'Ze komen eraan,' zegt deze, ook al hoort niemand de klank van zijn stem.

Dan klemt hij zijn grote, sterke hand stevig om die van hen, als een bokshandschoen.

26
DE UITWISSELING

De vrouw gebaart naar de vier vrienden dat ze haar moeten volgen. Ze leidt hen om de dansvloer heen, voorbij een scheidswand waarop met een zwarte spuitbus "Verboden toegang" is gespoten. Ze passeren nog enkele wanden van gipskarton en piepschuim, die de danszaal afscheiden van de gangen die uitkomen op de verlaten perrons. Op de witte muur die helemaal vol gekladderd is hangt het bordje *City Hall-1909*.

Op de perrons staan enkele mensen hen op te wachten.

Een nogal kleine man, met een helblauwe fluwelen jas en een lange stok, draait zich naar hen om.

'Aha, eindelijk!' roept hij theatraal uit.

De vrouw die hen gebracht heeft gaat naast de man staan. Egon Nose. De meester van de New Yorkse nachten. Achter zijn gigantische neus ontwaren de kinderen nog twee vrouwen. Ze hebben Ermete roerloos tussen hen in hangen. De ingenieur tilt eventjes zijn hoofd op, waardoor de blauwe plekken rond zijn ogen zichtbaar worden. Hij probeert iets te zeggen, maar hij is gekneveld. Dus schudt hij zijn hoofd, alsof hij de kinderen wil aanraden ervandoor te gaan, meteen, zo snel mogelijk.

'Wat hebben jullie met hem gedaan?' schreeuwt Elettra zodra ze hem herkent. Ze zet een stap naar voren, maar wordt door Harvey tegengehouden.

Met die simpele beweging wordt bepaald wie de twee gesprekspartners zijn bij deze onderaardse ontmoeting: Harvey aan de ene kant, met de andere drie kinderen achter hem opgesteld, en Egon Nose aan de andere kant, met zijn drie vrouwen die wachten op bevelen.

'Jij bent zeker Miller,' zegt de man.

'En u bent zeker Egon Nose.'

Nose laat een lachje horen. 'Uhhuhhuh... Geweldig!' zegt hij terwijl hij zijn stok laat ronddraaien. 'Zo keurig, en zo formeel. Echt een jongen van de oude stempel. En jullie, daar achter? Hoe heten jullie? Wie van jullie is Mistral?'

'Laat onze vriend gaan,' antwoordt Harvey.

De neusgaten van Egons enorme reukorgaan verwijden zich. 'Wat een haast, jongeheer Miller! Wat een haast! Gun je me niet eens de tijd om mijn nieuwe vrienden te leren kennen? Kijk eens! Ik stel jou wel voor aan mijn gezelschap. Mijn drie dames. Misschien ben jij nog te jong om ze te waarderen... Maar je moet weten dat het volmaakte vrouwen zijn, die je niets meer hoeft te leren. Zelfs niet om te zwijgen.'

Sheng klemt zijn kaken op elkaar om er niet halsoverkop vandoor te gaan.

'Hoe dan ook, Miller... Ik heb gehoord dat jij een pientere

jongen bent. En ook de anderen weten kennelijk wel hoe ze hun jonge hersens moeten gebruiken. O, maar wat zie ik nu? Er zijn ook twee oosterse ogen in jullie midden! Daar zal mijn opdrachtgever blij mee zijn. Waar kom jij vandaan?'

'Shanghai,' antwoordt Sheng snel.

'Het is niet waar!' roept Doctor Nose uit, terwijl hij zijn stok optilt. 'Wat is de wereld toch klein. Heel toevallig is het nota bene een meneer uit Shanghai die me over jullie verteld heeft. Hij zegt dat jullie iets hebben wat van hem is.'

'Nee, u hebt juist iets wat van ons is.'

'Bedoel je dit soms?' grinnikt Egon Nose terwijl hij de houten tol uit zijn jaszak haalt.

Harvey knikt somber. 'Ook dat, ja.'

Doctor Nose stopt de tol weer in zijn fluwelen jas en trekt een spijtig gezicht. 'Nou, daarover lopen de meningen uiteen. En ik ben er niet zo heel goed in om, hoe zal ik het zeggen, als scheidsrechter op te treden...' Egons stem wordt honingzoet en vleiend. 'Ik ben er beter in om volkomen onverdedigbare stand-punten te verdedigen. Ik hou van dappere keuzes. Hoe dan ook...' besluit hij terwijl hij met zijn stok op de grond tikt, 'laten we deze kwestie zo snel mogelijk afhandelen.'

Uit de tunnel klinkt een gedreun dat steeds dichterbij komt. Even is er een lichtje te zien, in een flits.

'Lijn 6,' merkt Doctor Nose op, 'die rijdt niet langer over deze oude ring van rails. Wat niet meer nodig is, wordt afge-dankt.' De blik van de man wordt ineens hard en ijskoud. 'En nu... hier met die spullen!' roept hij gebiedend. 'Daarna mogen jullie voor mijn part met z'n allen gaan dansen.'

'Eerst willen we onze vriend,' zegt Harvey.

'Jochie!' krijst Doctor Nose bijna, terwijl hij met zijn stok op de grond beukt. 'Jij hebt niet door wie hier de baas is! Of moet ik hun soms het bevel geven om jullie aan die muur daarachter vast te nagelen, ten prooi aan de ratten?' zegt hij met een gebaar naar de vrouwen achter hem.

Harvey slikt moeizaam, maar hij deinst niet achteruit. Hij staat met beide benen op de grond, vast geworteld als een eeuwenoude eik. 'U kunt ze het bevel geven om het te proberen...' antwoordt hij, terwijl hij de man recht aankijkt.

Het ogenspel duurt vijf, tien, twintig seconden. Dan is het, verrassend genoeg, Egon Nose die als eerste zijn blik afwendt. Hij doet het met een lachje, maar als hij daarna begint te praten klinkt zijn stem verrassend onzeker. 'Goed hoor jochie!' zegt hij. 'Niks op aan te merken, aan lef ontbreekt het je niet.' Hij gebaart naar de twee vrouwen die Ermete vasthouden. 'Doe zijn knevel af.'

De vrouwen trekken de tape los, wat Ermete een kreet van pijn ontlokt.

'En jij moet je mond houden!' berispt Nose hem. 'Schaam je je niet dat je je moet laten redden door een stelletje snotneuzen die zich nog niet eens hoeven te scheren?'

Sheng voelt aan zijn kin, zoekend naar een paar haartjes om het tegendeel te bewijzen.

'Wegwezen!' schreeuwt Ermete zodra hij de kans krijgt. 'Geef hem niet de houten kaart! Ga er meteen vandoor! Hij laat jullie niet...'

Hij krijgt een trap, waardoor hij zijn laatste woorden moet inslikken.

Doctor Nose kijkt hem vol walging aan. 'Echt een klein mannetje. Jongeheer Miller, ik vraag me af of het wel de moeite waard is om hem te redden. Maar nu ben ik wel nieuwsgierig. Over wat voor houten kaart heeft hij het?'

'Vraag maar aan uw vriend in Shanghai, als u dat wilt weten.'

'O ja. Prima idee. Ik denk dat hij dat maar al te goed weet. Bedankt voor de tip. En als jullie nu zo vriendelijk willen zijn...' Hij steekt zijn hand uit, alsof hij iets in ontvangst wil nemen.

Harvey gebaart naar Sheng en die geeft hem de rugzak. Harvey houdt hem boven zijn hoofd en zegt: 'Eén van hen komt deze aanpakken. De ander geeft ons op hetzelfde moment onze vriend.'

'Goed,' zegt Egon Nose. 'Ik ben dol op ingewikkelde uitwisselingsacties. Net als in de film. Dan heb je altijd het idee dat er elk moment iets onverwachts kan gebeuren.'

Ermete komt, half gesteund door een van de vrouwen, op de vier kinderen af lopen.

'Jullie vriend heeft veel gebabbeld...' vervolt Egon Nose glimlachend. 'Hij heeft me haarfijn uitgelegd hoe de tollen werken, en verteld over het geheim dat jullie proberen te ontrafelen. Allemaal nogal onbegrijpelijk, maar wel bijzonder boeiend.'

Ermete kijkt op en mompelt: 'Sorry...'

Harvey wacht tot de ingenieur dichtbij genoeg is en geeft de rugzak van Sheng dan aan de vrouw.

Ermete zet de laatste stappen naar de kinderen toe, en wankelt uitgeput tegen Harvey aan. 'Ik wilde niet praten... ik wilde niet...' prevelt hij, met opgezwollen ogen en gewonde vingers.

Nose kijkt in de rugzak en haalt er een tol uit.

'Is dit het?' vraagt hij terwijl hij hem aandachtig bekijkt.

'Wij gaan,' verklaart Harvey; hij zet een stap achteruit en ondersteunt Ermete. Hij probeert wanhopig te bedenken in welke richting ze moeten lopen, als Egon Nose de tol terug in de rugzak gooit en er een andere uit haalt.

'Aha!' roept hij. 'Weten we dat wel zeker?'

Hij gooit de tweede tol op de grond en slaat er met zijn stok op. Het speeltje barst in twee stukken hout uiteen.

'Nee, nee... dit is het niet!' schreeuwt Doctor Nose, en hij gooit Shengs rugzak op de rails. 'Ik zie helemaal geen gouden bol! En jullie gaan helemaal nergens heen!'

Weer begint het gewelf van het station te trillen door een hevig gedreun.

'Nu ben ik het beu!' Egon Nose spreidt zijn armen uit, alsof dit de laatste druppel was. 'Ik heb altijd gegruwd van het idee om kinderen pijn te doen... Maar jullie laten me geen keus. Grijp ze!'

Op dat moment klinkt er achter Doctor Nose een gefladder. Een raaf die aan één oog blind is strijkt neer op de vloer van het verlaten station, tussen de man en Harvey in. Nieuwsgierig kijkt hij eerst naar de één, en dan naar de ander. Dan vliegt hij weer op. Achter hem komt er nog een aanvliegen. Het aantal vleugels neemt toe, vier, acht, tien. Steeds meer raven duiken op uit het duister van de tunnel, ze vliegen laag, als zweefvliegtuigen. Nose kijkt stomverbaasd om, hij snapt niet waar ze ineens vandaan komen. En waaróm ze ineens verschijnen.

Tien raven, twintig, en dan wel vijftig. Er komt geen eind aan. Een hele zwerm zwarte veren wordt uit de tunnel gestort, in een oorverdovend gekrijs. Snavels, vleugels en klauwen vullen de kleine ruimte van het verlaten station.

In dat geraas komt er ineens een reusachtige indiaan aan rennen over de rails. Hij heeft lang, loshangend haar en het verweerde gezicht van iemand die altijd in de open lucht is.

Bliksemsnel laadt hij Ermete op zijn rug en roept tegen de anderen: 'Kom mee, snel!'

Zonder een antwoord af te wachten draait hij zich om, springt van het perron af en rent weg over de rails, in de richting vanwaar de raven zijn gekomen. Harvey, Elettra, Sheng en Mistral zijn te verbijsterd om na te denken en doen wat hij zegt. Ze worden opgeslokt door het duister.

Achter hen vullen de raven de lucht met hun gekrijs. Egon Nose zwaait met zijn stok om ze van zich af te houden, hij raakt er tien, twintig, maar dan moet hij het opgeven. Zijn vrouwen staan als bezetenen te gillen, ze proberen de raven op alle mogelijke manieren van zich af te houden, maar elke beweging tegen die muur van scherpe snavels en klauwen bezorgt hen krassen en wondjes.

Dan, zodra de indiaan met de kinderen is verdwenen, trekt ook die zwarte wervelwind zich even plotseling als hij gekomen is terug in de duisternis.

27
HET BOS

De spurt door de tunnel is afmattend. De indiaan die voor de kinderen uit rent lijkt kilometers te kunnen sprinten zonder moe te worden. Hij draagt Ermete op zijn rug en te oordelen naar zijn bewegingen kan hij in het donker zien. Hij gaat pas langzamer lopen als de oude rails kruisen met andere rails, in een tunnel die haaks op die van hun staat.

Dan draait hij zich om en zegt: 'We hebben maar twee minuten. Raak de rails niet aan.'

En hij rent weer verder.

In de nieuwe tunnel glinstert licht in de verte. Harvey, die voor de andere drie uit rent, ontwaart enkele lampen als hij de bocht omgaat. Dan pas dringt het tot hem door waar ze zijn: in het metronetwerk. Het echte.

Hij roept het naar de anderen en spoort ze aan om op te schieten.

'O, verdorie, verdorie, verdorie,' jammert Sheng terwijl hij Elettra, Mistral en Harvey op volle snelheid voorbij holt.

De spurt door de tunnel wordt steeds hectischer. Mistral struikelt, valt op de grond, krabbelt weer overeind.

'Vlug! De metro komt eraan!' schreeuwt Harvey tegen haar.

De muren zijn zwart, net als de rails. Harvey laat zich ook door Elettra en Mistral inhalen en gaat achter hen rennen, hij duwt ze bijna vooruit, om ze te dwingen nog sneller te lopen. Hij weet niet uit welke richting de trein zal komen, van achteren of van voren.

'Rennen!' schreeuwt hij met zijn laatste beetje adem.

Haar hart pompt op volle toeren, maar Mistral kan echt niet meer.

Harvey tilt haar op, houdt haar in zijn armen en holt door. Daarbij scheurt de smoking van de professor open door een uitsteeksel van de muur.

'O, verdorie, verdorie, verdorie!' jammert Sheng nog steeds, maar hij is bijna bij de indiaan.

Ze gaan de bocht om. En dan zien ze op nog geen honderd meter afstand het metrostation. Het ziet er totaal anders uit, van onderaf gezien. Op het perron staan vijf mensen op de metro te wachten.

De indiaan is bij het perron aangekomen en gooit Ermete erop, dan kijkt hij naar Sheng, wacht tot hij er is, vormt met zijn handen een opstapje voor hem en gooit hem omhoog.

De wachtende passagiers slaken verschrikte kreten.

Ook Elettra wordt op het perron gesmeten. Een elektronische stem kondigt de aankomst van de metro aan.

'Kom op, kom op!' schreeuwt Sheng tegen Harvey, die samen met Mistral komt aan strompelen. De bel die de komst van de trein aangeeft begint te rinkelen. 'Jullie zijn er! Jullie zijn er!'

Ineens wordt de tunnel wit. De lucht wordt weggezogen alsof er een reusachtige ventilator aan gaat.

'Nee!' brult Harvey, en hij springt vooruit.

De indiaan grijpt Mistral vast en gooit haar op het perron. Dan grijpt hij Harvey bruusk vast en gooit hem omhoog. Eén tel later ligt de jongen op zijn rug te staren naar de lampen aan het stationsplafond en naar enkele nieuwsgierige gezichten van omstanders.

De metro is aangekomen.

Harvey springt overeind. De indiaan staat naast hen. De deuren van de metro gaan open. De man schudt zijn hoofd, alsof er niets aan de hand is.

'Dit is niet de onze. Wij moeten lijn 1 hebben.'

Nu zitten ze in de metro. De trein raast richting het noorden. De nacht is nog jong, maar niemand heeft zin om te praten. Ze hebben Ermete zojuist in het ziekenhuis achtergelaten, en ze zijn verward, geschrokken en overstuur. Ze leunen met hun hoofd tegen het raampje, de ogen gesloten. Hun kleren zijn zwart van het roet, het stof en de smeer. Hun kleren gescheurd.

'Ik heb jou al eerder gezien,' zegt Harvey tegen de indiaan als de metro bij een halte stopt. 'Bij mij thuis. Kan dat?'

De man knikt. 'Nou en of.'

'Wanneer dan?'

'Elke ochtend?' oppert de indiaan, terwijl hij zijn haren bij-eenbindt in zijn nek.

Door dat gebaar weet Harvey ineens waar hij hem van kent. 'Ben jij de postbode?'

'Ja,' beaamt die. Dan wendt hij zich tot de andere kinderen en stelt zich voor: 'Ik ben Quilleran, van de stam der Seneca-indianen.'

'Die naam heb ik vaker gehoord...' mompelt Sheng.

'Waar gaan we naartoe?' vraagt Elettra daarentegen.

'Naar de oude boom.'

'Welke oude boom?'

'De boom die dood is,' antwoordt Quilleran. 'In Inwood Park.'

'Het bos ten noorden van Manhattan,' legt Harvey uit. Dan vraagt hij: 'Waarom gaan we daar naartoe? En die raven, in de tunnel? Waar kwamen die vandaan?'

'Jij stelt wel veel vragen, Ster van Steen.'

'Hoe noemde je mij?' vraagt Harvey geschokt.

'Bij je naam,' herhaalt de indiaan. 'Ster van Steen.'

'Ik heet Harvey Miller.'

'Dat is je Amerikaanse naam,' zegt de ander.

Harvey springt overeind. 'Mag ik ook weten waar je het alle-maal over hebt?'

'Ik ben blij dat ik jullie het leven heb gered.'

'En hoe wist je dan dat we in gevaar waren?'

'Ik volg je inmiddels al een paar maanden,' glimlacht de indiaan.

'Volg je me? Waarom?'

'Om je te beschermen. Jij bent Ster van Steen.'

'Ik ben niet Ster van Steen! Ik ben Harvey Miller!'

Elettra probeert hem tot bedaren te brengen, en dat lijkt haar aardig te lukken.

'Waarom noemt u Harvey zo, meneer Quilleran?' vraagt Mistral zachtjes zodra de rust weer wat is wedergekeerd. 'Wat betekent Ster van Steen?'

'Het betekent dat hij van de sterren de gave van het steen heeft gekregen. Hij kan de stem van de aarde horen, en ontdekken hoe hij haar beter kan maken.'

'Niks van waar!' roept Harvey. 'Ik heb helemaal geen gave gekregen! Ik hoor helemaal geen stem! En ik maak ook helemaal niemand beter!'

'Elk tijdperk heeft een eigen Ster van Steen,' vervolgt de indiaan op kalme toon. 'En wij waren op hem aan het wachten.'

'Ik denk dat je je vergist,' werpt Harvey tegen.

'En dat is maar goed ook...' komt Sheng tussenbeide. 'Anders zouden we daar nou nog steeds staan bij neuzemans en die enge grieten van hem. Jakkes, wat was dat heftig! Had jij al die vogels eropaf gestuurd?'

De indiaan knikt.

'Hoe heb je dat dan gedaan?'

'Ze luisteren naar me, en ik kan ze opdrachten geven.'

'Hao! Dat is te gek! En kan iedereen dat leren?'

'Natuurlijk. Ik heb het hier in New York geleerd.'

'Ach, kom nou,' sneert Harvey. Hij balt zijn vuisten en probeert rustig te worden, maar hij moet wel toegeven dat er daarginds een hoop raven waren. Honderden raven, die precies op het juiste moment kwamen opdagen. 'Je hebt me nog niet verteld waarom je mij volgde,' verandert hij van onderwerp.

'Om je te beschermen.'

'Tegen wie?'

'Tegen je vijanden.'

'Ken jij mijn vijanden?'

'Iedereen zou zijn eigen vijanden moeten kennen.'

'Dat is geen antwoord op mijn vraag.'

'Het is al laat,' komt Elettra tussenbeide. 'En ik ben doodmoe.'

'We zijn er bijna.'

De metro heeft hen afgezet in de buurt van Indian Road, in het noordelijkste puntje van Manhattan. De enige lampen zijn die van een rij straatlantaarns, die de nacht doorklieven. Inwood Park is een zwarte vlek onder de sterrenhemel.

Quilleran wijst de kinderen een paadje.

'Is die man in dat metrostation nu dood?' vraagt Elettra als ze het bos in lopen.

De lichtjes van de stad worden opgeslokt door de takken van de bomen en de geluiden van de beschaving worden uitgewist door de onvoorspelbare geluiden van de natuur.

'Dat denk ik niet.'

'Waarom wilde hij onze tollen hebben?'

'Ik weet niet wat hij wilde,' antwoordt Quilleran, die voor hen uit loopt. 'Maar volgens mij wist hij dat zelf ook niet precies.'

'Je zegt dat je op me hebt gewacht...' begint Harvey weer, terwijl de takken onder zijn voeten knappen.

'Dat klopt.'

'En hoe wist je dan dat ik was gekomen?'

'Ik zag de tekenen.'

'Welke tekenen?'

'De tuin bij jou thuis,' antwoordt de indiaan, terwijl hij even blijft staan.

'Wat is er dan zo bijzonder aan mijn tuin?'

'Het is de enige tuin in de stad die in bloei staat,' glimlacht Quilleran. 'Jij hebt de gave om met de aarde te praten en haar beter te maken.'

Het groepje loopt naar de voet van het heuveltje, alleen de knappende takken en het ritselende gras zijn te horen. Niemand vraagt meer iets, iedereen is met zijn eigen gedachten bezig.

Na een bocht zien ze enkele fakkels branden in het donker. Quilleran loopt op het licht af, en algauw zijn ze bij de fakkels.

Er zitten elf indianen in een kring op een open plek, met de fakkels achter zich in de grond gestoken. De vlammen flitsen knetterend in de nacht omhoog.

'Wie zijn die mensen?' vraagt Harvey.

'De laatste Seneca's,' antwoordt Quilleran.

'En waarom zijn ze hier?'

'Om de vijanden weg te jagen.'

Als ze Quilleran en de kinderen zien aankomen staan de indianen op en begroeten ze hen één voor één.

'Washington?' vraagt Elettra aan een van hen als ze de gids van Ellis Island herkent.

'Welkom,' antwoordt deze met een glimlach.

'Mag ik weten wat hier allemaal gaande is?' sputtert Harvey steeds nerveuzer. Quilleran toont de anderen kalm een grote steen met een metalen plaquette erop.

'Ik had jullie hier liever in rustiger omstandigheden naartoe gebracht... Het liefst overdag, maar dat was niet mogelijk. De gebeurtenissen volgen elkaar razendsnel op. En dus moeten wij ook razendsnel handelen. Dit is de plek waarop een Nederlandse man het grondgebied van New York van onze voorouders kocht,' begint hij te vertellen. 'En de steen die jullie hier zien geeft de exacte plek aan waar de boom werd geplant die deze stad moest beschermen.'

'Waar is die boom dan?' vraagt Sheng.

'Hij is dood. Hij was tweehonderdtachtig jaar oud, en hij was heel moe. Zijn dood was een van de eerste tekenen: elke stad moet een boom hebben die over hem waakt. Net zoals een man sterke wortels moet hebben. Toen deze boom doodging, hebben we de oude Ster van Steen opgezocht, maar hij zei dat hij al niets meer kon doen om hem te redden. Hij zei dat we op zijn opvolger moesten wachten. En die is eindelijk gekomen.'

De indianen trekken langzaam hun fakkels uit de grond.

'Wat willen jullie doen?' vraagt Harvey.

'We willen de hoop koesteren dat de dingen kunnen doorgaan. Dat er een nieuwe boom zal groeien op de plaats van de oude. Dat het leven doorgaat. En daarvoor moeten we dansen.'

'Ik snap het niet...'

'Je hoeft het ook niet te snappen. Er zijn dansen die je verlagen en dansen die je verheffen. We willen voor jou dansen, Ster van Steen, en voor je vrienden.'

Harvey schudt zijn hoofd, maar zijn ogen glanzen nu.

'Ik snap er niks van...' houdt hij vol.

'Je moet het niet willen snappen, je moet gewoon je gave aanvaarden. Praat met haar.'

'Dat... kan ik niet.'

'Jij kunt haar horen. Je kunt zo vaak met haar praten als je wilt. En de aarde praat ook met jou.'

'Ik wil niet...' probeert Harvey zich nog te verzetten. Maar in werkelijkheid voelt hij diep in zijn hart iets kloppen waarvan hij niet weet hoe hij het moet benoemen. Dat is zijn gave. Als een trommel die een onverwachte kracht kan doen ontwaken. Eeuwenoud, sterk, zonder aarzelingen.

'Het is te vroeg. Maar voor ons is het al laat. Over twee dagen begint de lente al,' vervolgt Quilleran, terwijl hij zijn fakkel vastpakt. 'Laat de Seneca's hun laatste dans voor jou uitvoeren. We dansen voor het leven dat herboren wordt en voor de boom die weer moet ontkiemen. We dansen voor vrienden die overleden zijn en voor vrienden die onze hand nog wel vasthouden. We dansen om de vijanden te verjagen.'

'Laten we dansen,' zegt Harvey dan, gehoor gevend aan de trommel.

Hij laat zijn hand in die van Elettra glijden. Sheng pakt die van Mistral vast, en dan lopen ze allemaal samen tussen de brandende fakkels door. Ze blijven voor de steen staan, op het punt waar de eerste boom van New York verrees.

De fakkels flakkeren in hun ogen. Harvey's hart raakt vervuld van trots, en vangt al het licht.

Er steekt een wind op in het bos, alsof daarmee alle oude geesten worden opgeroepen om naar de dans te komen kijken. Tussen de twaalf indianen wordt de cirkel van de vier vrienden gesloten en verstevigd, met de ruggen tegen elkaar aan. Rondom hen beginnen twaalf fakkels rond te draaien. Een eerste stem, met eeuwenoude keelklanken, laat onbekende woorden horen.

Het is de stem van de eerste lentemaand.

Eén voor één bezingen de twaalf indianen de twaalf maanden van het jaar. En intussen dansen ze om de kinderen heen. Het is een werveling van licht en schaduw, een cirkel van vlammen, een draaikolk van kooltjes. Het is een rondwervelende tol, een flintertje licht van sterren in het hart van Inwood Park. Het is een piepklein radertje dat duizenden andere, steeds grotere raderen in beweging zet. Om uiteindelijk misschien het allergrootste rad datgene te laten volbrengen wat geen naam heeft, noch een middelpunt, noch een beweging; een kleine stap voorwaarts.

Het is een lied van het leven. Het is een dans voor de geesten die opstijgen tussen de sterren.

Als de dans is afgelopen, lijkt de tijd geen betekenis meer te hebben. Er kunnen tien minuten verstreken zijn, of tien uur. In het bos heerst een kostbare stilte. De twaalf Seneca's laten hun fakkels zakken en doven ze op de grond. Harvey, Elettra, Mistral en Sheng laten elkaars vingers los, en nu pas merken ze hoe stijf en pijnlijk die zijn.

Quilleran loopt voor hen uit, terug over het paadje.

Op het plaatsje in de buurt van Indian Road zegt hij: 'Misschien zullen de vijanden terugkeren. Maar jullie hoeven niet bang voor ze te zijn. Volg de weg die jullie moeten volgen.'

'Ik heb geen idee welke weg ik moet volgen...' mompelt Harvey.

'*Het is tijd om de wereld te leren kennen. Wat maakt het uit langs welke weg je de waarheid zoekt? Zo'n groot geheim ontrafel je niet langs één weg,*' citeert Quilleran de woorden van professor Van der Berger.

'Waar ken jij die woorden van?'

262

'Ik heb ze geleerd terwijl ik op jou wachtte.'

'Van wie?'

'Van de Ster van Steen die er voor jou was.'

'Bedoel je professor Alfred van der Berger?' roepen de kinderen in koor. 'Was hij de oude Ster van Steen?'

'Ja.'

'En heb jij hem gekend?'

'Gedurende korte tijd. Voordat hij de stad verliet.'

'En had hij ook... de gave van Harvey?' vraagt Sheng.

'Ja.'

Harvey houdt zijn hoofd tussen zijn handen. 'Ik... ik snap er niks meer van! Hoe kan dat nu?'

Quilleran stopt een hand in zijn zak en haalt iets rechthoekigs tevoorschijn.

'Voordat hij vertrok gaf de oude Ster van Steen me iets dat ik aan jou moest geven wanneer ik je zou ontmoeten.'

Het is een oude ansichtkaart, waarop het ogenblik is vastgelegd dat de grote obelisk van Cleopatra in Central Park wordt geïnstalleerd.

De achterkant staat vol getallen.

25, 6, 85, 42, 24, 79, 96, 73, 41, 18, 83, 119, 41, 170, 67, 102, 79, 56, 113, 90, 113, 53, 24, 79, 96, 165, 146, 124, 1, 119, 35, 113, 53, 24, 79, 96, 41, 164, 16, 6, 119, 34, 67, 1, 98, 153, 119, 96, 161, 83, 143, 119, 105, 1, 98, 153, 96, 119, 1, 98, 153, 119, 96, 161, 83, 143, 119, 105, 53, 40, 149, 119. *Ster van Steen, 1 van 4.*

En hij is gericht aan Harvey Miller.

28
DE METEORIET

Bij de deur van de ziekenzaal staan drie mensen. Een oosterse jongen met bloempotkapsel, een meisje met lange zwarte krullen. En als laatste een heel dun meisje, met een ovalen gezicht als een ballerina.

Zodra hij ze herkent, probeert de man in het ziekenhuisbed te glimlachen. Het ziet er niet uit; zijn lippen zitten vol hechtingen. Zijn been wordt omhooggehouden door een witte band en via een aantal slangetjes zit hij verbonden aan allemaal vreemde apparaten.

'Hé,' kan hij nog net uitbrengen als het drietal dichter bij komt. 'Hoe is het?'

'Hoe is het met jou?' vraagt Mistral terwijl ze zich over hem heen buigt om hem op zijn wang te zoenen. Ook Elettra en Sheng geven hem een zoen. Zijn ongeschoren gezicht prikt.

'Ik ben niet echt in topvorm,' mompelt Ermete.

'Wat zeggen de artsen?'

'Ik snapte er niet veel van...' kucht hij. 'Ze wilden het nummer van mijn ziektekostenverzekering. En toen ik ze dat eenmaal had gegeven... heb ik ze niet meer teruggezien. Wat ik wel weet is dat mijn been gebroken is. En waarschijnlijk ook wel een of twee ribben. Ze hebben mijn mond een beetje gehecht en twee tanden rechtgezet. Maar al met al had het me veel erger kunnen vergaan.'

'Het had ons allemaal veel erger kunnen vergaan,' vat Sheng samen.

'Precies.'

De kinderen pakken een stoel om uitgebreid te vertellen over de ontmoeting met de indiaan en de dans ter ere van Harvey in het bos van Inwood Park.

'Waar is Harvey nu?'

'Thuis. Hij heeft het niet goed opgepakt.'

'Wat heeft hij niet goed opgepakt?'

'Hij vindt het een heel eng idee, van die gave.'

'Hij wil niet toegeven dat hij die gave heeft, maar ik weet dat het waar is,' vertrouwt Elettra hen toe. 'Hij had me er al over verteld. Hij zei dat hij de stem van zijn broer hoorde...'

Mistral rilt. 'Dat lijkt me geen pretje.'

'Waarom?' werpt Sheng tegen. 'Mij lijkt het juist geweldig om een gave te hebben!'

Dan vertellen de kinderen over de ansichtkaart die aan Harvey gericht was.

'Hij heeft hem acht jaar geleden aan Quilleran gegeven... toen Harvey pas zeven was.'

'Toen wij allemaal pas zeven waren.'

'Voor een postbode heeft hij er nogal lang over gedaan om die kaart te bezorgen...' grapt Elettra.

Mistral kijkt naar de vloeistoffen die door de slangetjes stromen. 'De indiaan zei dat hij op Harvey had gewacht. Hij zei dat Ster van Steen een naam is. Harvey's naam. En dat het daarvóór de naam van professor Alfred was.'

'Alfred?'

'Die had dezelfde gave als Harvey.'

Ermete geeft geen antwoord, en kijkt de vrienden alleen maar aan met zijn bont en blauwe ogen. 'Ik moet zeggen dat de professor jullie met dat koffertje... aardig in de problemen heeft gebracht.'

'Zeg dat wel.'

'Maar hij heeft ons niet in de steek gelaten,' voegt Elettra eraan toe. 'Het is alsof hij... zijn vrienden had voorbereid. De zigeunerin in Rome. En de Seneca-indianen, in New York.'

De vier beginnen druk te praten over Jacob Mahler, over Egon Nose en zijn danseressen. Ze bespreken het feit dat beide slechteriken in feite voor iemand anders schijnen te werken.

'Iemand uit mijn stad,' zegt Sheng.

Ze proberen zich voor te stellen hoe het in het verlaten metrostation verder zal zijn gegaan na de aanval van de raven. En welke gevaren hen nog te wachten staan.

Ermete gaat verliggen in zijn bed, waardoor zijn gipsbeen gevaarlijk begint te schommelen. 'Kon ik hier maar weg...'

'Maar dat kan niet.'

'Maak je over ons maar geen zorgen. Wij redden ons wel.'

De kinderen laten een mobiele telefoon achter op Ermetes nachtkastje. 'Voor alle zekerheid,' zeggen ze.

Dan staan ze vastberaden op. 'We hebben een idee gekregen hoe we het cryptogram op de ansichtkaarten kunnen ontcijferen.'

'Hoe dan?'

'We beginnen bij Robert Peary, de ontdekkingsreiziger,' legt Mistral vergenoegd uit. 'En bij de meteoriet die hij aan het Museum of Natural History heeft verkocht.'

Als hij weer alleen is, blijft Ermete in bed liggen wachten. En maar wachten.

Hij draait zijn hoofd om uit het raam te kijken. Een zwarte raaf tikt ritmisch tegen de vensterbank.

Af en toe komt een grote indiaan in verplegersuniform langs om te controleren of alles goed gaat. Elke keer steekt Ermete zijn duim op, en dan gaat de indiaan weer weg.

Tegen het eind van de ochtend buigt Ermete zich naar het nachtkastje en pakt de mobiele telefoon. Hij kiest een lang, intercontinentaal nummer.

En hij wacht.

Bij de zesde keer wordt er opgenomen.

'Mama?' groet Ermete. 'Hallo! Hoe het mij gaat..? Goed. Prima! O, ja. Het is een geweldige stad. Ik ben... ik ben in het museum. Ja, in het museum... van de Amerikaanse indianen. Prachtig. Je ziet hier al hun... tradities. Precies. Hun tradities. Wat? O, mijn stem klinkt raar doordat ik verkouden ben. Ja, het stelt niks voor. En hoe is het met jou?'

Elettra gaat op de achterbank van de taxi zitten, haar kin rustend op haar hand. De wolkenkrabbers flitsen langs haar heen. Twee dagen, denkt ze. Dan moet ze weer vertrekken. En dan zal ze hem niet meer zien.

'Wilt u hier even op me wachten, alstublieft?' vraagt ze aan de taxichauffeur als ze voor het huisje van Ermete in Queens staan.

Ze loopt naar de eerste verdieping, doet de deur open en staat in zijn appartement.

Over hopen schuimrubber en vernielde meubels heen klauterend zoekt ze de badkamer, ze gaat naar binnen en haalt de spiegel van de muur af, waarna ze er een kussensloop omheen doet zodat ze er niet per ongeluk in kan kijken.

Liggend op de achterbank van de taxi lijkt de spiegel massiever en zwaarder.

'Nu moet ik naar de Village, Grove Court,' zegt het meisje door de glazen scheidingswand tegen de chauffeur.

Met één hand op het eeuwenoude voorwerp dat ze heeft gevonden in het mitreo van de San Clemente, probeert Elettra te raden wat er op dit moment door Harvey heengaat. En ze denkt dat ze het precies weet: een mengeling van woede, verbijstering en angst. Dezelfde gevoelens die zij ervoer toen ze begon te beseffen dat ze energie kon doorgeven via haar handen, dat ze in staat was om elektrische apparaten op tilt te laten slaan en spiegels dof te laten worden. Het gevoel dat ze anders dan anderen was, wat haar de stuipen op het lijf joeg.

En waardoor ze het liefst alleen was, om zichzelf te leren kennen. En zichzelf te leren aanvaarden.

Elettra weet dat het niet één-twee-drie over zal zijn; Harvey neemt de telefoon niet op, hij wil met rust worden gelaten. Maar zij heeft nog maar twee dagen...

Zo'n twintig minuten later stapt ze uit voor het hek in Grove Court.

De indiaan Quilleran heeft gelijk, denkt ze bij het zien van de tuin. Groen gras, bloeiende bloemperken, bomen vol bladeren, de eerste witte knoppen die op het punt staan om uit te komen.

'Degene die hier woont heeft de gave van de aarde,' mompelt ze bij zichzelf. Ze zoekt de naam Miller bij de bellen, maar beseft dan meteen dat dat niet nodig is.

Harvey staat midden op het gazon. Hij is op blote voeten. De mouwen van zijn shirt zijn opgerold, zijn handen zijn zwart van de aarde, zijn spijkerbroek zit vol groene strepen van het gras.

En hij staat naar haar te kijken.

'Ik hoor haar,' zegt hij door de spijlen van het hek. 'Ik hoor haar echt.'

Het Museum of Natural History in New York is een indrukwekkend gebouw, waarvan de grote, wit marmeren façade uitkijkt op de oostzijde van Central Park. Voor het gebouw, onder aan de trap, prijkt het bronzen beeld van president Roosevelt te paard.

Eenmaal binnen werpen Mistral en Sheng een vlugge blik op de reusachtige dinosaurus die in de hal staat, maar dan lopen ze, zonder aandacht te schenken aan alle schatten die het museum herbergt, rechtstreeks door naar de ondergrondse verdieping, naar de zaal met de meteorieten. Ze hebben de vier ansichtkaarten bij zich, het schrift van Mistral, een rekenapparaat en een handvol pennen en potloden.

'Hao!' roept Sheng terwijl hij een rondje loopt om de Ahnighito-meteoriet. Het is een gigantisch vierkant blok, twee keer zo hoog als zijzelf. 'Denk je eens in wat voor gat die moet hebben geslagen toen hij neerstortte!'

'Dat heet een krater,' verbetert Mistral hem.

'Mag je hem aanraken?'

'Volgens mij wel.'

'Wat is het eigenlijk voor materiaal? Ik bedoel... hij komt immers uit de ruimte...'

Mistral leest het bordje waarop de uitleg staat.

'Hij bestaat uit ijzer,' leest ze hardop. 'En nog heel veel andere metalen.'

Sheng lijkt tamelijk teleurgesteld. 'Maar geen enkel onbekend buitenaards materiaal?'

'Hmm... ik geloof het niet.'

De jongen legt zijn hand tegen het rotsblok dat uit de ruimte is gekomen.

Het voelt warm, en poreus.

Mistral loopt verder door de zaal, en ontdekt nog meer bijzonderheden. 'De grootste meteorietkrater bevindt zich in de woestijn in de Verenigde Staten...' zegt ze. 'En dan heb je Wolf Creek, in de Australische woestijn...'

'Vallen ze dan altijd in de woestijn?'

'Misschien ontstaat die woestijn juist nádat ze zijn gevallen...' oppert Mistral. 'De klap van een meteoriet kan zoveel stof doen opwaaien dat de zon honderden jaren lang niet te zien is.'

'Als ik me niet vergis wordt beweerd dat de dinosaurussen zijn uitgestorven door een meteorietinslag...' herinnert Sheng zich.

'Een meteoriet die groot genoeg is kan het klimaat op aarde beïnvloeden. Een ijstijd veroorzaken, of...'

Sheng komt bij zijn Franse vriendin staan.

'Denk je dat we een van deze teksten nodig hebben om het cryptogram op te lossen?'

Mistral leest de getallen op de eerste ansichtkaart en vergelijkt ze met die op het bordje: 'WRMGE,' leest ze voor. 'Betekent dat iets?'

Sheng schudt zijn hoofd.

De uren verglijden razendsnel, in de zinloze zoektocht naar een tekst die als referentie kan dienen om de getallen op de ansichtkaarten te ontcijferen.

'Volgens mij zitten we op het verkeerde spoor,' moet Mistral uiteindelijk toegeven, aan het begin van de middag. 'Misschien heeft de meteoriet die Robert Peary ontdekt heeft er helemaal niks mee te maken.'

Ze zitten buiten op het trapje voor het museum. Aan de overkant van de weg ligt de groene vlakte van Central Park.

'En nu? Zullen we het dan maar met de kunstwerken van Paul Manship proberen?'

Sheng en Mistral kijken nog eens aandachtig naar de ansicht-kaarten. Metrowerkzaamheden, inhuldiging van de Bethesda-fontein, Rockefeller Center, de obelisk in Central Park.

'Als ik de professor was...' zegt Sheng, terwijl hij voor de honderdste keer die onbegrijpelijke getallen bekijkt, 'zou ik een tekst hebben gezocht waar niemand meer wijzigingen in kan aanbrengen.'

Mistral knikt. 'Een tekst die onveranderlijk is.'

'Een oude tekst,' voegt Sheng eraan toe.

'Hier in New York zijn miljoenen oude teksten...' verzucht Mistral. 'Alleen al in de Public Library bevinden zich zeer kost-bare documenten. Er ligt een exemplaar van de Onafhankelijk-heidsverklaring van de Verenigde Staten, en...'

Sheng onderbreekt haar: 'Blijkbaar is er toch iets waar we niet aan denken...'

'Wacht eens! Eén van de tollen heeft nog een plek aangewe-zen waar we nooit zijn wezen kijken,' weet Mistral ineens weer, en ze slaat haar schrift open. 'De psychiatrische inrichting op Roosevelt Island.'

'De Toren, de veilige plek...' mompelt Sheng.

'Misschien is daar een tekst. Een lange, oude tekst. Misschien is die inrichting wel een belangrijke plek.'

'Laten we het maar proberen,' zegt Sheng terwijl hij overeind komt. Dan zegt hij: 'Jakkes! Het is zoeken naar een speld in een hooiberg. We zien iets over het hoofd...' herhaalt hij mis-troostig.

273

De deur van de werkkamer van meneer Miller gaat een stukje open.

'Wauw! Wat is het hier netjes!' roept Elettra terwijl ze naar binnen gluurt.

'Ziekelijk gewoon, hè?' antwoordt Harvey, nog vuil van de aarde. 'Moet je die muren zien; zijn boeken, zijn prijzen...'

Elettra bewondert de boekenverzameling en de talloze foto's. Onder haar voeten ligt zachte vloerbedekking.

'En dat is Dwaine...' mompelt Harvey, wijzend op een foto.

'Hij lijkt ontzettend veel op jou.'

'Ik lijk juist op hém. Maar niet in alle opzichten, helaas.'

'Hou daarmee op,' berispt Elettra hem. 'En wat voor plattegronden zijn dat?'

'Zee-onderzoeken, luchtstromingen...' antwoordt Harvey afwezig. 'Mijn vader houdt zich met het klimaat bezig. Zure regen, tornado's, vervuiling, temperatuurstijging, het smelten van de ijskappen, zeebevingen... elke avond heeft hij wel iets nieuws om over te mopperen. Als je hem moet geloven zijn dit de laatste dagen van de mensheid. Zo doet hij al sinds Dwaine... Tja, voor hem staat optimisme gelijk aan domheid. Hij is zo kil, zo'n pietje precies, zo verstandelijk!'

'En daarbij vergeleken heb jij het gevoel dat je stom bent.'

'Precies,' antwoordt Harvey. 'En dat doet pijn. Het voelt alsof ik op geen enkele manier meer met hem kan communiceren.'

'Dat snap ik wel.'

'Mijn vader was dol op Dwaine. Mijn moeder trouwens ook. Hij was overal goed in. Hij was... geniaal.'

Elettra geeft hem een kus op zijn voorhoofd. 'Jij bent ook geniaal, Harvey.'

'Misschien moest ik maar geologie gaan studeren.'

'En de meester der aardbevingen worden?' grapt Elettra.

Op dat moment rinkelt de telefoon in huize Miller.

29
DE NAALDEN

Eenmaal in Central Park gaat Sheng achter de eekhoorntjes
aan, en Mistral kijkt geamuseerd toe hoe hij zich achter de
struiken verstopt. Dit park lijkt wel speciaal gemaakt om de stad
om je heen te vergeten: er zijn paadjes, plekken die nog onge-
rept aandoen, meertjes, enorme grasvelden en... een oude Egyptische obelisk.

Hij staat op een heuveltje achter het Metropolitan Museum
en ziet eruit als een stenen zonnestraal, rustend op een sokkel
met vier grote bronzen krabben.

'Hij werd geschonken aan de stad ter gelegenheid van de opening van het Suezkanaal, en hij wordt de "Naald van Cleopatra"
genoemd...' leest Mistral in een gidsje dat ze net heeft aangeschaft
bij een kraampje. 'Ook al heeft hij eigenlijk niets met Cleopatra
te maken. Hij maakte deel uit van de Zonnetempel van Helio-
polis, in het oude Egypte... samen met twee andere obelisken.'

Sheng loopt om de obelisk heen. Alle vier de zijden zijn versierd met hiëroglyfen, mysterieuze tekens aangetast door de tand des tijds, als de sporen van eeuwenoude dieren.

Op de sokkel zijn vier metalen platen aangebracht met de vertaling van de hiëroglyfen.

'O, jij, *Horus, sterke stier, zoon van Khepri, Heerser over Opper- en Neder-Egypte...*' declameert Sheng.

'De andere twee obelisken,' leest Mistral intussen verder, 'staan tegenwoordig in Londen en in Parijs.'

'Jij die bent gekomen in het huis van de vader, de Heer van de twee Landen, de uitverkorene van de zon, geliefd door Amon...'

Ineens kijkt Mistral omhoog.

'Wauw,' zegt ze. Dan roept ze plotseling: 'De naalden! Natuurlijk! Daarom heeft hij drie naalden voor ons achtergelaten!'

Sheng stopt op slag met lezen.

Mistral zet een stap achteruit en wijst naar de obelisk. 'De Naald van Cleopatra maakte deel uit van een groep van drie obelisken... Drie obelisken. Drie naalden. Eén in New York, één in Londen en één in Parijs. Naald New York, Naald Londen en Naald Parijs!'

Sheng staat versteld. 'Hao, je hebt gelijk!'

Het meisje loopt naar de metalen plaat die Sheng aan het lezen was. 'De obelisk heeft vier zijden en vier vertalingen. Vier teksten die nooit zullen veranderen.'

'En wij hebben vier ansichtkaarten...'

'Lees het eerste getal eens op!'

'25.'

'De eerste letter van het vijfentwintigste woord is een G.'

'6.'

'O.'

'85.'

'Wacht even... T.'

'42.'

'Weer een O.'

'"*Go to*",' concludeert Mistral. En ze vertaalt: '"Ga naar"... dat betekent "ga naar", wauw!'

'Ga door!' schreeuwt Sheng bijna terwijl hij de volgende getallen leest.

Door de naald zit zwarte hechtdraad. Trefzeker haalt de Panter hem door de verwondingen van Doctor Nose die op zijn buik op de bank ligt.

'Uh, uh...' jammert hij elke keer als de naald in zijn rug prikt. 'Voorzichtig! Voorzichtig! Uuuuh! O, mijn arme, oude velletje...'

De vrouw neemt de draad tussen haar tanden, bijt hem door en loopt weg.

'Ben je klaar?' kreunt Egon Nose. 'Fijn. O, wat een pijn.'

Hij staat moeizaam op, knoopt zijn zijden overhemd dicht en kijkt in de spiegel.

Het beeld wat hij ziet is een monster vol krassen. Een hele trits witte pleisters bedekt zijn gezicht, zijn wangen, zijn hals, zijn handen.

'Ik zie er vreselijk uit...' mompelt hij. 'Ik zie er echt vreselijk uit. Zelfs voor iemand die eraan gewend is om elke ochtend een lelijke kop in de spiegel te zien, is dit een walgelijke aanblik. Echt walgelijk.'

Hij strijkt met zijn vinger over zijn pijnlijke gezicht. Van elke snee weet hij nog precies welke ravenklauw of snavel hem die heeft bezorgd. Zijn gezicht is een masker van krassen.

'Maar nu ben ik echt razend. Ik ben echt ontzettend kwaad. Hoe kan ik deze puinhoop weer goedmaken? Hoe kan ik me hieruit redden zonder voor gek te staan? Wat denk jij, Panter? Misschien moet ik net doen of er niks aan de hand is, me nergens iets van aantrekken...' Doctor Nose gaat op zoek naar zijn stok. Hij grijpt hem vast en beukt er drie keer mee op de grond. 'Zo is het welletjes! Laat de anderen komen. We plegen een paar telefoontjes en dan gaan we eens op bezoek bij onze vriend de antiquair.'

'Hoezo hebben jullie het opgelost?' vraagt Harvey aan de telefoon, en hij wenkt Elettra erbij. 'Maar... hoe hebben jullie hem dat dan geflikt? De obelisk? Ach, natuurlijk! De Naald van Cleopatra! Wat stom dat ik daar niet aan gedacht heb! Dat is waar ook!'

Elettra komt snel bij hem staan en houdt haar oor bij de hoorn.

Ook zij hoort het enthousiasme in Mistrals stem: 'De zin op de eerste ansichtkaart... die aan jou gericht is... luidt: "*Ga naar de oude school van de meester der getallen. Drie keer drie. Drie keer vijf.*" Heb jij... enig idee wat dat betekent?'

'De school van de meester der getallen? Nee. Nooit van gehoord...'

'Is er niet zo'n soort plek in New York? Een school van getallen? Drie keer drie... Drie keer vijf.'

'Dat zijn de tafels!' roept Elettra.

'Dat zijn de tafels,' herhaalt Harvey.

'Daar hebben wij ook aan gedacht,' zegt Mistral aan de andere kant van de lijn. 'Maar wat moeten we daar dan mee?'

'Tafels... tafels...' prevelt Harvey. Hij geeft de hoorn aan Elettra en begint in de boekenkast van zijn vader te neuzen. 'Tafels...'

'We hebben ook de tweede vertaald!' vervolgt Mistral intussen.

'Hoe gaat die?' vraagt Elettra.

'De weg is beschermd. Om naar binnen te gaan moet je geduld en geestkracht vinden.'

'Geduld!' snuift Elettra. 'Hoe kunnen we nu geduld hebben? We hebben nog maar twee dagen...'

'Geschiedenis van de wiskunde!' roept Harvey verrukt, en hij klimt op het trapje om een groot zwart boek te pakken.

'Misschien hebben we iets gevonden,' zegt Elettra.

De stem van Mistral wordt half overstemd door het geruis van de wind.

Het is net alsof alle tijd rondom de kinderen ineens razendsnel voorbijgaat.

Harvey bladert zenuwachtig door het boek over de geschiedenis van de wiskunde. Hij raadpleegt de index. 'Tafels... Nee. De tafels van Pythagoras... Pythagoras... De meester der getallen!' roept hij dan uit. 'Dat is Pythagoras!'

'Zoek de school van Pythagoras!' roept Mistral daarop.

'Dat ga ik proberen!' antwoordt Elettra. 'Harvey, is er hier een telefoonboek? Een gouden gids? Nou ja, hoe jullie dat ook mogen noemen in Amerika?' Het meisje legt de hoorn neer en trekt de laden van het bureau open, tot ze een reusachtig telefoonboek in meerdere delen tevoorschijn haalt.

Ze klemt de hoorn tussen haar schouder en haar hals en mompelt: 'School van Pythagoras. Oude school... Of zoiets.'

Harvey leest intussen vlug het hoofdstuk over Pythagoras door. Hij glijdt met zijn wijsvinger langs de regels als de scanner van een computer. *De duistere betekenissen van de getallen... numerologie... oosterse school der getallen... studie in Egypte... reis naar het oosten... de wijsheid van de oude Magiërs!* Harvey's stem schiet omhoog. 'Misschien is dit het!'

'Scholen... scholen...' is Elettra intussen al even koortsachtig aan het zoeken. 'Dit telefoonboek is echt een ramp.'

'Geduld en geestkracht,' zegt Mistral aan de telefoon. 'We moeten geduld en geestkracht vinden.'

'Hoe ver is Sheng met de derde ansichtkaart?'

'Hij lijkt wel een waanzinnige. Als iemand in de buurt van de obelisk waagt te komen, maakt hij hem af!'

Elettra grinnikt. 'Er zijn wel drie miljoen scholen, maar geen enkele school van Pythagoras...'

'Magische getallen... de zeven... zeven planeten...' leest Harvey verder. *'Pythagoras bedenkt de zeven muziektonen... en de overeenkomsten tussen de getallen van het universum. Het universum is getal... Hij richt zijn school op in Magna Grecia.'*

'De Magna Grecia-school!' roept Mistral als ze dat hoort.

'Magna Grecia is in Italië!' weet Elettra. 'Het was het zuidelijke deel van Italië.'

282

'In Croton,' preciseert Harvey.

'De Croton-school,' oppert Elettra. Maar die is ook al niet te vinden.

'*Zijn leerlingen…*' vervolgt Harvey, '*moesten een jaar lang stilzwijgen in acht nemen, voordat ze werden toegelaten tot zijn lessen.*'

'Geduld en geestkracht,' herhaalt Mistral weer. 'Dat staat hier geschreven.'

'Wij hebben geen jaar de tijd,' werpt Elettra tegen. 'We hebben niet eens een maand. Lees die boodschap nog eens voor, Mistral.'

'*Ga naar de oude school van de meester der getallen. Drie keer drie. Drie keer vijf.*'

'Betekent dat dat we naar… Croton moeten?'

'Dat is aan de andere kant van de oceaan!' protesteert Harvey. 'Waarom zou de boodschap dan in New York verstopt zijn?'

'Croton.'

'Wat is dat, Croton? Ik ken die naam ergens van!'

De drie kinderen zijn een tijdje stil.

'O nee,' jammert Mistral.

'Wat?'

'Het gaat regenen.'

'Water!' roept Elettra dan. 'Dáár ken ik het van: van Vladimir. Was Croton niet de naam van de oude waterleiding van New York? De Angel of Waters?'

'De Croton-waterleiding,' herinnert Harvey zich. 'Die van die fontein.'

'Waar is dat bedrijf gevestigd?' vraagt Elettra hem.

'Ik… ik weet niet, nergens.'

'Waar zaten ze vroeger dan?'

'Hoe moet ik dat weten?'

'Bel Vladimir op!'

'Hoe dan? Jij houdt de telefoon bezet!'

Elettra werpt hem haar mobieltje toe. 'Misschien hebben we iets...' zegt ze tegen Mistral.

Harvey kiest het nummer van de antiquair. 'Hallo, Vladimir? Met Harvey. Sorry... ik heb een beetje haast. Weet jij waar het kantoor van de Croton-waterleiding gevestigd is, of gevestigd wás? Ik hoor je niet goed... Vladimir? Hoor je me? Croton. Die van de eerste waterleiding in New York. Precies...'

Er volgt een moment van indringende stilte.

'Daar? Ja, ik snap het. Maar op welke hoogte? Naast de Public Library? Ach, natuurlijk: Geduld en Geestkracht!' roept Harvey dan uit. '*Patience* en *Fortitude*, zo heten toch die twee leeuwen die de ingang van de bibliotheek bewaken?'

Elettra zegt door de telefoon: 'Het is bij de Nationale Bibliotheek. We zien elkaar daar voor de deur.'

Harvey en zij hangen allebei op en rennen het huis uit.

'Misschien kunnen we er beter niet alleen naartoe gaan...' zegt Elettra terwijl ze naar de metrohalte rennen.

Ze kiest een nummer op haar mobieltje.

Quilleran.

Aan de andere kant van de stad heeft Vladimir Askenazy de telefoon nog niet neergelegd of Egon Nose sist: 'Wat is er met de Public Library, meneer Askenazy?'

Vladimir kreunt, op zijn stoel vastgehouden door de twee vrouwen. 'Iemand die op zoek was naar een boek.'

Doctor Nose komt dichterbij met zijn gezicht, dat bedekt is met een labyrint aan pleisters. 'Dit is niet echt het moment om geintjes te maken...' sist hij.

'Ik ben dol op een... happy end,' werpt de antiquair tegen.

'Zorg dat hij van gedachten verandert,' beveelt Egon terwijl hij een stap achteruit zet.

Een van de twee vrouwen grijpt de rechterhand van Vladimir, die meteen 'Nee! Stop!' roept.

Doctor Nose kijkt afwezig naar een antiek beeldje. Met een klap van zijn stok gooit hij het op de grond, waar het in gruzelementen valt. 'Denkt u niet dat we het eens zouden kunnen worden, meneer Askenazy? Was dat daarnet Miller aan de telefoon?'

Vladimirs vinger zit in de greep van een van de vrouwen van Nose. Hij wou dat hij het lef had om een smoesje op te hangen, maar hij kan het niet: 'Hij was het,' geeft hij toe.

'En wat wilde hij?'

'Een exemplaar van de *Avonturen van Winnie de Poeh*,' sneert Vladimir.

De vrouw knijpt harder.

De antiquair schreeuwt en klapt voorover op zijn schrijftafel.

'Heel aardig, meneer Vladimir, werkelijk waar,' zegt Egon Nose terwijl hij het verbrijzelde beeldje vertrapt. 'Maar het heeft totaal geen zin. Als Miller zijn huis uitgaat, weten mijn meiden het. Als hij opbelt, weten mijn meiden het. Als zijn Italiaanse vriend zijn moeder opbelt, weten mijn meiden het.'

Vladimir kan geen woord uitbrengen, zijn mond is wijd open gesperd, en zijn handen doen zoveel pijn dat hij alleen nog maar bewusteloos wil raken. Toch vindt hij diep in zijn hart nog een laatste kruimeltje lef. Of waanzin. Dat zijn immers toch kruimels van hetzelfde brood.

'Er is... dus... maar één ding... dat jouw meiden niet weten...'

'En dat is, meneer Askenazy?'

'Waarom ze in godsnaam zouden blijven werken... voor zo'n monsterlijke vent als jij.'

Die woorden lijken Doctor Nose diep in zijn ijdele, machteloze ziel te treffen. De meester van de New Yorkse nachten ontsteekt in woede: 'Denk je er zo over? Vind je dat? Dat ik monsterlijk ben?' Met zijn gehavende gezicht vertrokken van woede begint Egon alles om zich heen kort en klein te schoppen en te slaan met zijn stok, alles wat hij binnen bereik krijgt gaat aan diggelen. 'Heel toevallig is het wel zo dat dit gezicht, meneer de antiquair... dat dit monsterlijke gezicht... de top van de stad heeft bereikt.'

De pijnlijke, vermoeide ogen van Vladimir gaan nog een keertje open. Een zweem van een glimlach, een krankzinnige glimlach van superioriteit, speelt om zijn lippen. 'Niet de top, Nose. Het dieptepunt. Je zakt alleen maar dieper.'

Doctor Nose houdt op met de boel aan gruzelementen te slaan. Hij trekt langzaam een met kant afgewerkte achttiende-eeuwse handschoen aan en slaat de antiquair dan keihard in zijn gezicht, waardoor die op de grond neervalt.

Nose wrijft over zijn hand, trekt de handschoen weer uit en laat hem op de grond glijden.

'Steek de hele boel in brand,' beveelt hij. 'En laat hem maar binnen liggen.'

30

DE LEEUWEN

Patience en *Fortitude* zijn wit. Ze zitten op wacht naast de trappen van de Public Library en kijken roerloos naar de stad die nooit stilstaat. Als sfinxen op wacht geven ze de overgang aan tussen de drukke bezigheden van de mens en diens onbeweeglijke woorden, vastgelegd in boeken.

Door een hinderlijke motregen zijn de straten glanzend en grijs. Verchroomde auto's razen voorbij langs de vage voorgevels van de wolkenkrabbers.

Elettra en Harvey bereiken het indrukwekkende bibliotheekgebouw als eersten. De indiaanse postbode, Quilleran, voegt zich een paar minuten later bij hen, vanaf de overkant van de weg. Het is bijna avond. De straatlantaarns kunnen elk moment aan gaan.

Harvey werpt Quilleran een steelse blik toe. Dan zegt hij: 'We weten niet precies waarom we hierheen zijn gekomen.'

En hij vertelt over de hiëroglyfen van Central Park en over Croton. De man glimlacht alleen maar.

'Goed dat jullie mij gebeld hebben.'

Een eenogige raaf strijkt neer op het hoofd van de leeuw Patience. De vogel kijkt hen aandachtig aan met zijn ene gezonde oog.

Even later arriveren Sheng en Mistral. Ze banen zich een weg tussen de paraplu's die het trottoir van Fifth Street bevolken, als dolgedraaide paddenstoelen.

'We hebben ook de andere teksten vertaald!' roept Sheng opgetogen terwijl hij de trap met twee treden tegelijk neemt. 'Op ansichtkaart nummer 2 stond: *Een labyrint beschermt de kennis. Alleen de eersten vinden de weg.*'

'Haal even adem,' raadt Elettra hem aan.

'En op de laatste...' vervolgt de Chinese jongen onverstoorbaar: '*De deur is geen magische rechthoek. Het zijn negen vierkanten.* Alleen klopt er één letter niet, de Q. Hé, hallo!' zegt hij dan als hij Quilleran opmerkt. 'Wat kom jij hier doen?'

'Ik weet het ook niet,' antwoordt de indiaan.

Ze gaan de bibliotheek binnen, waar een speciale stilte heerst. Miljoenen bladzijden die worden omgeslagen op de houten tafels.

Talloze mappen.

Zalen, trappen, overlopen en gangen.

'En nu?' vraagt Elettra.

'*Een labyrint beschermt de kennis,*' citeert Harvey. '*Alleen de eersten vinden de weg.*'

'Wat moeten we hier in godsnaam doen?' mompelt Mistral.

'Dat weten we niet,' reageert Harvey. 'We moeten op zoek... naar iets.'

'En dat heeft te maken met de eersten.'

'We hebben een gids nodig.'

Een man met geblondeerd haar en een verwijfd loopje bege-
leidt hen naar de eerste onderaardse verdieping van de bibliotheek.

'Normaal gesproken mag niemand hier komen...' zegt hij
voor de zoveelste keer terwijl hij zijn bril met lila montuur op
het puntje van zijn neus zet. 'Maar zoals ik van jullie oom heb
begrepen...' hij wijst naar Quilleran, die stoïcijns voor zich uit
staart als een verweerd standbeeld, 'is dit echt een heel speciale
gelegenheid...'

Sheng glimlacht. 'Inderdaad.' En hij fluistert tegen Harvey:
'Waarom kijkt hij mij nu de hele tijd aan?'

'Drie keer raden wie het "neefje" van oom Quilleran is?'

Sheng knikt. Dan wendt hij zich tot Mistral. 'Weet jij wat ze
hem voor speciaals verteld hebben?'

'Dat we hem vijfhonderd dollar geven als hij ons helpt te
vinden wat we zoeken.'

'En wat zoeken we?'

Mistral haalt haar schouders op. 'De buizen van de waterleiding?'

Alsof hij zich een houding wil geven, stort de gids een hele
berg informatie over hen uit: 'Onze bibliotheek herbergt zestig
miljoen boeken. En dankzij ons catalogussysteem en onze
razendsnelle karretjes zijn we in staat om elk boek binnen tien
minuten terug te vinden.'

Het groepje loopt door een eindeloze gang met een laag plafond en schappen aan beide zijden.

'Wat is er overgebleven van het gebouw dat hier vóór de bibliotheek stond?' vraagt Harvey als ze bij een splitsing komen.

De gids schudt zijn hoofd. 'O... Hmm... Wat er over is van het gebouw dat er eerst stond...?'

'Het was het hoofdkantoor van de Croton-waterleiding,' zegt Sheng.

'Hmm... even denken... Croton.' De man kijkt rond om zich te oriënteren en kiest dan ogenschijnlijk zomaar een van de nieuwe gangen. 'Kom maar mee.'

Na verschillende omwegen, vragen en duizenden stappen, brengt de gids hen voor een oude, anonieme witte muur.

'Dit zou het moeten zijn,' zegt hij terwijl hij nog maar eens een keer het kopietje raadpleegt dat hij drie verdiepingen hoger heeft laten maken. 'Ja, precies. Dit is wat er over is van het gebouw dat hier vóór de bibliotheek stond: de laatste overgebleven muur van Croton Industries.'

Het is een doodgewone witte muur, die maar één vierkante meter vrij is gehouden van schappen. Links en rechts daarvan alleen maar boeken. De schappen beginnen ter hoogte van Harvey's hoofd en reiken tot een halve meter van het plafond. De gang waar ze uit zijn gekomen wordt verlicht door hele rijen tl-buizen die aanfloepten toen ze erlangs liepen.

'Tevreden?' vraagt de gids.

'Eerlijk gezegd... nee,' antwoordt Harvey.

'Er is niks interessants te zien aan die muur,' merkt Mistral op.

De gids wrijft nerveus in zijn handen. 'Hoe dan ook... dit is hem.'

'Dit is niet de plek die we moeten hebben,' meent Harvey. 'Het is een punt van vertrek. *Ga naar de oude school van de meester der getallen.*' Hij leunt tegen de muur aan en kijkt om zich heen. 'En daar zijn we nu.'

Sheng gaat naast hem staan. 'En om ons heen hebben we een labyrint. *Alleen de eersten vinden de weg,*' herhaalt hij hardop.

De gids kijkt Quilleran vragend aan.

'Kunnen we nu weer gaan?'

'Heel even nog,' antwoordt de indiaan.

'*Alleen de eersten... alleen de eersten...*'

'De eersten van wat?'

'De eersten die ernaar op zoek gaan?'

'Of de eersten omdat ze de besten zijn?'

Harvey kijkt naar de nummers waarmee de gangen rond de oude muur van het bedrijf Croton gemarkeerd zijn en leest ze hardop voor.

'89, 88, 81...'

'Negen keer negen,' zegt Sheng meteen.

'Wat zeg je?'

'Eenentachtig. Negen keer negen. De tafel van negen.'

'En achtentachtig?'

'Dat komt in geen enkele tafel voor,' mompelt Sheng. 'Of wacht eens. Het komt wel voor in de tafel van elf: acht keer elf.'

'En negenentachtig?'

'Misschien in die van zeven? Zevenenzeventig, vierentachtig... nee,' probeert Sheng zich te concentreren.

'Het is een priemgetal,' zegt Mistral.

Harvey en Sheng draaien zich om naar het Franse meisje.

'Een priemgetal is een natuurlijk getal dat alleen deelbaar is door één en door zichzelf,' legt ze uit. 'Vroeger noemden ze dat ook wel een eerstgetal.'

Er verschijnt een brede glimlach op Harvey's gezicht. '*Alleen de eersten... zullen de weg vinden.*'

Hij loopt gang nummer negenentachtig in.

'Hé!' roept de gids uit. 'Daar mag je niet heen.'

Quilleran houdt hem tegen met een hand op zijn schouder. Een loodzware hand.

'Heel even maar,' zegt hij.

De gangen kruisen elkaar als de verbindingen van een spinnenweb. En bij elke splitsing vinden de kinderen een priemgetal dat hen de weg wijst. Soms geeft het een trap omlaag aan. Dan gaan ze dus omlaag.

De gids met het geblondeerde haar loopt buiten adem achter hen aan, hij jammert, kijkt angstig om zich heen, maar hij durft nooit echt te protesteren. 'Als ze erachter komen dat jullie hier naar beneden zijn gegaan,' herhaalt hij bij elke afslag, 'dan word ik ontslagen.'

Even later blijven ze stilstaan.

Ze hebben een geluid gehoord van een paar verdiepingen boven hen.

Het leek wel een schot.

Ze blijven roerloos staan. De gids is erg geschrokken: 'Hoorden jullie dat ook?'

Misschien is het een stapel boeken die is omgevallen.

Misschien een lamp die gesprongen is.

'Ik niet,' antwoordt Quilleran voor iedereen. 'Ik heb niks gehoord.'

Hij duwt de man naar voren en gebaart naar Harvey dat hij moet doorlopen.

Wat dat geluid ook moge hebben veroorzaakt, hun afdaling in het labyrint van boeken verloopt nu in een steeds straffer tempo. Algauw zijn ze het schot weer vergeten, net als alle andere geluiden: ze horen alleen het ritmische geluid van hun ademhaling en hun piepende schoenen op de vloer. De lampen in de gangen floepen aan als ze voorbij komen en gaan even later weer uit.

Dan klinkt er opnieuw een schot. En deze keer lijdt het geen twijfel: het wordt gevolgd door een kreet.

De gids blijft opnieuw staan: 'Hebben jullie het nu wel gehoord? Er heeft iemand... geschoten!'

'Ja,' zegt Quilleran zonder te stoppen.

Het onderaardse stelsel is een donker raster. De indiaan gebaart dat ze moeten wachten.

De ene ganglamp na de andere gaat uit achter hen, tot alleen de lamp boven hun hoofden nog aan is.

Ze wachten.

Het is helemaal donker, afgezien van hun kleine lampje. Quilleran trekt een van zijn schoenen uit en verbrijzelt ook dat laatste lampje met een welgemikte klap.

'Hé!' protesteert de gids. 'Dat mag niet! U bent een vandaal!'

'Sst,' legt de indiaan hem het zwijgen op.

Ze staan in het donker.

Het zestal leunt tegen de schappen aan en blijft staan luisteren. Het duister is verstikkend.

'Mag ik misschien weten wat...' probeert de bibliotheekmedewerker te protesteren.

'Ik zei: stilte,' herhaalt Quilleran op een toon die geen weerwoord duldt. Hij kijkt achter zich, in de richting vanwaar ze zijn gekomen. 'Ze komen omlaag,' fluistert hij.

Ook de kinderen horen nu tikkende hakken, heel ver weg.

'Wie komt daar nu naar beneden?' kreunt de gids.

'De vrouwen van Egon,' antwoordt Harvey terwijl hij voor hem langs loopt.

'Wie?' vraagt de man. 'Waar hebben jullie het in godsnaam over?'

'Zij zijn degenen die hebben geschoten,' voegt Mistral eraan toe.

De man krijgt het Spaans benauwd. 'O nee!' roept hij uit. 'Zeg dat dit allemaal een grap is...'

'Jammer genoeg niet.'

In de verte gaat een deur open en dicht. Boven de schappen ziet het zestal nu plafondlampen aanfloepen in een gang ver weg.

'Is er geen manier om deze verdieping te isoleren?' vraagt Sheng aan de gids.

'De verdieping isoleren? Wat wil dat zeggen?'

Elettra maakt een handgebaar. 'Het licht uitdoen.' Ze wijst naar de aanfloepende tl-buizen in de verte. 'Die vrouwen zijn naar ons op zoek. Zie je? Ze bevinden zich daar waar het licht aangaat. Zolang we in het donker staan, kunnen ze niet weten waar we zijn. Maar zodra we ons bewegen...'

'Stil blijven staan,' zegt Sheng.

'We moeten teruggaan,' zegt Mistral.

'Ik ga nu niet meer terug,' protesteert Sheng.

'Of...'

'We verspreiden ons,' stelt Quilleran voor.

'Wat?'

De indiaan bestudeert de gezichten van de kinderen, gehuld in schaduw, en vraagt aan Harvey: 'Hoe ver is het nog, wat je zoekt?'

'Hoe moet ik dat weten?'

'Sommigen gaan verder, en de rest loopt terug,' houdt Quilleran vol.

Harvey kijkt naar de lampen van de gangen in de verte. Ze gaan langzaam aan, alsof de vrouwen twijfelen welke kant ze op moeten.

'Als we ons verspreiden, moeten zij zich ook verspreiden,' mompelt de jongen. 'En misschien kunnen we ze dan van ons af schudden.'

'Mag ik ook weten waar jullie het over hebben?' zucht de gids.

'Hou toch je mond!' snauwt Sheng zo streng dat hij onmiddellijk het gewenste effect bereikt.

'Ik ga terug,' herhaalt Mistral.

'Ik ga met je mee,' besluit Elettra.

De gids heft zijn handen opgelucht naar de hemel. 'Eindelijk!'

Het groepje neemt haastig afscheid, en dan beginnen de twee meisjes terug te lopen.

'Rennen!' roept Quilleran ze toe.

Hijzelf, Harvey en Sheng haasten zich in de tegenovergestelde richting, terwijl de gids verbijsterd in het midden blijft staan.

'Hé!' protesteert de man zwakjes. 'Maar jullie mogen niet...'

De lampen in de gang gaan weer aan.

'Schiet op!' roept Elettra hem toe. 'Leid ons hieruit!'

Dat laat de man met het geblondeerde haar zich geen twee keer zeggen.

Harvey, Sheng en Quilleran lopen snel de andere kant op. Ze gaan nog een verdieping lager.

'*19*,' leest Harvey boven de gang die hij in slaat. Hij ziet niet dat er achter hem nog meer lampen aan gaan. Vervolgens leest hij: '17.'

Ze rennen verder. Quilleran draait zich pas om als hij voetstappen achter zich hoort. Elke keer als hij stopt, slaat hij de tl-buis aan het plafond kapot met zijn schoen. Sheng maakt van die korte pauzes gebruik om op adem te komen.

Hij kan bijna niet meer.

Voetstappen die de trap af komen.

Hoge hakken.

De vrouwen van Egon Nose.

'We moeten opschieten,' spoort Harvey de anderen aan terwijl hij de gangen voor zich afspeurt. 'We zijn er nu bijna.'

De hakken gaan een trap af die zij net hebben gehad, en blijven dan staan. Gretige vrouwenogen turen in het duister.

Ze zien niets. Langzaam lopen de voetstappen weer de trap op. Eén, twee, drie, vijf treden. Dan verwijderen ze zich.

'Kom, we gaan verder,' fluistert Quilleran.

En ze zetten het weer op een rennen.

Gang 13. Gang 7.

Een nieuw geluid achter hen. De achtervolging is weer ingezet.

Gang 5.

Ze horen een derde pistoolschot, ver, heel ver weg. Het is nauwelijks meer dan geklak.

Meteen daarna schiet er echter een witte flits door de tl-buizen heen. De lampen gaan allemaal tegelijk aan en ontploffen in een lawine van glasscherven. Een regen van piepkleine splinters daalt in alle gangen neer.

'Elettra,' weet Harvey meteen terwijl hij zijn handen voor zijn ogen houdt. 'Er is iets gebeurd met Elettra!'

Hij wil teruglopen, maar Quilleran en Sheng houden hem tegen.

'Je kunt het nu niet opgeven, Harvey. We zijn er bijna.'

De jongen wil zich losrukken, maar Quilleran heeft hem stevig vast.

En Sheng smeekt hem: 'We hebben ons gesplitst zodat we een kans hadden om tot hier af te dalen,' zegt hij. 'En nu zijn we er bijna.'

Harvey schudt zijn hoofd. 'We weten niet eens wáár we bijna zijn...'

Quilleran laat zijn greep niet verslappen.

Vier verdiepingen boven hen staat Elettra met haar ogen dicht en haar handen naar het plafond opgetild. Rondom haar zijn alle lampen gesprongen.

Als ze haar ogen weer opendoet, ziet ze Mistral op de grond

liggen, op haar buik. Duizenden glassplinters in haar haren, op haar kleren, op de vloer.

'Mistral?'

Het meisje hoest. Ze tilt haar handen op. Ze leeft nog.

Elettra kijkt voor zich uit. De gang is helemaal donker, maar haar ogen zijn nog vol vuur. Ze ziet de schimmen van twee vrouwen op nog geen vijftig meter van hen af: ze liggen kreunend en jammerend op de grond.

Ze klemmen geen pistool meer in hun hand. Ze schieten niet meer.

Er snikt iemand. Het is hun gids. Zijn handen zitten onder het bloed. Er zitten allemaal glassplinters in zijn vingers geboord.

Elettra knielt voor hem neer. 'Haal ons hier alsjeblieft weg,' zegt ze. 'Voordat ze weer achter ons aan komen.'

De gids heeft de ogen van een kind. Daarbij vergeleken is Elettra's blik die van een vrouw die door de eeuwen heen is gekomen. 'Wat is er gebeurd?' vraagt hij.

'Ze hebben geprobeerd ons neer te schieten,' zegt ze.

'En... toen?'

'Toen heb ik me verdedigd,' fluistert Elettra, haar gezicht vertrokken van de inspanning.

Ze is omringd door vlammen.

De boeken staan in brand.

En dan begint het ineens te sneeuwen.

'Blijkbaar is de brandblusinstallatie in werking getreden,' zegt Sheng vier verdiepingen lager, kijkend naar de dunne vlokjes blusstof die rondom hem omlaag dwarrelen. 'Natuurlijk: in een bibliotheek kun je geen water gebruiken.'

De gangen zijn aardedonker. En steeds smaller. En steeds dieper.

Gang nummer 3.

Ze lopen tussen de neervallende vlokken. Ze vertrappen glasscherven. Een sirene ver, heel ver weg verscheurt de nachtelijke
stilte.

Maar ze gaan omlaag.

Ze slaan weer een hoek om.

Ze gaan gang nummer 1 in.

De eerste.

En ze blijven staan, aan het eind van alles, of misschien aan
het begin, voor een gesloten deur.

Harvey voelt aan de deur, hij leunt ertegenaan, hij probeert
een klink, een slot te vinden. Maar dat is er niet. Hij ziet het
niet.

Alles is zwart als de nacht.

'Het stopt,' zegt hij. 'Het labyrint stopt.'

Sheng glipt naast hem. 'Het is een muur.'

'Maar dat kan toch niet,' kreunt Harvey. 'Het moet een deur
zijn...'

'*De deur is geen magische rechthoek,*' citeert de Chinese jongen. '*Het zijn negen vierkanten.*'

'Wat wil dat zeggen?'

Gebruik je handen, zegt een stem in Harvey's hoofd.

'Wat zei je?'

'Ik zei niks,' antwoordt Sheng.

'Waarom zei je dat ik mijn handen moest gebruiken?' dringt
Harvey aan.

'Ik zeg toch dat ik niks zei!'

Harvey schudt zijn hoofd, legt zijn handen tegen de muur aan. Hij beweegt ze omhoog, omlaag, zoekend naar iets. De wand is niet egaal. 'Er staan tekeningen op...' fluistert hij, voelend aan die stenen duisternis. 'Ik voel... een soort groeven.'

Verschuif ze, zegt de stem in zijn hoofd.

'Hoe kan ik ze nou verschuiven?'

'Hoe kun je wát verschuiven?' vraagt Sheng.

Praat tegen me, denkt Harvey.

Stemmen van de aarde. Van de geesten van bepaalde plekken. Van beschermengelen. Van zij die beschermen wat bescherming nodig heeft. Een stem die hij goed kent.

'Dwaine, moet ik deze verschuiven?' fluistert hij, terwijl hij zijn vingers in de groeven steekt. 'Deze?'

Ja, antwoordt de stem in zijn hoofd.

Wat het ook mogen zijn, Harvey verplaatst ze.

Quilleran staat achter de twee jongens. Hij kijkt bezorgd om in het donker. Hij heeft iets gehoord. Een sirene in de verte. Het geritsel van de vlokken blusschuim. En andere geluiden die onder de grond klinken. Onbegrijpelijke, onbekende geluiden. Hakken. Voetstappen.

De indiaan hurkt neer, snuift, schudt zijn hoofd. Dan pakt hij iets uit zijn zak en geeft het aan Sheng.

Het is een aansteker.

'Wat...?' mompelt de jongen.

Quillerans gezicht is zo puntig als dat van een uil. 'Om de deur te kunnen zien. Maar doe hem niet meteen aan! Wacht dertig tellen. Als ze licht zien, weten ze waar jullie zijn.'

'Wat ga jij doen?'

'Ik probeer ze tegen te houden.'

Dat is het laatste wat hij zegt.

Dan glipt hij de duisternis in en verdwijnt. Hij is terug-gegaan, om de vrouwen van Egon Nose te trotseren.

Sheng telt tot dertig, wacht nog een paar seconden en doet dan de aansteker aan.

Het vlammetje flitst in het donker en verlicht Harvey's rug en de muur aan het eind van de gang. In werkelijkheid is het geen gewone muur.

In het midden zit een soort vierkant van tegels gevat.

Op elke tegel staat een cijfer geschilderd:

$$
\begin{array}{ccc}
3 & 8 & 1 \\
5 & 9 & 7 \\
2 & 6 & 4
\end{array}
$$

Elke tegel kan bewegen en langs de buitenranden van het vierkant glijden.

Dat is waar Harvey mee bezig is: hij verschuift ze met zijn handen.

Het vlammetje gaat uit, en weer aan.

'Wat zijn dat?' vraagt Sheng aan zijn vriend.

'Ik weet het niet...' antwoordt Harvey. 'Maar ik weet wel dat ik ze moet verschuiven.'

'Negen magische vierkanten,' mijmert de Chinese jongen. Hij telt de tegels. Het zijn er negen. En ze zijn van 1 tot en met 9 genummerd. '*Negen. Drie keer drie...*' herhaalt hij opnieuw stuk-jes van de instructies op de vier ansichtkaarten.

'We moeten ze verschuiven,' houdt Harvey vol.

'Maar hoe?'

'Ik weet het niet...' geeft hij toe.

Een schot. Een schot heel dichtbij.

Sheng doet de aansteker uit. Ze draaien zich om, met ingehouden adem, het hart in de keel. Ze luisteren. Geluiden van een worsteling. Gebroken schappen. Quilleran is hun achtervolgsters tegen het lijf gelopen.

'We moeten dat vervloekte raadsel oplossen!' kreunt Sheng terwijl hij de aansteker weer aan doet.

'Maar hoe?' vraagt Harvey zich af.

Negen tegels.

Drie keer drie.

Drie keer vijf.

'Het is een magisch vierkant!' roept Sheng ineens uit, als hem een oud raadsel te binnen schiet. Hij wijst naar de tegels. 'De volgorde is... móet zijn...'

Het vlammetje gaat uit, en weer aan.

'Nu weet ik het weer!' roept hij opgetogen. 'Je moet ze zo rangschikken dat de cijfers opgeteld... op elke regel... en in elke kolom... steeds dezelfde uitkomst hebben.'

'Welke?'

Drie keer drie. Drie keer vijf.

'Negen,' zegt Sheng. 'Of vijftien.'

De geluiden achter hen klinken heviger. Maar Harvey hoort niets.

'Vijftien,' besluit hij.

Hij beweegt de tegels.

302

Het vlammetje gaat uit en weer aan.

Hij laat ze over de groeven glijden. Eén voor één, tot ze op de juiste plek belanden.

Sheng helpt hem, wijst, rekent mee.

Harvey verschuift, hij verschuift opnieuw, hij laat ze glijden en verandert de volgorde keer op keer.

Achter hen staat Quilleran te vechten. Een vrouwenstem slaakt een kreet. Sirenes in de verte.

'De vier! De vier! De vier moet rechtsboven.'

Nu is het magisch vierkant af. Horizontaal, verticaal en diagonaal is de som van de cijfers telkens vijftien.

8	3	4
1	5	9
6	7	2

En met een stoffige zucht gaat de muur een stukje open.

Harvey en Sheng duwen ertegenaan tot de spleet groot genoeg is om erdoor te kunnen, ze glippen erdoorheen, ze roepen Quilleran. Er komt geen antwoord.

Ze leggen hun handen tegen de achterkant en duwen de muur achter zich dicht.

Sheng zoekt het vuursteentje van de aansteker en houdt hun enige lichtje hoog boven zijn hoofd. Ze bevinden zich in een uiterst nauwe doorgang. Er zijn enkele treetjes die omhoog voeren. Een plafond van mozaïeksteentjes. Een breed perron.

Een metalen plaat, aan het eind van het perron:

FIRST STATION

Het vlammetje gaat trillend omhoog. Het is een gewelfde tunnel, die wordt opgeslokt door het duister. En er staat een trein op de rails.

Zodra ze het licht erop richten, herkennen de jongens hem: het is diezelfde pneumatische trein waarvan ze een miniatuur-exemplaar hebben gevonden in de toren van East Village. Hij is van zwart ijzer, met twee grote ronde koplampen. De wielen worden beschermd door net zulke spatborden als er op oude rij-tuigen zitten. De stoelen zijn oude fluwelen fauteuils. Op de zij-kant staat het symbool van een komeet. En de deur staat open.

Zonder iets te zeggen lopen Harvey en Sheng naar de trein en stappen in. Er zit een knop op het dashboard, met een rode hendel die slechts twee posities heeft.

First Station en *Last Station*. Eerste en laatste station.

Harvey pakt de hendel vast, maar die zit klem. Nerveus begint hij ertegenaan te duwen, tot hij met het geluid van bre-kende oude botten over de tandwielen losschiet.

Er gebeurt niets. De trein staat stil.

Dan voelen ze een luchtstroom.

Een grote zuiger wordt achter de wagon uitgeblazen. De twee vrienden worden op hun stoelen geworpen. De deur gaat amper op tijd dicht.

De onderaardse trein op perslucht wordt naar voren gescho-ten, de duisternis in.

Op weg naar het onbekende.

'Irene... met mij.'

'Vladimir? Wat is er aan de hand? Waarom bel je me nu?'

'Ze hebben mijn winkel in brand gestoken. Jaren van verzamelen, van speuren, van... schoonheid... zijn in één klap verwoest.'

'En jijzelf? Ben je gewond?'

'Mijn indianenvrienden hebben me naar buiten gedragen.'

'En de kinderen?'

'Quilleran is bij hen om ze te beschermen. Maar ze zijn veel sterker dan we dachten, Irene. Onze vijanden kennen Century, dat is duidelijk. Ze weten alles. En ook waar ze moeten zoeken.'

'Waar ben je nu?'

'Onder de sterren van het station. Ik wilde ze nog één keer zien. Iedereen denkt dat deze constellaties verkeerd om zijn, maar het zijn de enige goede. De komeet is onderweg. Hij komt terug!'

'Gaat het goed met de kinderen?'

'Ik denk het wel. Maar ik weet het niet zeker.'

'Ze zijn nu al op de helft!'

'Century komt terug. Maar nu wordt het heel anders dan honderd jaar geleden, Irene. Deze keer veroorzaakt de vossenster een ramp. Deze keer... zal hij ons vernietigen.'

'Ik geef de hoop nog niet op.'

'De mens is te slecht geworden. Geen enkel respect voor het pact. Als de aarde ons wil wegvagen, is dat puur uit zelfbehoud.'

'Nee! Wij én de kinderen hebben wel respect voor het pact.'

'Wij zijn maar met z'n tweeën, Irene. En de kinderen zijn met z'n vieren. Denk je echt dat wij alleen genoeg zijn... om de wereld te redden?'

'Je vergeet de vrienden, Vladimir. Je vergeet onze vrienden...'

31
DE VRIENDIN

Lekker languit op het enorme hotelbed bewondert Linda Melodia de tassen van de verschillende boetieks die rondom het bed gerangschikt staan als een hofhouding van pages rondom de koning. Ze heeft een notitieboekje in haar hand waarin ze alle namen heeft opgeschreven van degenen voor wie ze een souvenir heeft gekocht. Irene, Fernando, Elettra, Linda...

Haar eigen naam komt zeven keer voor. Terwijl ze in de zak van Banana Republic tuurt, gaat de telefoon. Het is de receptie.

'Iemand die me wát moet overhandigen? Bloemen? Oké, goed, zeg maar dat ze ze naar boven kunnen brengen.'

Ze zoekt haar sloffen, kijkt vlug in de spiegel en terwijl ze naar de deur loopt vraagt ze zich af wie dat in 's hemelsnaam kan zijn. Nog steeds haar aanbidder met de snor? Zou het kunnen dat hij na hun laatste etentje zo'n passie voor haar heeft opgevat dat hij haar een bos bloemen komt brengen? En als het nu gewoon een koerier is? Moet ze die dan een fooi geven?

Gauw terug om wat kleingeld te pakken, gauw nog even checken in de spiegel en... door de geopende deur hoort Linda het belletje dat aangeeft dat de lift op de verdieping is aangekomen. Ze loopt terug naar de drempel en kijkt de gang in.

Ze is volkomen verbijsterd.

Het is een kleine man met fluwelen kleren aan, zijn gezicht verscholen achter de bloemen, gehuld in een veel te wijde jas en met een paar foeilelijke schoenen van gelakt pythonleer. Hij is niet alleen, maar wordt vergezeld door twee lange, slanke vrouwen met platinablonde pruiken en witte jasjes van nepbont.

'Goedendag, mevrouw...' klinkt een schorre stem van achter de bos bloemen. 'Een verrassing voor u!'

Linda's verbijstering wordt zo mogelijk nog groter: is dat soms een neus, een afschuwelijke, gigantische neus, wat daar tussen de stelen van de gerbera's prijkt?

En wat die man daar in zijn hand heeft, is dat soms een...?

'Pistool?' roept ze verbluft uit, als ze die dreigende zwarte vorm herkent.

'Mag ik binnenkomen?' sist Egon Nose terwijl hij zijn weerzinwekkende gezicht toont, dat door de raven zo is toegetakeld. 'Geen grapjes, alstublieft! Wilt u zo vriendelijk zijn om in leven te blijven?'

Elettra, Mistral en de gids bereiken de begane grond van de bibliotheek. Ze stommelen door een deur en belanden midden in een hele horde beveiligingsteams, brandweermannen en politie-agenten die speciaal zijn getraind voor antiterroristische acties. In uniform, met glimmende helmen op, komen ze aanrennen.

Het drietal wordt snel ondervraagd en apart gezet, waarna ze een deken krijgen. De gids krijgt de vraag wat er op de ondergrondse verdiepingen aan de hand is. De stemmen volgen elkaar op, iedereen is in beweging. Overal zijn gezichten. De twee meisjes snappen niet wat de bedoeling is.

De metaaldetectors bij de ingang zijn ontploft. Drie politie-agenten zijn gewond geraakt.

De stemmen buitelen over elkaar heen: 'Wie zijn ze? Wat willen ze? Een dievenbende. Kunstverzamelaars? Terroristen? Ze zijn met z'n drieën, zeggen ze. Drie vrouwen, en allemaal gewapend.'

Elettra is uitgeput. Ze heeft al haar energie gebruikt om de stroom te laten uitvallen.

Mistral is wakkerder. 'Laten we weggaan...' mompelt ze.

Ze slaat een arm om haar vriendin en voert haar langzaam weg, naar de buitenlucht. Niemand schenkt aandacht aan hen. Het zijn gewoon twee meisjes.

Buiten stuiten ze op een muur van regen, die in tweeën wordt gesneden door knipperende alarmlichten. Duizenden gezichten worden platgedrukt tegen de ramen van de gebouwen. Aan metalen hengels hangen de microfoons van de pers. Verslaggevers staan voor de televisiecamera's te praten. Het laatste nieuws luidt: *Speciale editie, aanval op de bibliotheek van New York.*

'Waar gaan we naartoe?' vraagt Elettra met rode ogen van vermoeidheid.

'Naar het hotel. Harvey en Sheng zullen daar ook wel naartoe komen.'

Elettra knikt. 'We moeten... mijn tante waarschuwen.'

De regen is koud, hij dringt binnen tussen hun hals en hun haren. De twee vriendinnen hebben allemaal glassplinters op hun kleren zitten. De menigte verdringt zich nieuwsgierig op straat.

Mistral neemt Elettra mee naar een taxi.

Ze stappen in. 'Mandarin Oriental,' zegt Mistral.

Elettra pakt haar mobieltje.

Ze probeert Ermete te bellen.

Dan Harvey. Dan Sheng.

Dan haar tante.

Ze krijgt niemand te pakken.

De explosie in de bibliotheek moet een storing in het telefoonverkeer hebben veroorzaakt.

Elettra doet nog één poging om iemand te bellen. Deze keer gaat de telefoon wel over.

In de lobby van het hotel zijn alle televisietoestellen afgestemd op de beelden van de Public Library.

Elettra en Mistral staren als gehypnotiseerd naar de schermen. De politieagenten zijn afgedaald naar de onderste verdiepingen. Ze hebben het bewusteloze lichaam van een vrouw gevonden.

De meisjes halen de sleutels van hun kamers op.

'Elettra?' vraagt een vrouwenstem achter hen. 'Is alles goed?'

Vele verdiepingen hoger sist een man met een afschrikwekkend gezicht tegen Linda Melodia: 'Wilt u ook die tassen pakken, als u het niet erg vindt?'

'Dat vind ik wel degelijk erg!' protesteert Linda, maar ze doet toch wat hij zegt. Ze heeft net al haar ingepakte souvenirs moeten uitpakken en de inhoud op het bed moeten strooien. Daarna haar koffers: ze heeft alles eruit gehaald, maar die gek met zijn neus als een miereneter is kennelijk nog steeds niet tevreden. 'Ik weet niet wat u van mij wilt, maar ik kan u wel vertellen dat u me danig op de zenuwen begint te werken.'

De man moppert wat en zwaait met zijn pistool.

'Ja, die twee tassen daar. Maak ze maar open en leg de inhoud op het bed, net als de rest... maar wel heel langzaam. Nog langzamer.'

'U zult straks nog wat meemaken, gemene schurk...'

'Ik zei lángzaam.'

'Ik heb een afspraakje. Mijn verloofde komt zo naar boven. En dat is een potige kerel, hoor.'

'Maak die doos open, alstublieft.'

'Deze?' vraagt Linda.

'Openmaken.'

Linda haalt een soort oud houten kistje uit het pakpapier. Doctor Nose steekt zijn neus in de bos bloemen waarmee hij in de kamer is verschenen.

Het pakpapier vliegt door de kamer en het oude houten kistje, vol teksten en groeven, wordt op het bed gezet.

'Prachtig,' zegt de man.

'Wat is prachtig?' snuift Linda.

Egon loopt naar het bed en aait het houten oppervlak van het kistje. 'Dit moet hem zijn. Prachtig, vindt u niet?'

Linda zet geërgerd haar handen in de zij. 'U bent gek. wat vindt u zo mooi aan dat stoffige prul?'

'Prachtig,' herhaalt Egon.

Linda kijkt hem aan zonder iets te zeggen. Ze bekijkt de man, die ongeveer tot aan haar schouder reikt, met een mengeling van haat en medelijden.

'Ik heb nog nooit van mijn leven zoiets meegemaakt...'

Doctor Nose gebaart dat ze moet doorgaan met het leegmaken van de tas.

'Ik heb nog nooit zoiets meegemaakt,' herhaalt Linda.

'Dat kleine pakje, alstublieft.'

Er zit een houten tol in.

'Eindelijk! We hebben het!' roept de man uit. Uit zijn jaszak haalt hij precies zo'n tol, die hij naast de andere op het bed legt. 'Kijk! Ze zijn precies hetzelfde!'

Op dat moment ontploft de vrouw: 'Wat bent u eigenlijk? Een clown? Dit is een grap, hè? Nu snap ik het!' Ze wendt zich met een ruk naar de kast met spiegeldeuren en schreeuwt: 'Elettra! Heb je me laten meedoen aan zo'n belachelijk Amerikaans programma met de verborgen camera? Waar zit de camera verstopt? Hier? Hier achter?'

Egon Nose verheft zijn stem. 'Mevrouw! Blijf staan!'

'Hou maar op met uw toneelstukje!' vervolgt Linda onverstoorbaar. Ze gooit de kast open en begint in de laden te rommelen. 'Ik ben er al veel te lang ingetuind! En u bent niet eens een goede acteur. Met dat speelgoedpistooltje, ook dat nog... Hemeltjelief, wat hebt u me een rommel laten maken! Wat een lol zullen ze hebben, op tv. En doe die nepneus af!'

Egon heft zijn pistool op en richt het op Linda Melodia's rug. Hij legt zijn vinger om de trekker en beveelt met zware stem: 'Blijf staan.'

Linda draait zich naar hem om en gebaart dat hij die nepneus van zijn gezicht moet halen.

Doctor Nose begint te trillen van woede. 'Zeg geen woord over mijn neus...'

Linda negeert hem. 'Doet u hem nog af of niet?'

'Zeg geen woord meer,' herhaalt de man met het pistool hoog boven hem geheven.

'Ik heb het echt helemaal gehad met u,' zucht Linda Melodia dan, en ze tilt het bronzen Vrijheidsbeeldje op dat ze in de kast heeft gevonden. 'Pak aan!'

Ze slingert het beeldje tegen hem aan.

Op de bovenste verdieping van het Mandarin Oriental stappen vier meiden uit de lift. Ze lopen met de vastberaden tred van iemand die geen tijd te verliezen heeft. De voorste heeft kortgeknipt, kastanjebruin haar, grote blauwe ogen en een lange hals. De tweede een waterval van zwarte krullen. De derde is donker, en draagt een trainingspak. De vierde heeft een kaalgeschoren hoofd en de vastberaden uitdrukking van iemand die niets te verliezen heeft.

Zodra ze hen zien aankomen, houden twee andere meiden met opvallende blonde pruiken hen nauwlettend in de gaten. Zonder een woord te zeggen.

'Weg hier,' bijt Mistral hen toe, zonder haar pas in te houden.

'Dit is míjn kamer,' voegt Elettra eraan toe.

De vrouwen van Egon geven geen kik. Hun getrainde lichamen staan klaar om in actie te komen.

De twee groepjes blijven tegenover elkaar staan. De geluids-installatie van het hotel verspreidt een saai achtergrondmu-ziekje. Betekenisloze muziek.

'Weg hier...' herhaalt Mistral terwijl ze de vrouwen recht aankijkt.

Voor de eerste keer doet een van hen haar mond open. Haar stem klinkt kil: 'Wij slaan geen andere vrouwen. Normaal gesproken.'

Het donkere meisje dat achter Elettra staat barst in lachen uit.

'Echt niet?' roept ze uit. 'Nou, wij wel.'

Snel als de bliksem, en met dezelfde onvoorziene kracht, belandt er een vuist op de neus van Egons hulpje dat net gepraat heeft.

Het is in één tel gebeurd, minder nog. Elettra en Mistral springen aan de kant, terwijl de getroffen vrouw achteruit wan-kelt.

'Nooit je dekking laten zakken,' zegt Olympia, de boks-trainster van Harvey. 'Dat is heel belangrijk, hè Evelyn?'

32

DE STER VAN STEEN

De pneumatische trein glijdt door oude vergeten tunnels, de lijnen van de metro kruisend, tussen de buizen van de waterleiding door en de netwerken van miljoenen kabels die de hele stad New York onder de grond verbinden. Hij komt uit op een vochtige, druipende plek, gaat daar doorheen met het laatste restant perslucht en komt na een korte afdaling piepend tot stilstand op het aankomststation.

Het laatste station.

Sheng beweegt de aansteker om zich heen. Het is een onderaardse ruimte, met een blauw gewelfd plafond. 'Sterren,' zegt hij als hij de lichtgevende puntjes herkent. 'We zijn op de goede weg.'

'Maar waar naartoe?' vraagt Harvey terwijl hij naast hem komt staan. Het perron van het ondergrondse station heeft maar één uitgang. Een uitgehouwen opening, in de vorm van een ei, met daaromheen de twaalf tekens van de dierenriem.

'De weg van de sterren?' oppert Sheng met de aansteker in de lucht.

Achter de opening is een korte gang die uitkomt op een smal, steil trappetje omhoog.

Ze nemen de trap. Hij is niet lang en eindigt bij een open-staande deur in een muur. In de wand is een reliëf uitgehakt: een man doodt met treurig gezicht een stier.

'Mithra die de stier doodt,' herinnert Harvey zich.

Ze gaan door de deur.

De ruimte waar ze nu belanden is reusachtig. Links en rechts van de ingang, aan de wanden, zijn grote bronzen panelen uit-gehakt. Shengs aansteker glijdt langs de gespierde vormen van oude helden die er bijna uit lijken te springen. De gesluierde vrouwen hebben gezichten van een ongelooflijke schoonheid. En verder zijn er dieren, slangen, raven en stieren die zich tus-sen de schaduwen verbergen.

Met alleen de hulp van hun enige lichtje kunnen de jongens niet goed inschatten hoe groot die onderaardse ruimte is. Ze lopen langs één zijde en blijven af en toe staan om naar de uit-gehouwen taferelen te kijken en de bijschriften in het Engels te lezen.

'*Deucalion en Pyrrha, na de zondvloed...*' leest Sheng, kijkend naar een man en een vrouw op een klif die is omringd door water. Zij gooit enkele stenen achter zich op de grond, die ver-anderen in kleine mensjes.

Op het volgende paneel staat een indrukwekkende man met baard, die iets staat te hakken uit een steen omringd door de vier windrichtingen. '*Hephaistos schept Pandora, de eerste vrouw.*'

Vervolgens zien ze Prometheus gehuld in vlammen, die een man uitbeitelt met zand en water. Daarna volgt er een man die ligt te slapen in een grote tuin, met allemaal toekijkende dieren.

'*Adam, gemaakt van klei, kan elk moment wakker worden,*' leest Sheng.

Nu is het de beurt aan Niobe, wanhopig omdat ze is veranderd in een rots. Het zijn allemaal mythes die de mens in verband brengen met stenen.

De ruimte is rond. Harvey blijft ineens staan. 'Hoorde je dat?' vraagt hij aan Sheng.

'Nee. Wat?'

De stem in Harvey's hoofd heeft iets gezegd. Zoek het midden, zei hij.

'We moeten het midden zoeken...' zegt Harvey, wijzend naar het middelpunt van de ruimte dat nog in duister gehuld is, 'en kijken wat daar is.'

'Zoals je wilt.'

De twee vrienden gaan naast elkaar staan, schouder aan schouder, en lopen naar voren. Na enkele stappen zien ze in het licht van de aansteker touwen en lianen van het plafond omlaag hangen. Het lijken net grote spinnenwebben van steen. Naarmate ze dichter bij het midden van de ruimte komen, wordt de wirwar steeds dichter. Sheng voelt aan een van de touwen: het lijkt van hout, gefossiliseerd, maar in werkelijkheid is het breekbaar en kan het zomaar knappen. Ze vormen een oerwoud van dikke stenen haren. 'Harvey...' mompelt hij angstig, 'wat zijn dit voor... dingen?'

'Ik weet het niet,' antwoordt deze, terwijl hij tussen de spinnenwebben door loopt.

'Het lijkt net alsof we tussen de wortels van een boom door lopen!'

'Misschien zijn het echt wortels,' mompelt Harvey, terwijl hij zich tegen Sheng aan drukt. De stem die net nog heeft gesproken, laat nu niets meer van zich horen.

'Maak eens licht, Sheng.'

De wirwar van takken is bijna ondoordringbaar. De ruimte die overblijft is nauw, verstikkend. Harvey moet intussen gebukt lopen.

Ze staan nu bijna in het midden van de ruimte. Het vlammetje verlicht een vreemd voorwerp op de grond.

'Wat is dat?' vraagt Sheng terwijl hij de aansteker zo ver mogelijk naar voren steekt.

'Geen idee...' mompelt Harvey, en hij duwt de takken opzij om het beter te kunnen zien. 'Het lijkt wel...'

'Een ei?' maakt Sheng de zin voor hem af.

Het is een rode steen in de vorm van een vaas, ter grootte van een voetbal. Aan de bovenkant is hij ingedeukt, als een kapot ei. Hij staat op een altaartje bestaande uit drie stenen. Net een soort hunebed.

Rondom die soort van vaas zijn tientallen kleine mensjes afgebeeld. Daarboven, gestileerd, een regen van vallende sterren.

Sheng schijnt op het altaartje en de steen van rood marmer. De aansteker gaat uit, en weer aan. Hij gaat uit, en weer aan.

En het mysterie van die plek en dat voorwerp blijft onveranderd groot.

'Moeten we hem pakken?' vraagt Sheng, zoekend naar Harvey's blik.

Die staat naar de steen voor hem te staren. Hij lijkt de vraag niet te horen. Shengs woorden worden in Harvey's hoofd overstemd door een soort geroezemoes, een intens gefluister, dat steeds heftiger begint te klinken. Het zijn stemmen. Duizenden elkaar overlappende stemmen, die op dezelfde toon tegen hem praten en zich met elkaar verstrengelen. Harvey hoort ze wel, maar begrijpt ze niet. Hij ervaart alleen maar een heel duidelijke emotie. Helder, naamloos. Het is niet zoals anders. En het is niet Dwaine. Tussen de wortels aan het plafond ervaart hij een absolute oudheid, die veel verder teruggaat dan het ontstaan van New York, de nederzettingen van de indianen. Hij gaat terug in de tijd.

Het is een zuivere oudheid, zonder kalenders, die in zijn oren weerklinkt als het gezang van de Aarde.

Het is datgene wat aanwezig is geweest bij het begin.

Het is iets wat de eerste mensen heeft toebehoord.

Waar zijn de eerste mensen geboren? In Afrika? In Azië? Of in Amerika? Hij weet het niet. Hij heeft het nooit geleerd. Of als hij het wel geleerd heeft, is hij het vergeten.

Zijn hoofd tolt van de namen zonder enige betekenis, die hij op geen enkele manier kan ordenen: neanderthaler, homus erectus, meerkat. Wie van hen is het oudst? Wie zijn de voorouders van de mens?

'De mensen stammen af van de aapachtigen...' zegt hij hardop.

'Zeker weten,' antwoordt Sheng in het donker.

Nu wordt het lawaai in Harvey's hoofd nog indringender, het doet bijna pijn. Hij tilt zijn handen op om de takken aan de kant te duwen.

De steen is onbewerkt, ruw. Het is een zuiver voorwerp, onaangeraakt door de gereedschappen van de mens.

De kleine mensjes die eromheen staan. De sterren die uit de hemel vallen.

'De mensen stammen af van de aapachtigen,' herhaalt hij. 'Of van de sterren.'

De steen is hol. Harvey's vingers tasten in het binnenste en ontdekken een aantal piepkleine hobbeltjes die vier ruggenwervels vormen, als de bogen van een gewelf, en uiteindelijk op de bodem van de vaas bijeenkomen.

En op de bodem ligt iets. Vier minuscule voorwerpjes.

Harvey's vingers grijpen ze vast, laten ze eruit rollen. Sheng beschijnt ze met het licht van de aansteker.

Het zijn kleinere steentjes.

'Nee...' fluistert Harvey terwijl hij ze omdraait tussen zijn vingers. 'Het zijn zaadjes.'

Boomzaadjes.

De stemmen klinken steeds indringender: Pak de Ster van Steen!

Harvey houdt zijn oren dicht, probeert ze niet te horen, maar dan geeft hij zich gewonnen, hij pakt de steen en tilt hem op.

'Wat doe je nu?' vraagt Sheng.

'Ik denk dat we hem moeten meenemen,' antwoordt Harvey.

'Waarnaartoe?'

Harvey draait een halve slag. De houten lianen strelen zijn gezicht. 'We moeten naar buiten,' zegt hij terwijl het licht dooft.

'Waarlangs?'

Sheng probeert de aansteker weer, maar er verschijnen alleen maar bleke vonkjes. 'O, verdorie, nee!' roept hij.

'Er moet een uitgang zijn,' zegt Harvey naast hem. Zijn hand duwt de lianen aan de kant en zoekt die van Sheng. 'Kom mee. Hierlangs.'

'Waar dan?'

'Deze kant op. Ik denk dat dat de goede weg is.'

'Hoe kun jij dat nu weten?'

'Dat heeft de stem van de aarde me net verteld.'

Sheng geeft een ruk aan de hand van zijn vriend, zodat die blijft staan. Hij zet zijn fototoestel aan en klakt met zijn tong. 'De flits,' legt hij uit. 'Die kunnen we gebruiken om iets te zien...'

Het volgende moment wordt de hele ruimte verbleekt door een flitslicht.

Op de aanwijzingen van Harvey vinden ze een tweede deur in de ronde muur. Ze gaan een gang binnen. Vervolgens vinden ze een soort doorgang die omhoog voert.

Harvey houdt de Ster van Steen stevig tegen zich aan geklemd. In zijn zak heeft hij vier zaadjes. Sheng gebruikt om de tien tellen de flits, waardoor hun hele weg bij vlagen verlicht wordt. Hij stelt geen vragen. Hij zegt niets.

Af en toe blijven ze staan. Harvey lijkt ergens naar te luisteren, en zegt dan welke kant ze op moeten.

33
DE DEUR

De deur van de hotelkamer van Linda Melodia vliegt ineens open. De vrouw loopt ernaartoe, ziet wat er in de gang aan de hand is en schreeuwt: 'Elettra!'

'Tante!' roept Elettra.

Linda duikt weg voor een van de vrouwen van de Lucifer en de vuistslagen van Olympia. Dan leunt ze tegen de deur, te verbijsterd om iets anders te doen.

Mistral steekt haar hand naar haar uit. 'Vlug! We moeten maken dat we hier wegkomen!'

Vier vrouwen gaan elkaar te lijf voor haar hotelkamer. Elettra en Mistral staan doorweekt tegen Linda te schreeuwen dat ze met hen mee moet rennen.

Linda kijkt naar de donkere vrouw. Wie is dat? vraagt ze zich af.

Maar ze krijgt geen tijd om het antwoord te achterhalen.

Te veel is te veel, denkt ze nog. En dit is eerlijk gezegd te veel.

Ze duikt de gang in en zodra ze bij haar nichtje is, brult ze haar bijna toe: 'Wat gebeurt hier allemaal?'

'Alles goed met je?'

'Ja. Maar...' Linda wijst naar de kamer waar ze net uit is gekomen. 'Wat willen die types?'

Elettra grijpt de handen van haar tante vast en trekt haar mee. 'Dat is een heel lang verhaal! We moeten nu echt weg!'

Ze probeert haar mee te trekken naar de lift aan het eind van de gang. Mistral daarentegen loopt naar de deur van de kamer.

'Mistral!' roept Elettra. 'Kom mee, gauw!'

Maar het Franse meisje luistert niet naar haar. Ze drukt zich plat tegen de muur van de gang en sluipt verder. De kamerdeur staat nog open. De houten kaart en de tollen liggen daar nog.

Die mag ze niet zomaar achterlaten. Ze gaat naar binnen.

Een trap. Een trap omhoog. En lichtschijnsels die van boven komen.

Harvey en Sheng haasten zich over de treden. Ze duwen tegen enkele vastgespijkerde planken, banen zich een weg naar buiten en bevinden zich dan in een grote, kale zaal.

Sheng komt hoestend uit het duister tevoorschijn. Hij valt op zijn knieën neer.

Harvey, achter hem, wankelt uitgeput door de zaal. Hij leunt tegen de rug van zijn vriend, hij kijkt hem aan, ze kijken elkaar aan. Ze zitten van top tot teen onder de spinnenwebben. Gigantische zijden spinnendraden.

'Alles goed?'

'Ik geloof van wel.'

Sheng komt overeind. De zaal waarin ze terecht zijn gekomen heeft afgebladderde muren en vochtplekken aan het plafond. De vloer ligt vol puin. In de raamopeningen zitten geen vensters en geen kozijnen. Een kapotte deur geeft toegang tot een stille gang.

Het licht komt van buiten.

De twee jongens nemen een kijkje in de gang. Ze bevinden zich in een groot, verlaten gebouw. Tientallen lege kamers. Roest, vervallen muren. Echo's van gelach. Schaduwen. Blinde trappen. Stilte. Licht gefilterd door het vocht.

'Ik moet naar buiten...' zegt Sheng om zich heen kijkend. Het ritmische geluid dat ze horen is afkomstig van de regen. Een dof, melodieus geluid. 'Ik moet die troep van me af zien te krijgen.'

Ze lopen door twee gigantische gangen die ooit wit waren. Klimplanten dringen binnen door spleten in de muur. In het schijnsel van het licht dat door de dichtgetimmerde ramen filtert, zijn glanzende slakkensporen op de muren zichtbaar.

Het is een krankzinnig gebouw, van ongewone afmetingen.

Het is het gekkenhuis op Roosevelt Island.

Bergen pakpapier.

In het gangetje dat van de kamerdeur naar het bed voert, is alleen maar pakpapier te zien. Mistral loopt verder. Ze ziet de geopende koffers, de kleren die op het bed en de vloer verspreid

liggen, de bos bloemen en... het lichaam van een man, uitgestrekt op de grond.

Ze hoort hem hijgen.

De man trekt met zijn vingers zijn ogen open. Er vloeit bloed
uit zijn neus. En zijn hand zit onder het bloed.

'Uuuh... uuuh...' jammert Egon Nose, terwijl hij overeind
probeert te krabbelen. 'Uuuh...'

Zijn hand zoekt iets.

Het pistool.

Mistral springt naar voren, zonder enige aarzeling.

Als in een droom duikt ze op het bed en gooit die berg papier
over de man op de grond heen.

Ze ontwaart de tas van Elettra, de houten kaart, twee tollen.
Ze pakt alles in haar armen en vliegt ervandoor, een spartelende
hoop papier achterlatend.

'Hé, meisje!' schreeuwt Doctor Nose overeind krabbelend.

Het bloed druipt uit zijn enorme neus op de vloerbedekking.

De deur van de kamer staat open.

Zijn meiden deinzen terug onder de klappen van die twee
onbekende vrouwen.

Egon Nose heft zijn pistool op.

In de hal van het gekkenhuis is een oude, gebarricadeerde
deur. Maar het hout is verrot en algauw begeeft hij het onder de
schoppen van de jongens.

Ze maken een opening vrij en wringen zich naar buiten.

Rollend over de grond voelen ze de frisse mantel van de regen op hun gezicht.

'We hebben het gered!' roept Sheng uitgelaten, met zijn ogen naar de hemel gericht. Hij spreidt zijn armen wijd open, genietend van het gevoel. 'Yes!'

Harvey staat weer op en loopt al even gelukkig door de modder. De regen spoelt de spinnenwebben weg en dooft het geroezemoes van stemmen in zijn hoofd.

Hij klemt de rode steen tegen zich aan. Hij weet niet wat het is, of waarom die zich daar bevond. Of waarom hij hem heeft meegenomen.

Sheng staat te lachen.

'Wat valt er te lachen?'

De Chinese jongen wijst op het gebouw waar ze uit zijn gekomen.

'De toren, weet je nog?' De veilige plek.

Harvey kijkt omhoog, schermt zijn ogen af met zijn hand en leest de verweerde letters boven de ingang. 'De psychiatrische inrichting...' Hij klemt de steen vast. Hij hoort geen enkele stem. De regen roffelt op zijn hoofd als een drummer.

De beide vrienden wankelen door het overwoekerde park op zoek naar een lichtje, een sprankje beschaving.

'We zijn naar boven gekomen... aan de andere kant van New York,' zegt Harvey als hij de verlichte contouren van Manhattan om de hoek van de inrichting ziet verschijnen. Een aaneenrijging van zwarte schaduwen vol verlichte vierkantjes. Een immense stad van glas en licht die zich spiegelt in de rivier.

Harvey kijkt naar Sheng, die over het oneffen terrein loopt te strompelen. Hij lacht.

Struikelend, met vallen en opstaan, bereiken de twee de rand van het park, en gaan dan uitgeput op de grond zitten kijken naar de stad die nooit slaapt, aan de overkant van de rivier. Harvey steekt een hand in zijn zak, pakt een van de vier zaadjes die hij heeft meegenomen en laat het op de grond glijden.

Dan vallen de jongens elkaar lachend in de armen, in de regen.

34
HET ZAADJE

In de ochtend houdt het op met regenen. En terwijl New York opdroogt, loopt Quilleran met langzame tred door de straten. Hij heeft een schotwond in zijn zij. Het doet pijn. Maar toch is hij blij.

Hij heeft een krant onder zijn arm. Het nieuws over de actie in de bibliotheek staat op de voorpagina: drie vrouwen hebben paniek gezaaid in de ondergrondse verdiepingen van het gebouw, en zijn uiteindelijk gearresteerd. Het motief voor hun handelen bleef echter onduidelijk: ze waren op zoek naar iemand. Naar een stel kinderen...

Kennelijk volgden de vrouwen de orders van een zekere Egon Nose op, een louche eigenaar van nachtclubs die op zijn beurt ook gearresteerd is; op heterdaad betrapt op de bovenste verdieping van het Mandarin Oriental Hotel terwijl hij een Italiaanse dame bedreigde.

Voor wie niet weet hoe de vork in de steel zit, lijkt er geen enkel verband te bestaan tussen beide nieuwsberichten. Het zijn alleen maar wat gekkere nieuwsberichten dan normaal.

Quilleran loopt de trap van de metro af en komt een kwartier later weer boven de grond op Roosevelt Island. Hij loopt in zuidelijke richting, naar de verlaten psychiatrische inrichting. Een zwarte raaf, aan één oog blind, gaat op zijn schouder zitten.

'Hallo, Edgar,' begroet de indiaan hem terwijl hij hem een pistachenootje geeft. Zelf neemt hij een suikersnoepje met mintsmaak.

Edgar vliegt op. De psychiatrische inrichting is een zwart geraamte omgeven door een woest park. Quilleran klautert over een muurtje en waagt zich tussen het onkruid, waarbij hij puin en ander afval vertrapt dat door het gras is verzwolgen. Hij bereikt de rand van de rivier, die kalm langs de oever stroomt.

Precies aan de rand van het park is een hoopje aarde dat pas is omgewoeld. In het midden steekt de kiem van een plantje de kop op.

'De eerste boom is weer ontsproten,' fluistert de indiaan zodra hij het ziet. Hij kijkt naar de sporen die Harvey en Sheng overal rondom hebben achtergelaten, dan bukt hij zich om het piepkleine boompje te aaien. Het witte blaadje is minuscuul, maar bezit een onverslaanbare kracht. 'Dit is pas echte toverkunst,' mompelt Quilleran. 'De magie van de natuur is ongelooflijk en eenvoudig tegelijk.' Aan de andere kant van de rivier, achter een van de duizenden ramen, bevinden zich Harvey en zijn vrienden. 'Blijf zoeken, kinderen,' zegt de indiaan. 'Blijf zoeken, Ster van Steen.'

Op Grove Court nummer elf heeft Harvey een oud koperen sleuteltje gevonden in de bureaula van zijn broer. Hij is de gang in gegaan, naar de keuken gelopen, heeft een stoel gepakt, heeft deze naar de penduleklok gesleept, is er boven op gaan staan en heeft de glazen wijzerplaat geopend.

Nu stopt hij het sleuteltje in het gaatje en draait het zonder aarzelen om. Het oude mechanisme lijkt er even over na te moeten denken, maar dan begint de hele klok te trillen en beginnen de tandwieltjes hun kleine rondjes te draaien. Harvey zet de wijzers op de juiste tijd, stapt van de stoel en geeft een tikje tegen de slinger in de houten kast, waarmee hij het mechanisme definitief in werking stelt.

Vanaf de grond kijkt hij vol bewondering naar de klok die hij samen met zijn broer heeft gebouwd. 'Welkom thuis, Dwaine...' mompelt hij.

De antiquair Vladimir Askenazy loopt nog krommer dan normaal, en glimlacht zwakjes. Hij komt net uit het Mandarin Oriental, waar hij afscheid heeft genomen van de kinderen en zich ervan verzekerd heeft dat alles goed gaat. Hij heeft zijn eigen zorgen weten te verbergen en geprobeerd hen gerust te stellen.

Wie weet... denkt hij, wie weet komt het toch nog goed.

Mistral heeft de houten kaart en de tollen uit de hotelkamer gered, en die schurk van een Egon Nose is gearresteerd. Waar-

schijnlijk komt hij wel weer op borgtocht vrij. Als alles goed is, zullen de tollen tegen die tijd echter al vertrokken zijn uit New York.

Harvey en Sheng zijn van hun reis naar het ondergrondse teruggekeerd met een steen van rood marmer en drie zaadjes. Ze zullen nog tijd genoeg krijgen om de betekenis ervan te achterhalen. En om te doorgronden wat het verband is met de Ring van Vuur.

'Misschien kom ik het zelf ook nog wel te weten.'

Vladimir is moe, doodmoe. Moeizaam weet hij het bankkantoor te bereiken, hij gaat in de rij staan voor het loket en klemt zijn tanden op elkaar. Er is nog heel veel te doen. En er zijn nog heel veel open wonden die iemand moet zien te helen.

Als hij aan de beurt is, haalt de antiquair een rolletje bankbiljetten uit zijn jaszak. Hij geeft ze aan de bankbediende, die ze telt. Het is tweeduizend dollar.

'Ik wil het op deze bankrekening storten...' zegt Vladimir, terwijl hij een blaadje met een lang nummer erop overhandigt. 'Ten name van Agata Meyrink.'

Hij wacht op het ontvangstbewijs, stopt het in zijn zak en verlaat dan moeizaam het gebouw.

Het Chanin Building is niet ver weg. Vladimir gaat er te voet naartoe, stapt in de lift en belt aan bij een appartement dat hij heel goed kent. Even later doet Agata Meyrink de deur open. Ze kijkt hem verbluft aan en vraagt: 'Wie bent u, als ik vragen mag?'

Vladimir schenkt haar een klein glimlachje. 'Een vriend van Alfred,' antwoordt hij.

Agata kijkt hem een paar tellen aan en zegt dan: 'Ik heb u al eens eerder gezien...'

'Dat kan zijn,' antwoordt de antiquair, terwijl hij een oud fototoestel omhoog houdt. 'Ik ben gekomen om dit aan u terug te geven.'

Agata zet een stap achteruit. 'Het fototoestel van Alfred?'

'Volgens mij wel,' knikt Vladimir.

Even is Agata argwanend: 'Hoe komt het dat iedereen ineens op zoek is naar Alfred, de laatste tijd? Nadat ik al die jaren niks gehoord heb?'

De man laat het fototoestel zakken. 'Ik wilde u vertellen wat hem is overkomen.' De oprechte maar harde klank van zijn stem maakt Agata veel meer duidelijk dan de woorden zelf zeggen.

'Hij is dood, hè?' vraagt Agata terwijl ze zwaar tegen de deur aan leunt, alsof de last van haar hoge leeftijd ineens ondraaglijk is geworden.

Vladimir geeft geen antwoord, maar zijn zwijgen spreekt boekdelen.

'Waar is het gebeurd?'

'In Rome,' antwoordt de antiquair.

Agata stapt opzij, gebaart hem om binnen te komen. 'En hoe weet u dat?'

'Ik was een van zijn laatste vrienden,' antwoordt Vladimir terwijl hij naar de woonkamer strompelt.

'Help me eens,' fluistert Agata. 'Waar heb ik u eerder gezien?'

'Ik weet dat u een foto van Alfred in huis moet hebben.'

Agata zwijgt.

333

'Ik sta op die foto...' verklapt Vladimir, terwijl hij op de armleuning van de fauteuil gaat zitten. 'Ik ben de schaduw van de fotograaf.'

Harvey, Elettra, Sheng en Mistral zitten op de rand van Ermetes bed in het ziekenhuis.

Opgewonden en onsamenhangend vertellen ze hem wat er allemaal gebeurd is, vol aarzelingen en verbeteringen. Er liggen drie voorwerpen bij de ingenieur op schoot: het stuk spiegel dat in een koperen lijst is gevat en dat ze de Ring van Vuur noemen; een eivormige steen, rood en glanzend, die ze de Ster van Steen noemen, en... drie gedroogde zaadjes.

Een vierde zaadje, vertelt Harvey, heeft hij geplant in het park waar ze de vorige nacht zijn uitgekomen.

Mistral beweert dat de eivormige steen een meteoriet is. Ze zegt dat ze er al eens eerder zo een gezien heeft, in dezelfde kleur rood. Ermete is echter van mening dat het een beeldhouwwerk is. Het is een symbool: het oerei waaruit elke vorm van leven is ontstaan.

'En als de oerkip nu juist als eerste bestond?' vraagt Sheng voor de grap.

De sfeer in het groepje is ontspannen. Ze beginnen gewend te raken aan de angstige momenten en de impulsieve handelingen waartoe ze zich soms gedwongen zien, zoals Mistral toen ze de tollen terug ging halen.

De anderen vragen haar wel drie keer om te vertellen hoe ze aan Egon Nose heeft weten te ontkomen.

'Ik heb me gewoon in de badkamer verstopt...' zegt het meisje, 'terwijl hij als een gek de kamer uit stormde!'

'En toen stond hem een flinke aframmeling van Olympia te wachten!' vervolgt Elettra.

Natuurlijk hebben de kinderen er nu wel een probleem bij: de vragen van Linda Melodia. 'Het enige wat tante echt onvergeeflijk vindt...' verklaart het Romeinse meisje, 'is dat die onbekende man al haar cadeautjes heeft verpest.'

'Het is nu wel duidelijk dat ik iets moet volbrengen...' mompelt Harvey nadat hij in geuren en kleuren heeft verteld over hun afdaling in het labyrint van de bibliotheek, hun ontsnapping door de deur die was gemarkeerd met de getallen van Pythagoras en vervolgens de rit met de pneumatische trein.

'Dat wíj iets moeten volbrengen, Harvey. Niet alleen jij: wij allemaal,' verbetert Sheng.

De Amerikaanse jongen vervolgt: 'Professor van der Berger kent me al vanaf dat ik klein ben, en hij heeft mij aangewezen als zijn opvolger, wat dat ook moge betekenen. Voor de Seneca-indianen ben ik, net als de professor vroeger, de Ster van Steen. Ik weet niet wat dat inhoudt. Maar ik weet wel dat de professor erin geloofde. Hij wil dat ik een weg vol vreemde aanwijzingen afleg, tot aan een plek waar we nog niets over weten. Om een geheim te ontrafelen.'

'En het is ook belangrijk dat we dat doen,' zegt Mistral, terwijl ze de steen op het bed aait. 'Ook al kan het misschien doodeng blijken te zijn.'

'We kunnen een groot gevaar lopen,' voegt Sheng eraan toe.

'En dan hebben we nog die zaadjes...' mompelt Elettra.

'Moeten we die planten?'

Harvey schudt zijn hoofd. 'Ik weet het niet. Maar daar komen we gauw genoeg achter, denk ik.'

'O, nee!' kreunt Ermete op dat moment. Hij verstijft in zijn bed en wijst naar een vrouw die zojuist in de deuropening is verschenen.

De vier vrienden draaien zich geschrokken om.

Het is een donker meisje, lang, met een gespierd lichaam en een vastberaden gezichtsuitdrukking. Ze staat naar hen te kijken.

Harvey is de eerste die haar herkent: 'Je hoeft niet bang te zijn, Ermete! Dat is Olympia, mijn bokstrainster.'

Olympia glimlacht en komt de kamer binnen. Ze heeft een blauwe plek op haar rechterwang, waar ze is geraakt door een van de twee vrouwen van Egon Nose. 'Sorry dat ik jullie stoor. Ik had naar de familie Miller gebeld, en ze zeiden dat ik jullie hier zou kunnen vinden.'

De kinderen stellen haar voor aan Ermete en bedanken haar dat ze op het juiste moment tussenbeide is gekomen. Ze stelt niet al te veel vragen; ze geeft Harvey een klein stootje tegen zijn schouder. 'Wij tweeën zien elkaar morgen weer, oké?'

Harvey lacht haar toe. 'Oké.'

Als ze weer alleen zijn, gaat Sheng de deur van de kamer dichtdoen en Elettra haalt de houten kaart uit een tas tevoorschijn.

'Voordat we weer uit elkaar gaan,' zegt ze, 'is er nog iets wat we moeten doen...'

Ze tovert de tol met de regenboog tevoorschijn, die Mistral uit de hotelkamer heeft gepakt.

Als Ermete de tol ziet, glimlacht hij. 'Daar is hij dan... eindelijk.' Dan fronst hij zijn wenkbrauwen. 'Denken jullie niet dat we hem eigenlijk moeten teruggeven aan Vladimir? Hij is tenslotte van hem gestolen...'

'We hebben het geprobeerd,' zegt Sheng met een blik op Harvey. 'Maar hij wilde er niets van weten.'

'Dus...' vervolgt Mistral, 'hadden wij zo gedacht dat... jij deze maar moest houden.'

Elettra geeft Ermete de eeuwenoude tol waar de regenboog in gekerfd staat.

Ermete pakt hem een beetje gegeneerd aan en houdt hem tussen zijn vingers.

'Wat geeft deze tol aan, denk je?' vraagt Harvey hem.

'Ik weet het niet,' geeft de ingenieur toe. 'Om daar antwoord op te geven zou ik wat van mijn boeken moeten raadplegen. En misschien ook wat er nog over is van de boeken van de professor.'

'En als je je eerste indruk zou moeten geven?'

'De regenboog is een brug. En een brug verbindt twee dingen die eerst ver uit elkaar lagen. Het is een overgang, een toenadering, een verbinding. Het is een manier om iets over te steken wat anders juist voor verdeling zorgt,' antwoordt hij aarzelend.

'Kom op... gooi hem maar!' spoort Sheng hem aan, wijzend op de houten kaart. 'Dan zullen we eens zien wat hij aanwijst.'

'Wat voor landkaart zullen we op de houten kaart leggen?' vraagt Mistral.

'Ik zou voorstellen om het groots aan te pakken! Laten we de hele wereld erop leggen,' antwoordt Elettra, en ze spreidt een wereldkaart uit die alle continenten bevat.

337

Ermete knikt, gaat even verzitten en brengt de tol dan naar het begin van de kaart. 'Ik ben er klaar voor...' zegt hij. En hij werpt de tol.

Deze draait over de zeeën en de continenten tot hij op een afgelegen plaatsje midden in Siberië aankomt, bijna aan de grens met China. Daar lijkt hij te stoppen, hij gaat steeds langzamer draaien.

'Siberië?' roepen de kinderen uit, en ze kijken elkaar vragend aan.

Vlak voordat de tol tot stilstand komt, maakt hij een heuse sprong en steekt in één keer de Russische steppe, de Oeral, Oost-Europa en een deel van West-Europa over, zodat hij zijn tour beëindigt in...

'Parijs,' mompelt Mistral gefascineerd.

Sheng vertrekt teleurgesteld zijn mond. 'Er zal ook nooit eens iets in Shanghai gebeuren, hè?'

'De tol is van Siberië naar Parijs gesprongen,' vat Harvey samen.

'Waarom?'

Niemand weet een antwoord te bedenken.

'Rome en New York werden verbonden door het vuur...' vervolgt Harvey, terwijl hij over de spiegel van Prometheus wrijft. Dan pakt hij de rode steen op. 'Misschien is het steen de volgende verbinding?'

Voor een van hen kan reageren, vliegt de deur van de ziekenzaal ineens open.

Op de drempel verschijnt Linda Melodia, met een platinablond kapsel.

338

'Tante!' roept Elettra zodra ze haar ziet. 'Wat heb je met je haar gedaan?'

De vrouw gaat er wulps met haar hand overheen. 'Mooi hè? Ik bedacht dat een New Yorks kapsel me vast goed zou staan! Maar laten we het alsjeblieft niet over mij hebben. Hallo!' roept ze tegen Ermete. 'U bent vast die vriend uit Rome over wie Elettra zoveel verteld heeft.'

'Dat ben ik, ja...' glimlacht Ermete vanuit zijn bed.

'Hemeltjelief, wat is u overkomen?' vraagt tante Linda terwijl ze in twee stappen naast het bed staat.

Sheng laat de tollen verdwijnen, maar kan de spiegel en de steen niet meer verstoppen.

'O, wat een prachtige souvenirs!' roept ze uit. 'Waar hebben jullie die gevonden?' Zonder een reactie af te wachten, grijpt ze ze vast en zoekt naar het merkje. 'Ze zijn trouwens wel heel vies,' oordeelt ze, en ze legt ze op het nachtkastje. 'Je kunt ze beter niet op het bed leggen.'

Elettra probeert haar tante weg te krijgen, maar zonder veel succes.

'Luister, tante, we zijn afscheid aan het nemen van Ermete. Nog maar even en dan...'

Linda Melodia schudt heftig haar hoofd. Ze zoekt een stoel, vindt er een en sleept hem naar het voeteneind. Van daaruit kijkt ze hen alle vijf één voor één in de ogen.

'Zo is het wel genoeg, kinderen! Nu gaan jullie er eens goed voor zitten en vertellen jullie me alles, maar dan ook echt alles, over die tollen en die houten kist.'

'Tante...'

Linda steekt dreigend een vinger op. 'Anders gooi ik alles weg, zodra ik ze de volgende keer onder ogen krijg.'

De kinderen werpen elkaar een lange, bezorgde blik toe.

'Wie wil er beginnen?' vraagt Elettra's tante.

35
DE HEREMIET

Roerloos achter de ramen van zijn wolkenkrabber, laat op de avond, ziet de man er niet uit alsof hij wil gaan slapen. Hij heeft een hekel aan slapen. Hij heeft een hekel aan slaap. En hij heeft vooral een hekel aan dromen.

Hij staat voor het raam naar buiten te kijken.

Een fijne regen trekt strepen over het glas. Grauwe wolken aan de horizon verbergen de meer afgelegen wijken van Shanghai. De minuten verglijden razendsnel.

Maar er belt niemand.

De man wacht geduldig, ook al is geduld nooit zijn beste eigenschap geweest.

Jacob Mahler is dood.

Egon Nose belt niet.

Tjak! doet de automatische kalender op zijn bureau, en het is middernacht.

21 maart, de eerste dag van de lente.

De man doet zijn zwart bakelieten bril af en klemt zijn vuist eromheen. Hij zou hem het liefst kapot knijpen. Maar dat doet hij niet.

Hij had verwacht dat het heel anders zou gaan. Hij had verwacht dat hij tegen de lente een groot deel van het Pact in handen zou hebben.

Maar in Rome is hij zijn beste agent kwijtgeraakt, en in New York het contact met zijn vertrouwensman.

21 maart. En nog steeds heeft hij de houten kaart niet.

'Denk maar niet dat jullie vooruitgang hebben geboekt...' prevelt de man bitter. 'Jullie weten nog helemaal niks. Jullie snappen nog helemaal niks. Wij zijn twee zijden van dezelfde medaille, jongeheer Miller, juffrouw Melodia en juffrouw Blanchard. En wat jou betreft, klein Chineesje, vroeg of laat kom je wel terug om je familie op te zoeken. Vroeg of laat.'

De kinderen volgen een weg die anderen voor hen hebben voorbereid. Een nogal onduidelijke weg, die gedurende de jaren nauwlettend is bewaakt. Een weg die in bepaalde opzichten mysterieus is. Ook voor de man die daar voor het raam van zijn wolkenkrabber staat.

Maar het is hoe dan ook een weg, een van de vele, die naar het geheim van Century leidt.

'Wat maakt het uit langs welke weg je de waarheid zoekt? Zo'n groot geheim ontrafel je niet langs één weg. Als je het onthult, moet je het zorgvuldig bewaren, en voorkomen dat anderen het kunnen ontdekken. Dat is het geheim van Century...' fluistert de man voor hij zich van het raam afwendt.

Hij loopt naar de enige deur en verlaat de kamer. Zodra de deur dicht is, begint de airconditioningsinstallatie de hele kamer te ontsmetten, om alle bacteriën uit te roeien.

De man loopt door een gang.

'Century vertelt ons waar we vandaan komen en waar we heen gaan. En voor hoe lang nog...'

De gang is bijna tweehonderd meter lang. Er zijn geen deuren, geen lampen. De nauwe, hoge muren zijn door een kind volgekliederd met rode tekeningen en letters. Aan het eind is een piepklein deurtje.

Hij moet bukken om naar binnen te kunnen.

Aan de andere kant is zijn slaapkamer. De man kleedt zich uit en vouwt zijn kleren netjes op. Aan de mouw van zijn overhemd zit bloed. Hij heeft een glas van zijn bril kapot geknepen, die hij nog in zijn vuist geklemd had zitten.

Hij laat alles op de grond vallen.

'Wie het geheim van Century kent,' prevelt hij terwijl hij gaat liggen in het bed dat te kort is om zich helemaal uit te strekken, 'heerst over de wereld.'

Hij doet zijn ogen niet dicht. Hij slaapt bijna nooit. Hij heeft een hekel aan slaap. En hij heeft vooral een hekel aan dromen.

'Ik wil over de wereld heersen,' zegt Heremit Devil, zonder dat zijn gezichtsuitdrukking verandert.

Op het plafond van zijn kamer zijn sterren geschilderd.

Maar ze staan allemaal verkeerd.

36
DE KINDEREN
VAN DE BEER

In Siberië heeft de winter de vier windstreken opgeslokt.

De bossen zijn bevroren, de rivieren splijten het harde hart van de valleien. Niets beweegt. Tunguska is een uitgestrekte vlakte van verbrokkelde stenen, mos en korstmos, van roerloze bossen waar de dennennaalden vlijmscherp zijn. De paden worden in de gaten gehouden door blauwe wolvenogen en belopen door witte vossen.

Het dorp wordt aangedaan door slechts één trein, die de kou trotseert met zijn zwarte rookpluim. Het lawaai van de wielen op de rails is tientallen kilometers in de omtrek te horen. De trein is een trommel van zwart ijzer die weerklinkt in het wit. Dat doet hij elke keer, aan het begin van de lente.

In Tunguska is iets waarover men niet kan praten. Het is niet makkelijk te ontdekken en nog moeilijker te bereiken. Het is een bos dat niet meer bestaat.

Het was enorm groot. De buitenste rand bestond uit achter-overhellende dunne dennenstammen. Naarmate je verder kwam, verdwenen de kleinere bomen en stonden juist de eeu-wenoude dennenbomen achterover geheld. Ze groeiden in onmogelijke hoeken, alsof ze achterover waren geduwd door een onhoudbare wind. Daarna verdwenen de bomen. Hun stammen lagen naast elkaar uitgestrekt. De wortels waren naar het mid-den van het bos gericht. In het midden lag alleen maar sneeuw, die een vlakte van oververhit, gesmolten rotssteen bedekte. Ze zeggen dat er in Tunguska, in 1908, een komeet is neergestort. Maar dat zijn slechts geruchten. En over wat er echt gebeurd is kun je beter niet praten.

Er lopen twee mensen door het bos dat niet meer bestaat. Ze dragen zware handgenaaide bontjassen en er hangen sneeuw-kristallen aan hun wenkbrauwen. Hun laarzen zakken diep weg in de glanzende modder. Hun ogen zijn twee spleetjes. Het zijn een vrouw en een man.

Zij zegt: 'Ik heb de ster gezien.' Ze werpt haar metgezel een schele blik toe. Ze wordt "de zieneres" genoemd, omdat ze met die ogen dingen ziet die anderen niet kunnen zien.

De ander vraagt: 'En hoe zag hij eruit?'

'Hij was wit. Als een vossenstaart. Ik heb hem zien aan-komen. Maar ik heb niet gezien of hij leven of verwoesting zal brengen.'

'Nog meer verwoesting?'

'Niet hier. Ergens anders. Maar het zal niet zo zijn als hon-derd jaar geleden. Deze komeet is veel groter.'

De wind blaast zonder op obstakels te stuiten.

'Wie kan weten of hij leven of verwoesting zal brengen?'

'Degene die hem geroepen heeft. De kinderen van de beer.' De zieneres trekt haar bontkleding dichter om zich heen en wijst op de witte vlakte van het bos, dat is verwoest door de inslag van de vallende ster.

'Elke honderd jaar baart de beer vier kinderen. Dat zijn haar uitverkorenen en ze worden in het Noorden geboren. Zij zijn degenen die de komeet hebben geroepen. En zij moeten hem nu sturen.'

'Maar... hoe weet jij al die dingen eigenlijk?'

De zieneres knijpt haar ogen tot spleetjes. 'Die hebben ze me verteld. En ik heb ze gezien. In de ochtenden en de avonden. In de rivier en op de vlakte. Ik heb ze in de sneeuw gezien. En verder heb ik ze gehoord in de liederen die niemand meer zingt. In de verloren muziek. De wereld heeft het me verteld.'

'Hier?'

'Hier,' antwoordt de zieneres. 'Want hier is het gebeurd, honderd jaar geleden. Toen de oude kinderen van de beer kwamen. Zij hebben de komeet ook geroepen, maar ze konden hem niet sturen.'

'En hoe moet je een komeet sturen?'

'Door het Pact te respecteren.' De zieneres knielt neer om de aarde aan te raken. 'Het Pact dat ons in staat stelt om met Haar te leven. Het pact tussen de Mens en de Aarde.'

Het tweetal zwijgt langdurig, en dan helpt de man de vrouw overeind. 'Waarom heb je me hierheen gebracht?' vraagt hij.

'Omdat jij op zoek moet gaan naar de kinderen van de beer.'

'Waar moet ik ze dan zoeken?'

'In de stad van de wind en de woorden.'

'Dat snap ik niet,' antwoordt de man. 'Die stad bestaat niet.'

'Jawel,' houdt zij vol. 'Hij heet Parijs.'

'Wil je dat ik voor jou naar Parijs ga?'

De zieneres schudt haar hoofd. Haar glimlach toont nog maar een paar tanden. 'Niet voor mij, maar voor ons allemaal. Je moet de kinderen van de beer vinden en ze iets overhandigen.' Ze haalt een leren buideltje tevoorschijn, dichtgebonden met een leren veter, stijf van de kou. In het buideltje zit een houten tol.

En in de houten tol is een hartje gekerfd.

INHOUDSOPGAVE

1. DE RING VAN VUUR

29 december, Rome. Het is nacht en een man is op de vlucht voor een geheimzinnige achtervolger. Als hij Elettra, Sheng, Mistral en Harvey ziet, vertrouwt hij hen een koffertje toe en rent weg. In het koffertje zit een vreemde houten kaart... De grote uitdaging is begonnen!

Pierdomenico Baccalario

Ik ben op 6 maart 1974 geboren in Acqui Terme, een mooi, klein stadje in Piemonte. Ik ben opgegroeid te midden van de bossen, met mijn drie honden, mijn zwarte fiets en mijn vriend Andrea, die vijf kilometer bergopwaarts woonde vanaf mijn huis.

Ik ben begonnen met schrijven op het gymnasium: sommige lessen waren zo saai dat ik deed alsof ik aantekeningen maakte, maar in werkelijkheid verzon ik verhalen. Daar heb ik ook een groep vrienden leren kennen die gek waren op rollenspelen, met wie ik tientallen fantastische werelden heb verzonnen en verkend. Ik ben een nieuwsgierige, maar discrete ontdekkingsreiziger.

Toen ik rechten studeerde aan de universiteit won ik een prijs, de Premio Battello a Vapore, met mijn roman *La strada del guerriero*, en die dag was een van de mooiste van mijn leven. En vanaf dat moment heb ik steeds nieuwe boeken gepubliceerd. Na mijn afstuderen ben ik me gaan bezighouden met musea en culturele projecten, omdat ik ook oude, stoffige voorwerpen interessante verhalen wilde laten vertellen. Ik ben gaan reizen en nieuwe horizonten verkennen: Celle Ligure, Pisa, Rome, Verona.

Ik hou ervan om nieuwe plaatsen te zien en andere manieren van leven te ontdekken, ook al trek ik me uiteindelijk altijd weer terug op dezelfde plekken.

Er is één plek in het bijzonder. Het is een boom in de Val di Susa, van waaruit je een geweldig uitzicht hebt. Als je net als ik dol op wandelen bent, zal ik je weleens uitleggen hoe je er moet komen.

Maar het moet wel een geheim blijven.

Iacopo Bruno

Ik zou niet weten hoe ik jullie moet uitleggen wie ik ben, maar het is min of meer zo gegaan. Ik heb een speciale vriend die nooit iets nodig heeft. Al vanaf dat we klein waren was het zo dat als hij een ruimteschip nodig had... Dan tekende hij het...

Maar hij tekende het zo goed dat het echt leek. We stapten erin en maakten een mooie reis rond de wereld.

Een keer, toen hij een schitterende rode tweedekker tekende, zoiets als die van de Rode Baron maar dan kleiner, scheelde het weinig of we waren neergestort in een gigantische vulkaan die hij dus ook net getekend had.

Als hij slaap kreeg, tekende hij een bed met vier poten... En daar droomde hij dan in tot het ochtend werd. Hij had altijd een geweldig houten potlood met twee punten bij zich, dat altijd perfect geslepen was.

Nu is die vriend van mij naar China vertrokken, maar hij heeft mij zijn toverpotlood gegeven!

IACOPO

Milano 2001

TOM

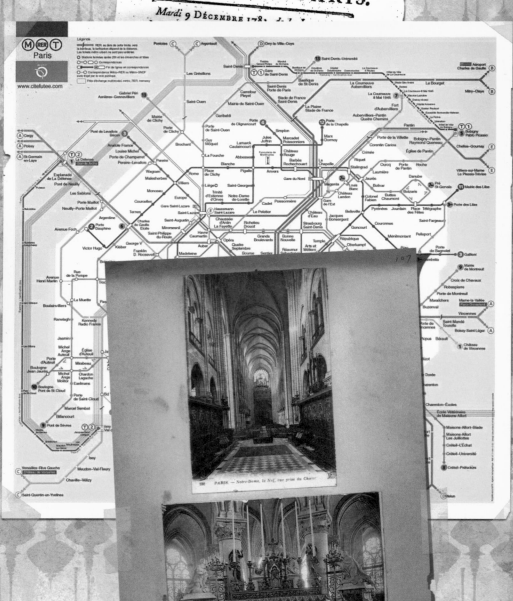

PARIS. — Notre-Dame, la Nef, vue prise du Chœur.

PARIS. — Notre-Dame, le Maître-Autel.